KROK ZA TOBĄ

Nakładem Wydawnictwa Sonia Draga
ukazały się następujące książki tej autorki:

Dom dla lalek
Dziecięce koszmary
Kochać mocniej
Nie bój się
Niepewność
Pożegnaj się
Samotna
Sąsiad
W ukryciu
Zaginiona
Złap mnie
Znajdź ją

LISA GARDNER

KROK ZA TOBĄ

Z języka angielskiego przełożyła
Daria Kuczyńska-Szymala

WYDAWNICTWO
SONIA DRAGA

Tytuł oryginału:
RIGHT BEHIND YOU

Copyright © 2017 by Lisa Gardner, Inc.
Copyright © 2018 for the Polish edition by Wydawnictwo Sonia Draga
Copyright © 2018 for the Polish translation by Wydawnictwo Sonia Draga

Projekt graficzny okładki: Marcin Słociński/Szara Sowa

Redakcja: Magdalena Stec
Korekta: Joanna Rodkiewicz, Hanna Antos

ISBN: 978-83-8110-301-5

WYDAWNICTWO SONIA DRAGA sp. z o.o.
ul. Fitelberga 1, 40-588 Katowice
tel. 32 782 64 77, fax 32 253 77 28
e-mail: info@soniadraga.pl
www.soniadraga.pl
www.facebook.com/wydawnictwoSoniaDraga

Skład i łamanie: Wydawnictwo Sonia Draga

Katowice 2018. (N418)

Wszystkim psom, które trafiają się raz na całe życie

Prolog

Miałem kiedyś rodzinę.

Ojca. Matkę. Siostrę. Mieszkaliśmy w naszym własnym domu. Takim kontenerowym, dwumodułowym. Z włochatym brązowym dywanem. Brudnymi złotymi blatami. Odłażącym linoleum na podłodze. Moje hot wheelsy ścigały się po umazanych jedzeniem blatach, robiły pętle na rampach ze zwijającego się linoleum, a potem lądowały w tłustej gęstwinie dywanu. To z pewnością była nora. Ale dla mnie, dla dziecka, to był dom.

Rano pochłaniałem cheeriosy i oglądałem bajkę o Scooby-Doo z wyłączonym dźwiękiem, żeby nie przeszkadzać rodzicom. Budziłem młodszą siostrę, szykowaliśmy się do szkoły. Wypadaliśmy oboje przez drzwi z plecakami pełnymi książek.

Bo to ważne, żeby czytać. Ktoś mi tak powiedział. Mama, tata, dziadkowie, nauczyciel? Nic pamiętam już, ale skądś taką informację dostałem. Jedna książka dziennie. Jak jedno jabłko. Więc po szkole biegłem do biblioteki, ciągnąc za sobą siostrę. Czytaliśmy książki, bo o owocach mogliśmy tylko pomarzyć.

Lubiłem serię Wybierz swoją przygodę. W każdej opowieści było pełne napięcia zakończenie, gdzie trzeba było zdecydować, co stanie się w następnej kolejności. Skręcić w opuszczonej świątyni w prawo czy w lewo? Podnieść zaklęty skarb czy go ominąć? W książkach z serii Wybierz swoją przygodę miało się wszystko pod kontrolą.

Potem czytałem siostrze bajki o psie Cliffordzie. Była za mała, żeby czytać sama, pokazywała palcem obrazki i śmiała się.

Czasami bibliotekarka podsuwała nam smakołyki. Mówiła coś w stylu:

– Ktoś zostawił paczkę chipsów. Macie może ochotę?

Ja odpowiadałem, że nie.

– Częstujcie się, lepiej, żebyście wy je zjedli niż ja. Chipsy nie posłużą mojej zgrabnej figurze.

W końcu moja siostra chwytała chipsy, pożerając je oczami. Ciągle była wtedy głodna. Oboje byliśmy głodni.

Z biblioteki szliśmy do domu.

Wcześniej czy później zawsze trzeba było wrócić do domu.

Czasem mama się uśmiechała. Gdy była w odpowiednim humorze, gdy miała „dobry dzień", och, tamten uśmiech. Tarmosiła mi włosy. Nazywała swoim małym mężczyzną. Mówiła, że jest ze mnie dumna. I przytulała mnie. Mocnym, ciasnym uściskiem, a wokół roztaczał się zapach dymu papierosowego i tanich perfum. Uwielbiałem ten zapach. Uwielbiałem dni, kiedy moja matka się uśmiechała.

Czasami, gdy było naprawdę dobrze, szykowała obiad. Spaghetti z keczupem – będzie plama, wołała wesoło, wciągając długie wąskie pasmo. Chiński makaron z jajkiem – obiad za piętnaście centów, spełnienie marzeń, oznajmiała. Albo mój ulubiony makaron z serem – jest taki wspaniały przez ten pomarańczowożółty kolor, szeptała.

Moja siostrzyczka chichotała. Lubiła, gdy matka miała taki nastrój. Kto by nie lubił?

Tata zwykle był w pracy. Zarabiał na chleb. Jeśli miał robotę. Obsługa stacji benzynowej. Nocny dozorca. Magazynier.

– Uczcie się – mówił po południu, o ile zdążyliśmy wrócić, by popatrzeć, jak zakłada kolejny utytłany kombinezon. – Pieprzony świat. Pieprzeni szefowie – dodawał.

I wychodził. A matka wyłaniała się z mgiełki dymu w sypialni, by zabrać się za obiad. Albo drzwi się nie otwierały, a wtedy ja wyciągałem otwieracz do puszek. Klopsiki. Zupa Campbella. Pieczona fasolka.

W takie wieczory nie rozmawialiśmy z siostrą. Jedliśmy w milczeniu. A później czytałem jej znowu o psie Cliffordzie albo graliśmy w karty. W ciche gry dla cichych dzieci. Moja siostra zasypiała na kanapie. Brałem ją na ręce i odnosiłem do łóżka.

– Przepraszam – mówiła przez sen, choć żadne z nas nie wiedziało, za co przeprasza.

Miałem kiedyś rodzinę.

Ojca. Matkę. Siostrę.

Ale potem ojciec pracował coraz mniej, a pił coraz więcej. A matka... Sam nie wiem. Narkotyki, alkohol, jej zamglony umysł? Rodzice coraz rzadziej gotowali, sprzątali czy pracowali. Coraz częściej bili się, krzyczeli, wrzeszczeli. Mama rzucała plastikowymi talerzami po kuchni. Ojciec wybił dziurę w cienkiej ścianie. A później oboje znów chlali wódkę i wszystko zaczynało się od nowa.

Siostra spała teraz w moim pokoju, a ja siedziałem przy drzwiach. Bo czasami do rodziców przychodzili goście. Inni pijacy, narkomani, wykolejeńcy. Można się było spodziewać wszystkiego. O trzeciej, czwartej, piątej nad ranem. Grzechotanie gałki zamkniętych drzwi, obce głosy nucące:

– Hej, dzieciaczki, wyjdźcie i chodźcie się z nami pobawić...

Moja siostra już nie chichotała. Spała z włączonym światłem, ściskając w rączkach pomiętą książeczkę z psem Cliffordem.

A ja trzymałem straż z kijem bejsbolowym na kolanach.

Tamten ranek. W domu wreszcie panuje cisza. Nieznajomi ludzie zalegają na podłodze. A my zakradamy się pośród nich, przemykamy do kuchni po pudełko z płatkami, a potem chwytamy plecaki i na paluszkach wymykamy się przez drzwi.

Płukanie, wirowanie i jeszcze raz.

Jeszcze raz. Jeszcze raz. Jeszcze raz.

Miałem kiedyś rodzinę.

Ale potem ojciec zaczął za dużo pić, za dużo wąchać, za dużo sobie wstrzykiwać. A mama zaczęła wrzeszczeć, ciągle wrzeszczała. Siostra i ja patrzyliśmy szeroko otwartymi oczami z kanapy.

– Stul pysk, stul pysk, stul pysk! – krzyczał ojciec.

Wrzask. Wrzask. Wrzask.

– Pieprzona suka! Co jest z tobą nie tak?

Wrzask. Wrzask. Wrzask.

– Powiedziałem: STUL PYSK!

Kuchenny nóż. Ten duży. Rzeźnicki, jak z horroru. Czy to ona go chwyciła? Czy on? Nie pamiętam, kto trzymał go pierwszy. Mogę tylko powiedzieć, kto go trzymał ostatni.

Mój ojciec. Unosi nóż. Opuszcza go. I wtedy matka przestaje krzyczeć.

– Kurwa!

Ojciec odwraca się do mnie i do siostry; nóż jest cały we krwi, kap, kap, kap. A ja już wiem, co on teraz zrobi.

– Biegnij – mówię do siostry, ściągając ją z kanapy i popychając w stronę korytarza.

Włochaty dywan go spowolnił. Ale my potknęliśmy się o odłażące linoleum. Gdy pędziliśmy przez dwumodułowy dom, w pełnej przerażenia ciszy, dogoniłem siostrę i podniosłem ją. Jej krótkie nóżki nadal śmigały w powietrzu.

Słyszałem go tuż za sobą. Czułem jego oddech na karku, już wyobrażałem sobie, jak ostrze wbija się pomiędzy moje kościste łopatki. Wrzuciłem siostrę do łazienki.

– Zamknij drzwi!

A potem popędziłem korytarzem, mając ojca i jego zakrwawiony nóż tuż za plecami.

Wpadłem do sypialni rodziców. Wskoczyłem na łóżko.

– Cholerny dzieciak. Stój spokojnie, no stój.

Nóż unosi się i opada. Rozpruwa pościel. Wbija się w materac.

Zeskoczyłem z drugiej strony. Łapałem wszystko, co stało na biurku. Puste butelki po winie, puszki po piwie, perfumy. Rzucałem nimi prosto w purpurową twarz ojca.

– Kurwa. Kurwa. Kurwa.

Kiedy się zachwiał, przeskoczyłem z powrotem przez łóżko i minąłem go. Usłyszałem świst ostrza. Poczułem palący ból w ramieniu. Ale byłem wolny, pędziłem korytarzem. Gdyby udało mi się wybiec na zewnątrz, na podwórko, zawołać sąsiadów...

I zostawić siostrę samą?

Lecz ona tam była. Stała w drzwiach mojego pokoju. I trzymała kij bejsbolowy.

Nie wahałem się. Chwyciłem drewniany kij. Popędziłem do sypialni rodziców, obróciłem się w ostatniej chwili, przyjąłem właściwą pozycję.

Mój ojciec. Dziki wzrok. Czerwona twarz. Światła się palą, pomyślałem, ale nikogo nie ma w domu.

Uniósł zakrwawiony nóż.

A ja wziąłem potężny zamach. Uderzyłem, rozległo się głośne plaśnięcie, gdy trafiłem. Ojciec runął na podłogę, a nóż upadł na dywan.

Nadal wymachiwałem kijem. Bam. Bam. Bam.

Jeszcze raz. Jeszcze raz. Jeszcze raz.

Moja mała siostra nagle zjawiła się tuż obok mnie.

– Telly, Telly, Telly.

Spojrzałem. Dziki wzrok. Czerwona twarz. Światła się palą, ale nikogo nie ma w domu.

– Telly! – zawołała po raz ostatni. A ja uniosłem kij.

Miałem rodzinę.

Kiedyś.

Rozdział 1

Szeryf Shelly Atkins miała już nie pracować w policji. Dziesięć lat po tym, jak ogień pokrył jej tułów i ramię plątaniną blizn, nie wspominając o uszkodzonym biodrze, odwiesiła służbowy kapelusz. Skorzystawszy z oferty podróży życia do Paryża, zafundowanej przez anonimowego dobroczyńcę (była pewna, że stał za tym emerytowany agent FBI Pierce Quincy), leczyła rany francuskimi naleśnikami, francuskim winem i wizytami we francuskich muzeach.

A potem wróciła do domu. Ustaliła sobie stały harmonogram spacerów po plaży, wędrówek po lesie i innych zajęć. Sztuczne biodro najlepiej się sprawdzało w ruchu, a ból mięśni po aktywnym dniu był o wiele lepszy niż kłująca udręka bezczynności. Pokonując sporą przestrzeń, łatwiej było nie pamiętać. Kobiecie z taką ilością blizn wspominki po prostu nie mogą służyć.

Ale później, dwa lata temu, urzędujący szeryf hrabstwa – ktoś przysłany z zewnątrz, kogo miejscowi nigdy nie polubili – złożył nagle rezygnację. Szeptano o jakichś nadużyciach, lecz prokuratura okręgowa niczego nie była w stanie udowodnić. W każdym razie hrabstwo zostało bez szeryfa. A Shelly...

Nie była piękną kobietą. Nie była nawet ładna, i to jeszcze zanim ogień zmienił połowę jej ciała w obraz Picassa. Miała figurę konia pociągowego, a twarz o tak zdroworozsądkowym wyrazie, że mężczyźni zagadywali ją w barze, cały czas wpatrując się w ładniejszą dziewczynę trzy miejsca dalej.

Nie miała rodziny, nie miała dzieci, nie miała nawet złotej rybki, bo nigdy nie była do końca pewna, czy znowu nie wyjedzie.

Podsumowując, osiem lat po poparzeniu, przez które omal nie umarła, w jej życiu nie pojawiło się nic nowego. Ani nikt nowy.

Przede wszystkim cholernie tęskniła za robotą. Nie wspominając o ludziach, z którymi kiedyś pracowała.

Więc natychmiast zgłosiła się na wakat. A ponieważ wciąż pamiętano ją jako lokalną bohaterkę, która uratowała z pożaru agenta federalnego, miejscowi z entuzjazmem zagłosowali za jej kandydaturą. Wiadomo: sztuczne biodro, pokryte bliznami ciało i tak dalej.

A to znaczy, przypomniała sobie Shelly, włączywszy światła radiowozu, że może obwiniać wyłącznie siebie. Zgłoszenie o strzałach o tej porze roku? Niedobrze i dla lokalnego szeryfa, i dla lokalnego biznesu, dla którego bardzo istotna była reputacja uroczego i spokojnego nadmorskiego miasteczka. Przede wszystkim spokojnego.

Było wcześnie, tuż po ósmej, więc albo to starzy dobrzy znajomi, którzy nie wytrzeźwieli jeszcze po wczorajszych ekscesach, albo jacyś rozczarowani turyści, którzy w końcu się zorientowali, że biwakowanie w najgorszym upale wcale nie jest takie przyjemne. Zwykle w sierpniu nie było tutaj aż tak gorąco, zwłaszcza że morska bryza utrzymywała temperatury w rozsądnych granicach. Jednak od pięciu dni słupek rtęci wskazywał niemal trzydzieści osiem stopni, co było trudne do wytrzymania.

W prowincjonalnym miasteczku z pięcioma tysiącami mieszkańców, w którym liczba sztuk broni prawdopodobnie przekraczała wielkość populacji, takie zgłoszenie musiało się wreszcie zdarzyć. Dyspozytor podał adres, była to stacja benzynowa ze sklepem na skraju miasteczka, a Shelly osobiście zajęła się sprawą. Obaj jej zastępcy już wyrabiali nadgodziny, pracując nad typowymi wakacyjnymi zgłoszeniami o naruszeniu porządku publicznego, więc pomyślała, że chociaż w ten sposób im pomoże. I choć nie cieszyły jej strzały z broni palnej w jej miasteczku, nie była szczególnie przejęta. Bakersville w Oregonie słynęło tak naprawdę z lokalnego sera, lasów i morskiej bryzy. Oczywiście był coraz poważniejszy problem z amfetaminą, ale policjanci tutaj nie mieli tak stresującej pracy jak ci w dużych miastach.

Kierując się na północ i minąwszy niepozorne centrum, Shelly zbliżała się do najważniejszego obiektu w mieście: fabryki sera. Pomimo migających świateł musiała włączyć syrenę, żeby przecisnąć się jakoś przez korek złożony z samochodów z przyczepami turystycznymi i kamperów, które utknęły na wjeździe na parking. Biorąc pod uwagę, że od samego rana było gorąco jak w piekle, większość turystów prawdopodobnie planowała dziś na śniadanie lody. Shelly miała zamiar do nich dołączyć po załatwieniu zgłoszenia. Przyjazna policja. Lody, bratanie się z miejscowymi. Tak, to był dobry plan.

Na północ od fabryki ruch zmalał, a Shelly dodała gazu. Droga się tutaj zwężała i wiła ostrymi zakrętami, wiodąc wzdłuż skalistego wybrzeża. Po jakimś czasie, minąwszy po ośmiu kilometrach kolejny zjazd na kemping, dotarła do celu: stacji benzynowej EZ Gas.

Zaparkowała i zgasiła światła, rozglądając się uważnie. Dostrzegła jednego pick-upa stojącego przy dwóch identycznych dystrybutorach paliwa. Był to zdezelowany ford, który pamiętał lepsze czasy. Poza tym panował spokój. Shelly powiadomiła dyspozytora przez radio, że dotarła na miejsce zgłoszenia. A potem z siedzenia pasażera wzięła kapelusz z szerokim rondem, wsunęła go na głowę i wysiadła z białego policyjnego SUV-a.

Od razu uderzyła ją absolutna cisza. To zdecydowanie ją zaniepokoiło. W upalny sierpniowy dzień, gdy w okolicy panował tak duży ruch, ta cisza... Nie zwiastowała niczego dobrego. Dłoń Shelly przesunęła się w stronę kabury. Automatycznie przyjęła boczną pozycję, by stanowić jak najmniejszy cel, gdy podchodziła do drzwi frontowych dawno nieodnawianego sklepu.

I wtedy poczuła zapach. Gęsty, metaliczny. Zapach, który nawet szeryfowie z małych miasteczek znali lepiej, niżby chcieli.

Wyblakłego czerwonego pick-upa z połowy lat dziewięćdziesiątych miała po lewej, a otwarte szklane drzwi do małego sklepu po prawej. Zatrzymała się i zastanowiła. Samochód wydawał się pusty, czyli powinna zająć się sklepem. Podeszła bliżej ściany, której dół zastawiono sklepowymi lodówkami, a górne okna zaklejono plakatami reklamującymi tanie piwo. Z dłonią na kaburze schowała się za jedną z zamrażarek i zajrzała do środka.

Nic nie było widać. Ani słychać. Żadnego brzęku kasy. Żadnych głosów, gdy sprzedawca podaje kierowcy pick-upa kwotę do zapłaty. Tylko ten zapach. Gęsty i gryzący w prażącym sierpniowym słońcu.

I wtedy jakiś dźwięk dotarł do jej uszu: cichy i jednostajny.

Brzęczenie much. Mnóstwa, mnóstwa much.

Shelly już wiedziała, co znajdzie w środku.

Krótka chwila na wysłanie do dyspozytora prośby o wsparcie.

A potem wyprostowała się, rozpięła kaburę i wyjęła glocka 22.

Weszła do sklepu.

Pierwsza ofiara upadła trzy metry od wejścia. Ciało leżało na plecach, z rozrzuconymi kończynami i z paczką chipsów tuż obok wyciągniętej ręki. Dwudziestoparolatek. Miejscowy, pomyślała od razu Shelly, gdy zobaczyła znoszone dżinsy, niezawiązane buty i utłuszczony podkoszulek. Pewnie chłopak z farmy, stwierdziła, ale potem poczuła lekki zapaszek zgnilizny i szybko zmieniła zdanie. Rybak. Zdecydowanie praca na łódce albo jakaś równie cuchnąca. Może wrócił właśnie z porannego połowu i wpadł tylko po przekąskę. A teraz miał w czole pojedynczą dziurę i kolejne na klatce piersiowej. Sądząc po rozluźnionym wyrazie twarzy, niczego się nie spodziewał.

Kolejne ciało znajdowało się za ladą. Tym razem kobieta. Osiemnaście, dziewiętnaście lat. Druga ofiara. I z pewnością zastrzelona już po miłośniku słonych przekąsek, bo ona zdążyła się zorientować. Ciało upadło zgarbione i wykręcone, jakby dziewczyna się obróciła, próbując uciekać, i zorientowała się, że jest zablokowana, uwięziona przez ladę z przodu i ścianę z wyrobami tytoniowymi z tyłu. Uniosła rękę. Shelly dostrzegła dziurę po kuli idealnie pośrodku dłoni.

Nie musiała oglądać reszty obrażeń, żeby wiedzieć, że były śmiertelne.

W środku brzęczenie much było głośniejsze. Cholerne owady przyciągnął zapach krwi, a teraz skupiły się na dwóch bliźniaczych celach.

Zabawne, co może poruszyć kobietę. Shelly widziała okropne kolizje samochodowe, tragedie na polowaniach, a nawet kilka wypadków z kombajnami. Widziała jatki, rozczłonkowane ciała. Małe miasteczka wcale nie przypominają idyllicznych miejsc, jak przedstawia to telewizja. Ale te muchy.

Te cholerne muchy...

Starała się oddychać przez usta. Powoli i głęboko. Procedury. W tej chwili zgodność z literą prawa liczyła się bardziej niż kiedykolwiek. Musiała zawiadomić detektywów, biuro prokuratora i koronera. Trzeba ich wezwać i wziąć się do roboty.

Ruch po jej lewej.

Shelly obróciła się, trzymając dłonie razem, prostując ręce i unosząc glocka. Zauważyła, że metalowy stojak na końcu alejki ze słodyczami, tuż przed lodówkami pełnymi zimnych napojów, drży. Przylgnęła do ściany, żeby było ją jak najmniej widać.

Ruszyła zewnętrzną alejką, by zajść cel z boku. Mocno się pociła, strużki potu zalewały jej oczy. Muchy. Brzęczenie much, przerywane jedynie szuraniem jej ciężkich butów po pokrytej linoleum podłodze. Mimo najlepszych chęci oddychała zbyt głośno, gwałtownie zaczerpywała nienaturalnie nieruchomego powietrza.

Nie miała na sobie kamizelki. Było na to za gorąco, byłoby jej zbyt niewygodnie. Nawet jadąc do zgłoszenia o strzelaninie... Bakersville nie było tego rodzaju miejscem. Ani tego rodzaju społecznością.

A przecież to właśnie ona powinna wiedzieć lepiej.

Na końcu alejki zwolniła. Stojak już się nie ruszał. Nasłuchiwała dźwięków – powiedzmy napastnika z bronią, który zakrada się po drugiej stronie alejki albo czai tuż za nią.

Nic.

Głęboki wdech. Powolny wydech.

Raz, dwa, trzy.

Szeryf Shelly Atkins gwałtownie skręciła, z glockiem tuż przed sobą, szukając celu.

Lecz alejka była pusta, a metalowy stojak z przekąskami ani drgnął. Żadnego ruchu przy ścianie z lodówkami wypełnionymi zimnymi napojami.

Shelly powoli się wyprostowała. Sprawdziła alejkę za alejką, krok po kroku.

Ale cokolwiek spowodowało zamieszanie, zniknęło. Może to tylko przypadkowy przeciąg albo napięte jak postronki nerwy Shelly.

W każdym razie była w sklepie sama. Z dwoma ciałami. I nie-ustannym brzęczeniem much. I odorem świeżej krwi.

Shelly odpięła krótkofalówkę z ramienia, przygotowując się do wykonania kolejnych czynności. Unosząc wzrok, spostrzegła trzecią ofiarę.

Rozdział 2

– Truskawki czy kiwi?

– Jabłko?

– Ale jabłko to nie truskawki ani kiwi.

– Truskawki i kiwi są za miękkie. Do pory lunchu zostanie z nich ciapa.

– W takim razie jabłko.

Rainie puszcza do mnie oko i grzebie w lodówce. Ja tymczasem przesuwam ostatni kęs jajecznicy po talerzu. To kolejny poranek, gdy mam zjeść zdrowe śniadanie, żeby mieć energię. Wcale jej nie mam i Rainie dobrze o tym wie.

Pod stołem Luka wciska swój mokry nos we wnętrze mojej dłoni. Pies na swój sposób próbuje mnie pocieszyć.

Gdy Rainie jest odwrócona do mnie plecami, chowam w dłoni resztki zimnej, grudkowatej jajecznicy i kładę rękę na kolanach. Tym razem, kiedy Luka trąca mnie nosem, rozchylam palce i udostępniam smakołyk. Teraz przynajmniej jedno z nas jest szczęśliwe.

Nie powinnam dawać Luce jedzenia dla ludzi. To były policjant, lubi mi przypominać Quincy. Wyszkolony członek służb porządkowych. Musiał przejść na emeryturę w wieku pięciu lat, bo dwa razy w ciągu jednego roku zerwał sobie więzadło w łapie. Zasadniczo ma rozwalone kolano. To nie przeszkadza mu w życiu cywila, ale wyklucza aktywną służbę.

Teraz Luka jest moim partnerem. Quincy dostał go od kumpla z policji rok po tym, jak zjawiłam się w domu Rainie i Quincy'ego. Opiekowanie się Luką to mój obowiązek. Karmię go, trenuję i codziennie daję mu lekarstwo na stawy. Nauczyłam się też niderlandzkiego. Nie miałam o tym pojęcia, ale owczarki niemieckie, które pracują w policji i w wojsku, zwykle pochodzą z Europy, bo tamtejsze są bardziej rasowe. Luka przyjechał z Holandii, więc początkowe szkolenie miał po niderlandzku. Jego trener tutaj też wydawał mu komendy w tym języku, a ja przejęłam je po nim.

Czy poprawnie je wymawiam?

Nie mam pojęcia. Ale Luce to nie przeszkadza. Słucha mnie bardzo uważnie. To mi się w nim podoba. Potrafi słuchać.

I lepiej też sypiam, gdy Luka wyciąga się obok mnie. To oczywiście też jest zakazane. Policyjne psy powinny być w swoim kojcu, jeśli nie pracują. Bo gdy się je z niego wypuszcza, to wiedzą, że to czas pracy. Psy lubią swoje kojce, wyjaśniał mi Quincy. Wiele razy. To, że Luka jest już na emeryturze, to nie powód, żeby zapominać o pięciu latach szkolenia. I tak dalej, i tak dalej, i tak dalej. Bla, bla, bla.

Quincy jest świetnym wykładowcą. A ja jestem bardzo pojętną córką pod jego zastępczą pieczą. Posłusznie kiwam głową w odpowiednich momentach.

Ale i tak wypuszczam Lukę z kojca, żeby mógł ze mną spać.

Decydujący głos miała Rainie. Usłyszałam, jak mówiła Quincy'emu, żeby odpuścił. Luce nic się nie działo, a ja spałam lepiej. Po co to psuć?

Lecz rozumiałam, co ma na myśli, bo czasem w nocy Luka zostawia mnie i szuka Rainie.

Teraz już wiem, że Quincy ceni sobie logikę i rutynę. Ale ja i Rainie... Nasze życie jest trochę bardziej skomplikowane.

Nie nazywam moich rodziców zastępczych – a wkrótce być może rodziców adopcyjnych – mamą i tatą. Niektórzy przysposabiający rodzice nalegają na to. Ale ja miałam dziesięć lat, gdy zjawiłam się w tym domu, i mieszkałam już w zbyt wielu domach, żeby wierzyć w tak błyskawicznie powstające więzi. Quincy ma na imię Pierce, ale wszyscy mówią na niego Quincy, nawet Rainie, więc ja też. Jest starszy niż większość ojców, którzy decydują się przyjąć dziecko pod swoją opiekę. Po sześćdziesiątce. Ale świetnie się trzyma. On i Rainie codziennie chodzą biegać. No i Quincy nadal pracuje. Kiedyś był psychologiem kryminalnym w FBI. Tak poznał Rainie – ona była zastępczą szeryfa tutaj, w Bakersville, gdy wydarzyła się strzelanina w szkole. On pomógł jej w tej sprawie i od tej pory są razem.

Quincy odszedł z FBI na emeryturę, a Rainie zrezygnowała z pracy w policji. Teraz pracują jako konsultanci przy starych nierozwiązanych sprawach albo dziwnych morderstwach, które wykraczają poza kompetencje komisariatu. Zasadniczo są ekspertami od potworów.

Może dlatego trafiłam im się właśnie ja?

Rainie nie lubi, gdy mówię takie rzeczy. Jestem tylko dzieckiem, często mi powtarza. Nie muszę być idealna, ale mam się uczyć na błędach. A to jest czasem trudniejsze, niż się wydaje.

Moi rodzice nie żyją. Nie mam żadnych ciotek, wujków ani dziadków. Tylko brata, cztery lata starszego ode mnie. Nikt o nim nie wspomina, a ja jestem taka, że nie dopytuję. Bo musiałabym się otworzyć.

Jak powiedziałby ze swoim zabawnym uśmieszkiem Quincy: „Nie dajmy się zwariować".

U dzieci wymagających opieki zastępczej brak biologicznej rodziny wcale nie jest zły. Bo oznacza, że można mnie adoptować. Co, gdy miałam pięć lat i pojawiłam się w pierwszym domu zastępczym z czarnym workiem na śmieci z ubraniami i przetartymi pluszakami, czyniło mnie dzieckiem łatwym do znalezienia opieki. Tamten dom nie był zły. Tamci rodzice zastępczy wydawali się całkiem mili.

Mam traumę. Znaczy się zespół stresu pourazowego. Na początku miałam chodzić na terapię dwa razy w tygodniu. Rodzice zastępczy mieli mnie na nią zabierać, to był element „planu" opracowanego przez psychologa rodzinnego.

Ale ja nie lubię terapii. Nie lubię rozmawiać. Lubię kolorować. Gdy miałam pięć lat, pani terapeutka zachęcała mnie do rysowania. Zwłaszcza portretów mojej rodziny. Z tym że ja nigdy nie rysowałam czterech osób. Tylko dwie. Większe dziecko i mniejsze. Mojego starszego brata i mnie. „A gdzie wasi rodzice?" – pytała pani terapeutka.

Nie umiałam odpowiedzieć.

Nie sypiam dobrze. Też z powodu traumy. I czasami, choć wcale tego nie chcę, robię złe rzeczy. Po prostu je robię. Nie panuję nad impulsami. Najwyraźniej nie potrafię. A tamci pierwsi rodzice zastępczy... Im bardziej byli mili, tym trudniej mi było ich znieść.

Nie sądzę, żeby tak było z powodu traumy. Myślę, że taka po prostu jestem. Trochę popsuta w środku. Są powody, to na pewno, ale spędziwszy trzynaście lat jako ja, nie jestem już tak przekonana jak terapeuci, że te powody są istotne. Bo gdy urwie ci się ucho od kubka do kawy, to czy zastanawiasz się, dlaczego się odłamało? Czy po prostu je przyklejasz?

Rainie też wyznaje taką filozofię, a mnie się to podoba. Wszyscy jesteśmy trochę popsuci, tak mówi (może dlatego sama nie może spać w nocy?), ale wszyscy staramy się siebie naprawić.

Lubię Rainie i Quincy'ego. Mieszkam w tym domu już trzy lata. Wystarczająco długo, by mogli zdecydować, czy mnie chcą, znają wszystkie moje wady. Mam Lukę i swój własny pokój, a gdzieś w Georgii – przyszywaną siostrę, Kimberly, która ma męża i dwoje dzieci. W listopadzie, jeśli wszystko pójdzie zgodnie z planem, jej córki staną się moimi siostrzenicami. To trochę śmieszne, bo są w moim wieku. Ale lubię je. Przynajmniej tak, jak potrafię lubić kogokolwiek.

Jestem szczęściarą. Wiem o tym. I naprawdę bardzo się staram, żeby się posklejać, naprawić, panować nad impulsami.

Ale w niektóre dni nadal trudno jest być mną.

Nie widziałam dziś rano Quincy'ego. Ostatnio dużo siedzi w biurze, pracując nad „projektem". Nie mówi o nim, ale Rainie i ja podejrzewamy, że pisze książkę. Spisuje swoje wspomnienia? Techniki profilerskie? Podczas kolacji zabawiałyśmy się (a może i jego), wymyślając tytuły dla tego tajemniczego wielkiego dzieła. Ulubiona propozycja Rainie: *Bujdy i bajania federalnego*. Moja: *Stary człowiek i jego nudne opowieści*.

Jeszcze się nie przyznał. Quincy zdecydowanie należy do tych ludzi, którzy do mistrzostwa opanowali sztukę milczenia.

Natomiast Rainie... Jeśli Quincy to spokój i opanowanie, to Rainie to same emocje. A przynajmniej o wiele łatwiej odczytywać je z jej twarzy. I jest ładna. Ma długie, gęste czerwonobrązowe włosy. I szaroniebieskie oczy. Ubiera się swobodnie, zimą w dżinsy i swetry, a latem w podkoszulki na ramiączkach i rybaczki. Ale jakoś zawsze wygląda na ogarniętą. I wyluzowaną.

Na letnim obozie byłaby tą dziewczyną, którą wszyscy chcieliby poznać.

Ja z kolei, cóż... Wystarczy jedno spojrzenie, by wiedzieć, że nie jestem rodzonym dzieckiem Rainie i Quincy'ego. Nie mam jej rudawych włosów ani jego jasnobłękitnych oczu. Nic z tych rzeczy. Moje popielatobrązowe włosy sterczą na wszystkie strony. I mam odstające uszy. Jasnobrązowe oczy. A do tego kościste kolana i łokcie i bardzo wąską twarz.

Rainie twierdzi, że z czasem poczuję się ze sobą dobrze. Tylko trzeba poczekać.

Chcecie poznać sekret? Kocham Rainie i Quincy'ego. I naprawdę, naprawdę chcę, żeby zostali moimi rodzicami na całe życie. Chcę zostać w tym domu. Chcę każdego dnia mieć Lukę u swojego boku.

Ale nigdy nie powiedziałam tego na głos. Nawet w dniu, gdy Rainie i Quincy kazali mi usiąść i oznajmili, że rozpoczęli procedurę adopcyjną.

Nie jestem zbyt gadatliwa, pamiętacie?

Lubię myśleć, że oni wiedzą, co czuję. W końcu są ekspertami od potworów.

Rainie podchodzi do wyspy pośrodku kuchni. Wkłada jabłko do niebieskiej torebki śniadaniowej, a potem ją szczelnie zamyka. Gotowe. Nie mogę się powstrzymać. Ciężko wzdycham. Nie chcę dzisiaj iść. Nie chcę zrobić tego, co według nich powinnam. Zdaniem Quincy'ego trzeba być twardym, również gdy się kogoś kocha. Rainie z kolei nie ustąpi, ale przynajmniej ma wyrzuty sumienia.

– Będzie fajnie – próbuje.

Przewracam oczami. Jajecznicy już nie ma. Przesuwam widelcem po kałużach syropu klonowego, rysując skomplikowane wzory wokół okruchów naleśnika.

– Lubisz pływać.

Nie reaguję nawet przewróceniem oczu.

Rainie podchodzi do stołu, siada obok mnie.

– Jakbyś mogła dzisiaj robić, co tylko chcesz, to co by to było?

– Zostałabym w domu. Pobawiłabym się z Luką.

– Sharlah, robiłaś to codziennie przez całe lato.

– Ty i Quincy też biegaliście prawie co rano. A dzisiaj znowu wstaliście i pobiegliście.

– To obóz pływacki. Tylko cztery godziny w centrum YMCA. Dasz radę.

Rzucam Rainie spojrzenie. Ma być surowe albo sarkastyczne, albo coś w tym stylu. Ale w tym momencie...

Nie dam rady. Jestem beznadziejna. I dlatego mnie tam wysyłają. Nie po to, żebym lepiej pływała – komu na tym zależy? – tylko żebym popracowała nad współdziałaniem z innymi. Pod tym względem też jestem popsuta. Nie chcę przyjaźnić się z innymi dziećmi. Nie ufam im, nie lubię ich, i z tego co wiem, z wzajemnością.

Więc tak. Zostawcie mnie z Luką. Kocham Lukę. Właśnie znowu liże mi dłoń i popiskuje ze współczuciem pod stołem.

– Sharlah...

– Jeśli pozwolicie mi zostać w domu, to będę grzeczna – szepczę. – Posprzątam w pokoju, w całym domu. Będę się uczyć odpowiedzialności. Quincy uwielbia odpowiedzialność.

– To tylko tydzień. Cztery godziny dziennie. Kto wie, może znajdziesz przyjaciół.

Błąd. Takie stwierdzenie tylko podkreśla, jaka jestem żałosna i beznadziejna. Rainie chyba się orientuje. Wzdycha i ściska moją dłoń.

– Spróbuj przez dwa dni, skarbie. Jeśli w środę nadal nie będziesz chciała... – Rainie odsuwa krzesło. – No dalej. Łap torbę na basen. Ruszamy.

Wstaję. Idę jak zombie.

Luka natychmiast do mnie dołącza.

– Gdzie Quincy? – pytam, gdy zmierzamy do drzwi.

– Rozmawia przez telefon.

– Nowa sprawa? – Wydaję się bardziej zainteresowana ewentualnym morderstwem niż obozem pływackim.

– Nie. To ktoś od nas. Tu raczej nie dzieje się nic ekscytującego. – Rainie otwiera drzwi. – Uśmiechnij się – radzi. – Na dobry początek.

Przyklejam do twarzy uśmiech, a potem wychodzę na lejący się z nieba żar. Luka siada na ganku. Będzie tam czekać, aż wrócę.

Tylko że nie patrzy na mnie i na Rainie, gdy idziemy do samochodu. Skupia uwagę po lewej stronie. Wpatruje się w coś w lesie. Wiewiórkę, sarnę, atrakcyjny patyk?

Śledzę wzrok Luki.

I czuję, jak włoski stają mi dęba na karku.

– Chodź! – woła Rainie. – Wskakuj.

Ale ja nadal wpatruję się w las i drżę z trudnych do wyjaśnienia powodów.

– Jedziemy – powtarza Rainie.

Niechętnie wsiadam do auta. Zostawiam za sobą czujnego psa.

Rozdział 3

Pierwszy na miejsce zbrodni dotarł zajmujący się sprawami zabójstw podwładny Shelly sierżant Roy Peterson, zaraz potem dołączył do niego jego zespół, a później zjawił się zastępca szeryf Dan Mitchell. Roy wysłał swoich detektywów do pracy, a sam odbył naradę z Shelly i Danem na zewnątrz stacji benzynowej. W piekącym sierpniowym upale ich mundury zdołały już pociemnieć od potu, ale i tak łatwiej było znieść żar niż coraz intensywniejszy odór krwi z jatki wewnątrz sklepiku.

Na razie media się nie pojawiły, a więc jednak są jakieś korzyści z życia w prowincjonalnym miasteczku. Lecz biorąc pod uwagę, że Bakersville leżało w jednakowej odległości między tętniącą życiem metropolią, czyli Portland, a rozpolitykowaną stolicą stanu, czyli Salem, Shelly zakładała, że ta sytuacja nie potrwa długo. Półtoragodzinna jazda to żaden problem dla zawziętego reportera, który pała żądzą przedstawienia najnowszej zbrodni. Choć to smutne, strzelanina w sklepie spożywczym w dzisiejszych czasach to żadna nowina. Tylko lokalizacja – zwykłe małe prowincjonalne miasteczko – może sprawić, że będzie warto o tym wspomnieć.

– Dyspozytor otrzymał zawiadomienie o ósmej zero cztery – przekazywała rzeczowo Shelly sierżantowi. – Zgłoszenie strzałów. Dotarłam na miejsce mniej więcej o ósmej szesnaście, w środku znajdowały się dwa ciała. Młody mężczyzna, około dwudziestu pięciu lat. I młoda kobieta, osiemnaście, dziewiętnaście lat. Każde z kilkoma ranami postrzałowymi.

– Właściciel sklepu? – zapytał Roy.

– Don Juarez – odpowiedziała Shelly, bo zadała już to samo pytanie dyspozytorowi. – Rozmawiałam z nim krótko przez telefon. Był w drodze do Salem, ale zawrócił i jedzie do nas. Wstępnie zidentyfikował sprzedawczynię jako Erin Hill... Przynajmniej to ona właśnie miała zmianę dzisiaj rano, a poza tym odpowiada rysopisowi. To miejscowa dziewczyna. Skontaktowałam się już z posterunkową Estevan, poprosiłam, żeby zajrzała do jej rodziców.

– A zwłoki mężczyzny? – zapytał Roy.

– Brak dokumentów, brak portfela. Może zabójca je zgarnął. Pick-up na zewnątrz jest zarejestrowany na firmę czarterującą łodzie rybackie. Trzeba przesłać numery rejestracyjne policji w Nehalem. Może będą w stanie podać nazwisko.

– Rebecca i Hal robią zdjęcia, zbierają i oznaczają dowody – zaraportował Roy. – Koroner wkrótce powinien tu być. Na razie znaleźliśmy dziewięć łusek i jedną kulę.

– Dziewięć strzałów na dwie ofiary? – Shelly pokręciła głową. – Trochę dużo.

– Mężczyzna został trafiony trzy razy w klatkę piersiową i raz w głowę. Sprzedawczyni tak samo: pojedynczy strzał w głowę, trzy w tułów, w tym ta jedna kula, która przebiła jej dłoń.

– Broń? – zapytała Shelly.

– Kula wskazuje na dziewiątkę.

Shelly westchnęła. Broń kalibru dziewięć milimetrów była dość popularna, zwłaszcza w okolicy. To z pewnością nie zawęzi poszukiwań.

– To osiem naboi – odezwał się Dan.

Roy i Shelly spojrzeli na niego.

– Cztery strzały na każdą ofiarę – wyjaśnił Dan. – To razem osiem. Ale wspomnieliście o dziewięciu łuskach. Więc gdzie ten ostatni strzał?

– Och, do tej części jeszcze nie dotarłam – uśmiechnęła się kwaśno Shelly. – Okazuje się, że mamy trzecią ofiarę: kamerę monitoringu w sklepie, która może się okazać naszym jedynym świadkiem.

Problem polegał na tym, że kamery bezpieczeństwa to kwestia technologiczna. A komenda policji w niewielkim Bakersville nie miała specjalisty od nowoczesnych technologii czy eksperta kryminalistycznego od informatyki. Musieli więc czekać na pomoc policji stanowej. Tylko że Shelly nie lubiła czekać.

Miała podwójne zabójstwo w miasteczku, w którym w ogóle rzadko dochodziło do morderstw. Miejskie władze będą się domagać szybkich odpowiedzi. Do diabła, ona sama chciała szybkich odpowiedzi.

Z drugiej strony, jeśli nie odzyskają nagrań z kamery lub coś spaprzą, zniszczą jeden z nielicznych tropów.

– Mały sklep w takim miejscu jak to – powiedział Roy. – Jak bardzo skomplikowany może to być system? Można założyć, że kupili go w supermarkecie, więc nie jest chyba na tyle wymyślny, żeby troje dobrze wyszkolonych funkcjonariuszy służb porządkowych nie dało rady.

Oboje z Shelly odwrócili się do Dana, ich lokalnego speca od technologii. Był najmłodszym członkiem zespołu i to on zajmował się komunikacją policji ze społeczeństwem przez internet.

– Widziałaś tę kamerę? – zwrócił się do Shelly.

– Zamontowana za kasą, pod samym sufitem – odparła.

– Duża, mała, nowa, stara?

– Mała. To znaczy to, co z niej zostało. Czarny plastik – dodała z nadzieją.

– Czyli elektroniczne oko. – Dan pokiwał głową. – W takim razie nagranie najprawdopodobniej zapisane jest na cyfrowym rejestratorze DVR. Jest tam jakieś biuro?

– Tak, o tam.

Shelly wskazała otwarte drzwi stacji. Błyski fleszy świadczyły o tym, że detektywi wciąż robią zdjęcia. Kolejny minus próby odzyskania nagrania z kamery w tym momencie: mogli jeszcze bardziej zanieczyścić miejsce zbrodni.

– Co chcesz zrobić? – zapytał Roy Shelly.

– Nie zamierzam czekać godziny na policję stanową – odpowiedziała.

Roy się skrzywił.

– Godziny? Raczej pół dnia.

– To prawda. Okej. Dan, idziesz ze mną. Jeśli system monitoringu okaże się zbyt skomplikowany, zawsze będziemy mogli poprosić o pomoc właściciela. Ale przecież gdzieś w okolicy grasuje podwójny morderca. Chcę zobaczyć jego twarz.

***

Muchy były wszędzie. Shelly skrzywiła się, widząc ich bzyczącą gęstwinę nad dziurami po kulach w klatce piersiowej i na czole mężczyzny. Miała ochotę odgonić owady, ale wiedziała z doświadczenia, że to bez sensu.

Hal spojrzał znad aparatu i przywitał ją i Dana skinieniem głowy. Odpowiedzieli tym samym, nie odzywając się. Powietrze w środku było jeszcze bardziej rozgrzane, odór krwi i śmierci zmuszał do oddychania przez usta.

Shelly trzymała się jak najbliżej prawej strony, a Dan szedł za nią krok w krok, żeby zostawić jak najmniej śladów. Ominęli zręcznie ciało, a potem na palcach przeszli zewnętrzną alejką ku ścianie z napojami. Przed działem z mrożonkami powietrze stało się trochę chłodniejsze, więc Shelly cicho westchnęła. Z tego miejsca widać było drzwi frontowe oraz niemal połowę małego samoobsługowego sklepu z sześcioma alejkami. Ladę, po prawej od drzwi, zasłaniały częściowo paczki chipsów. Ale spojrzawszy do góry, widać było kamerę. Małe czarne oko, które zwisało teraz bezwładnie z roztrzaskanym przez kulę obiektywem.

– Niezły strzał – mruknęła.

Dan wzruszył ramionami.

– Z tego co wiemy, stał w tym momencie tuż pod nią – stwierdził.

– Tym chętniej ci potowarzyszę – zgodziła się Shelly, prowadząc go obok zamrażarek aż do prostych drewnianych drzwi z napisem „Tylko dla personelu".

Drzwi do biura były zamknięte. Dan skrzywił się, pewnie zastanawiając się, które z nich będzie musiało przeszukać martwą kasjerkę, żeby znaleźć klucz. Shelly miała jednak lepszy pomysł. Założyła rękawiczki, uniosła rękę, przesunęła ją wzdłuż framugi u góry i oczywiście...

Uśmiechnęła się. Dan cicho zachichotał. Ale potem oboje uświadomili sobie, jakie to niestosowne, i spoważnieli.

Shelly wsunęła zwykły mosiężny klucz do zamka i otworzyła drzwi.

W małym sklepie było gorąco, ale w pozbawionym okien biurze na tyłach panował kompletny zaduch. W nadmorskim miasteczku o zwykle łagodnych temperaturach w wielu lokalach nie było klimatyzacji, ten sklep nie był wyjątkiem. Gdy Shelly zapaliła górne światło, dostrzegła mały wentylator ustawiony na górnej półce, czyjś pomysł na walkę z upałem. Poza tym w maleńkim pomieszczeniu nie było nawet krzesła, jedynie deska ułożona na dwóch zniszczonych metalowych szafkach, zdezelowany laptop i oczywiście rejestrator DVR, matowoczarny, wyraźnie nowy, upchnięty w kącie razem z monitorem.

– Wygląda na świeży nabytek – rzucił Dan zza ramienia Shelly. W ciasnej przestrzeni musieli stać blisko siebie, a to sprawiało, że upał stawał się jeszcze trudniejszy do zniesienia.

– Niedawne kradzieże, podejrzenia? – mruknęła Shelly. Ten system monitoringu to był prawdziwy łut szczęścia. Nawet podstawowe modele kosztują ponad sto dolców, więc dla tak skromnego sklepu jak ten to musiał być niemały wydatek.

Przesunęła się w bok, wciągając brzuch, gdy Dan przeciskał się, przyglądając się rejestratorowi.

– Większość systemów umożliwia natychmiastowe odtworzenie – stwierdził, naciskając jakieś przyciski.

Czarował swoimi technicznymi umiejętnościami, aż na monitorze pojawiła się ikonka SuperSecurity. Kilka sekund później ekran wypełnił widok na tył kobiecej głowy.

Kasjerka, pomyślała Shelly, Erin Hill, która zaczęła pracę o czwartej nad ranem i pamiętała o włączeniu monitoringu.

Dan znowu coś pomajstrował i przesunął ich w czasie do przodu. Piąta rano. Szósta. Siódma. Siódma trzydzieści i wtedy...

Całkiem niezły obraz. Nieruchomy, co było nieco dezorientujące. Czarno-biały. Klienci pojawiali się i znikali na skraju ekranu, podczas gdy czubek głowy Erin pozostawał ciągle w centrum. Od czasu do czasu ona też znikała, może siadała, żeby poczytać książkę albo pograć na komórce, kiedy nie było klientów.

Siódma pięćdziesiąt trzy. Pojawia się zabity mężczyzna. Shelly rozpoznała jego profil, gdy wchodził do sklepu, a potem zniknął w alejce w poszukiwaniu chipsów. Trzydzieści sekund. Czterdzieści. Pięćdziesiąt. Mężczyzna znów się pojawił, teraz *en face*, bo stał przy ladzie i grzebał w kieszeni w poszukiwaniu drobnych.

Nie było dźwięku. Widzieli, ale nie słyszeli. Biorąc pod uwagę, że jego usta się poruszały, pewnie mówił coś do Erin. Najprawdopodobniej odpowiedziała, bo się roześmiał. A potem schował do kieszeni resztę. Złapał paczkę chipsów. Odwrócił się w stronę wyjścia.

Nagle wyrzucił ręce w powietrze. Szarpnęło nim, przechylił się do tyłu i znowu nim szarpnęło.

Osunął się, jego głowa zniknęła z ekranu i widać już było tylko jego rozrzucone nogi.

Erin odwróciła się, jej ciemne włosy, jedyny widoczny element, nagle zawirowały. Spojrzała w kamerę rozszerzonymi strachem oczami.

Shelly nie widziała jej ust. Tylko górną część twarzy. Czy krzyczała, czy chciała coś powiedzieć? Z boku ekranu ukazało się nagie przedramię. W dłoni była broń. Bach, bach, bach.

I Erin zniknęła z ekranu.

Jej życie się skończyło. Tak po prostu.

Shelly pochyliła się nad ramieniem Dana, intensywnie wpatrując się w nagranie, gdy ręka zabójcy zniknęła z ekranu. Nie, nie, on się musi pokazać. Przecież musi strzelić w kamerę. Nic się nie dzieje. Może zabójca wyszedł, żeby sprawdzić na zewnątrz, czy dźwięk strzałów nie wzbudził podejrzeń. A może poszedł obrabować pick-upa ofiary.

Ale potem, trzy, cztery, pięć minut później...

Pojawiła się pojedyncza postać. Nie mężczyzna. Chłopak. Młodszy od swojej pierwszej ofiary, a może i od Erin Hill. Miał na sobie za dużą czarną bluzę z kapturem z rękawami podwiniętymi powyżej łokci, ale i tak zupełnie nieodpowiednią na upalny sierpniowy poranek. Podszedł do lady. Nie obejrzał się na swoją pierwszą ofiarę ani nie spojrzał w dół na drugą. Popatrzył bezpośrednio w kamerę. Prosto w obiektyw.

Shelly nigdy dotąd nie widziała tak obojętnego wyrazu twarzy. Żadnych wyrzutów sumienia, żadnej satysfakcji, nawet jednej kropli potu na brwi.

Ciemnooki chłopak patrzył przez obiektyw kamery prosto na Shelly.

A potem uniósł ramię i strzelił.

Shelly potrzebowała chwili, żeby odzyskać oddech. Pochylający się nad monitorem Dan był w podobnym stanie.

– Rozpoznajesz go? – zapytała.

– Nie.

– Ja też nie. – Nie przypuszczała, by to miało jakieś znaczenie. Obraz był dobry, opis będzie solidny, więc powinni mieć jego nazwisko w ciągu paru godzin.

– Nie wziął pieniędzy – mruknął Dan.

– Nie.

– Nawet nie rozmawiał z tymi ludźmi. Po prostu... sobie wszedł. I ich zamordował.

– Wiem.

– Widziałaś jego oczy?

Shelly pokiwała głową. Rozumiała, co jej zastępca chce powiedzieć.

– Co się tutaj stało? – zapytał Dan, niemal błagalnym tonem.

– Nie wiem – odpowiedziała szczerze. – Ale wiem, kogo zapytać: Pierce'a Quincy'ego. Jeśli będziemy mieć tylko to nagranie, to będziemy potrzebować pomocy psychologa kryminalnego. Ale motywacja zabójcy nie jest w tej chwili naszym priorytetem.

– A co jest ważniejsze?

– Dzieciak, który zabija z taką łatwością. Myślisz, że skończył?

Rozdział 4

Emerytowany psycholog kryminalny FBI Pierce Quincy korzystał z drugiej szansy, jaką dało mu życie. Nie był człowiekiem, który by nad tym dywagował. Piętnaście lat temu może by nawet w to nie wierzył. Wychowywany przez samotnego ojca od nagłej śmierci matki, wstąpił do chicagowskiej policji, a potem został zwerbowany przez FBI.

Wówczas, jako młody i dobrze zapowiadający się agent, miał okazję dołączyć do grupy w dużej mierze złożonej z legendarnych agentów FBI, pionierów nowej dziedziny tworzenia psychologicznych profili przestępców. Nawet jeśli praca odciągnęła go od żony, Bethie, i ich dwóch córek, Mandy i Kimberly, to cóż... Polowanie na seryjnych morderców tak właśnie wygląda. Trudno ścigać najgorsze potwory, jakie chodzą po ziemi, i jednocześnie zdążyć do domu na obiad.

Praca była niczym powołanie. A Quincy... całkowicie się w niej zatracił.

Tymczasem żona go zostawiła.

A córki dorastały bez niego.

Aż pewnego dnia zadzwonił telefon... Mandy miała wypadek. Okazało się, że to nie był wypadek. Quincy jednak przywlókł coś z pracy do domu: człowieka pałającego żądzą zemsty. Starsza córka i była żona zapłaciły za to cenę, zanim Quincy zdołał go powstrzymać.

Z Rainie udało mu się stworzyć lepszą równowagę. I nawet jeśli nadal nie był zbyt rozmowny, to lepiej dogadywał się z byłą funkcjonariuszką służb porządkowych. Rainie rozumiała jego milczenie tak samo, jak on rozumiał jej demony. Wiedziała, że z tego, iż on nie dzieli się swoimi emocjami, wcale nie wynika, że ich nie odczuwa. A on akceptował to, że ona prawdopodobnie nigdy nie będzie mogła w nocy spać i że każdego dnia, wciąż od nowa, będzie podejmować odważną decyzję, by nie wziąć alkoholu do ust.

I oto oni. Nieco starsi, nieco mądrzejsi i, jeśli Bóg pozwoli, niedługo rodzice adoptowanej córki. Denerwowali się i cieszyli. Byli pełni przerażenia, a jednocześnie nadziei.

Byli rodzicami.

Quincy spędził niemal cały ranek, słuchając dobiegającego od strony holu cichego głosu Rainie. Prawdopodobnie łagodziła wściekłą bestię, która czasem wcielała się w ich córkę, przed odwiezieniem jej na obóz pływacki. Sharlah pojawiła się u nich z całą historią aspołecznych zachowań. I te dokumenty nie kłamały.

W przypadku dzieci trafiających do rodzin zastępczych nawiązanie więzi zawsze stanowi problem. Quincy i Rainie zostali zakwalifikowani jako rodzice zastępczy pomimo jego zaawansowanego wieku i jej problemów z piciem po części dlatego, że Quincy był uważany za eksperta w tworzeniu więzi. Z całą pewnością braki w procesie tworzenia więzi to seryjny morderca numer jeden. Mając na względzie aspołeczne tendencje oraz traumę, jaką Sharlah przeszła we wczesnym dzieciństwie, pracownicy opieki społecznej żywili uzasadnione obawy.

Przez pierwsze sześć miesięcy Sharlah testowała ich cierpliwość.

Być może Quincy łagodniał z wiekiem, bo patrzył na swoją przyszłą córkę i nie dostrzegał w niej drapieżnika, tylko widział małą zagubioną dziewczynkę. Kogoś, kto wiele wycierpiał i wytworzył sobie odpowiednie osłony ochronne. Sharlah nikomu nie ufała. Przed nikim się nie otwierała. Nikomu nie wierzyła.

Ale nawiązywała więzi.

Wystarczy spojrzeć na nią i na Lukę.

Quincy zdecydował się na tego owczarka pod wpływem impulsu. Niektóre artykuły na temat adopcji dzieci zalecały jednoczesną adopcję zwierzęcia, żeby dziecko miało towarzystwo. Poza tym zwierzęta w domu uczą odpowiedzialności, a Quincy, w rzeczy samej, był bardzo staromodny w tej kwestii. Zresztą... on i Rainie zdecydowali się na dziecko, to czemu też nie na psa? Skoro stawiają na życie rodzinne, to warto to zrobić jak należy.

Sharlah uwielbiała Lukę. A Luka uwielbiał ją. Dobrali się jak w korcu maku. Może nie była to taka socjalizacja, na jaką z Rainie liczyli, ale przynajmniej był to dobry początek. Z całą pewnością mieli nadzieję, że pewnego dnia, jeśli dopisze im szczęście, Sharlah pokocha ich przynajmniej tak samo, jak pokochała swojego psa.

Owszem, tak wygląda świat rodziców.

Quincy z powrotem skupił uwagę na telefonie, który trzymał w ręku. Na drugim końcu linii była Shelly Atkins, szeryf hrabstwa.

– Dwa ciała – mówiła właśnie. – Każde z kilkoma ranami postrzałowymi.

– Napad? – zapytał.

– Pusta kasa sklepowa. Ale posłuchaj: pieniądze zabrał po tym, jak ich zastrzelił, nie najpierw. Na nagraniu z kamery monitoringu widać, że po wejściu do sklepu nie postawił żadnych żądań. Po prostu wszedł i zaczął strzelać. Wygląda to tak, jakby o pieniądzach pomyślał dopiero później. Jeśli chciał tylko gotówki, to przecież wystarczyło postraszyć tych dwoje bronią. Nie musiał ich zabijać, nie stawiali żadnego oporu.

– Macie nagranie tego zdarzenia?

– Tak, i właśnie dlatego dzwonię. Quincy... Do diabła, nie wiem, jak to wyjaśnić. Ale chciałabym, żebyś przyjechał i rzucił na to okiem. Ten dzieciak, wyraz jego twarzy, gdy naciska spust. Zabił tych dwoje tylko dlatego, że mógł. A chłopak, który z tak zimną krwią...

– Boisz się, że znowu zabije.

– Dokładnie tak.

Quincy zerknął na zegarek. Rainie pojechała już, żeby podrzucić Sharlah do centrum YMCA.

– Daj nam czterdzieści minut – powiedział do szeryf Atkins. – Przyjedziemy z Rainie do twojego biura.

– Zaparkujcie z tyłu. Media już zwietrzyły trop.

– Konferencja prasowa?

– Możliwe. W przeciwnym razie zadepczą nam miejsce zbrodni. Poza tym mam dla nich robotę.

– Chcesz wykorzystać media? – Quincy uniósł brew. – Ryzykowna gra.

– Podejmę wyzwanie. Mam wyraźne ujęcie twarzy podwójnego mordercy. Media upublicznią jego wizerunek i przy odrobinie szczęścia pod koniec dnia będziemy mieć nazwisko zabójcy.

Quincy'emu przyszło coś do głowy.

– Mówiłaś, że ten niezidentyfikowany chłopak rozwalił kamerę.

– To prawda.

– Po tym, jak zabił dwoje ludzi?

– Tak jest.

– Ha.

– Co znaczy „ha"?

– Daj mi czterdzieści minut i oboje się dowiemy.

Quincy zadzwonił na komórkę Rainie i umówił się z nią w biurze szeryf Atkins. Słyszał, jak podekscytowana Sharlah dopytuje z siedzenia z tyłu auta. Na początku bardzo się starali, żeby trzymać ją z dala od swojej pracy. Nie chcieli pogłębiać jej traumy. Ale z czasem... Ona była naprawdę tym zainteresowana. A do tego bystra i zaangażowana. W końcu jej kuratorka dała zielone światło dla rozmów przy obiedzie o podstawach kryminalistyki. Sharlah należała do tych dzieci, które wiedzą już, że na świecie są też źli ludzie. W jej przypadku techniki policyjne, psychologia służąca identyfikowaniu i rozumieniu przestępców niosły więcej pociechy niż tradycyjne rodzicielskie placebo w stylu „Nie musisz się tym martwić" czy „Będziemy się tobą opiekować". Sharlah chciała umieć zadbać sama o siebie. W związku z tym była wielką fanką pracy Rainie i Quincy'ego. I może też dlatego była dla nich idealnym dzieckiem.

Zamknął teczkę leżącą na biurku – tę, co do której Rainie i Sharlah miały tyle pytań – i włożył ją z powrotem do zamykanej na klucz szuflady.

Jeszcze tylko jedna rzecz. Niezbędna po tylu latach doświadczeń z pracy.

Podszedł do ściany, do oprawionej w ramkę czarno-białej fotografii ślicznej małej dziewczynki z przerwą między zębami, wyglądającej zza zasłony prysznica. Jego najstarsza córka, Mandy, zanim dopadły ją codzienność, picie i psychopata.

Odsunął zdjęcie, by dostać się do sejfu na broń. Ostatnio wymienił go na model biometryczny. Przyłożył palec w odpowiednie miejsce. Cichy furkot, kliknięcie i drzwiczki się otworzyły.

Wybrał dwudziestkędwójkę, zapasową, bo technicznie rzecz biorąc, konsultanci sił porządkowych nie musieli nosić przy sobie broni. Ale ktoś, kto przeszedł to, co on...

Quincy wsunął pistolet do kabury na łydce.

A potem przygotował się do wyjścia na falę upału.

Budynek, w którym urzędowała szeryf Atkins, wyglądał tak, jak należy. Jednopiętrowy, przysadzisty, pomalowany na beżowo, reprezentował dokładnie taki rodzaj architektury, jaki podoba się tylko i wyłącznie oszczędnym samorządom lokalnym.

Zgodnie z radą Shelly Quincy wjechał na tył budynku, jego czarny lexus minął rosnący sznur telewizyjnych vanów. Dziesiąta rano. Najwyraźniej nikt nie chciał się spóźnić na konferencję o dziesiątej trzydzieści.

Quincy potrząsnął głową, kiedy skręcał na parking. Za pewnymi aspektami swojej pracy wcale nie tęsknił, a kontakty z mediami znajdowały się na szczycie listy.

Zaraz potem zauważył auto Rainie. Siedziała w środku, zapewne korzystając z klimatyzacji, jak długo się da. Biorąc pod uwagę temperaturę, jaka panowała na zewnątrz, wcale jej się nie dziwił.

Zaparkował tuż obok. Otworzyła drzwi, gdy odpiął pas, i oboje znaleźli się w lejącym się z nieba upale.

– Ojej – powiedziała, co nieźle podsumowywało żar jak z pieca.

Rainie była swobodnie ubrana, akurat na podwiezienie dziecka, w czarne spodnie trzy czwarte i cienki zielony T-shirt z ciemnozielonym krętym wzorem po jednej stronie. Wyglądała jak gorąca mamuśka w drodze na jogę. Po tylu latach Quincy wciąż nie mógł uwierzyć, że jest jego żoną.

On natomiast stanowił przykład tego, jak trudno wyrugować stare nawyki. Był ubrany w stylu, który Rainie nazywała ironicznie „weekendowym stylem FBI". Beżowe materiałowe spodnie i granatowa koszulka polo. Dawno temu miałby na niej wydrukowane litery „FBI". Dziś wystarczył mu napis „SIG Sauer Academy", gdzie od czasu do czasu prowadził zajęcia na strzelnicy. Napis miał związek z pracą w służbach, a jednocześnie nie wprowadzał w błąd.

– Jak tam pływaczka? – zapytał, zamykając swoje auto.

Rainie wzruszyła ramionami.

– Stara się.

– Co znaczy, że powinniśmy mieć godzinę, zanim zadzwonią, żebyśmy ją odebrali?

– Oby – odparła, gdy szli w stronę budynku. – Czy nie myślisz czasem, że to ironia losu, że akurat my dwoje próbujemy wyrobić w dziecku umiejętności społeczne?

– Nieustannie – zapewnił ją.

Dotarłszy do drzwi, przytrzymał je dla niej, a potem sam znalazł się we względnie chłodnym wnętrzu. Doświadczenie podpowiadało mu, że to wrażenie nie potrwa długo. Aż tak wysokie temperatury nie zdarzały się na wybrzeżu zbyt często, więc systemy klimatyzacji nie dawały rady – o ile ten budynek był na tyle nowoczesny, by taką instalację w ogóle posiadać.

Bywali już tutaj, więc podeszli prosto do oficera dyżurnego, mignęli swoimi identyfikatorami i zostali wpuszczeni przez ciężkie metalowe drzwi z brzęczykiem do środka policyjnej jednostki. Podobnie jak w większości biur szeryfa było tam wszystko: areszt, centrum łączności, kilka odrębnych wydziałów, w tym detektywi na piętrze, gdzie Quincy spodziewał się zastać teraz też Shelly. Ruszyli na górę i rzeczywiście...

Shelly stała pośrodku niewielkiego pokoju przeznaczonego dla czterech detektywów, choć niekoniecznie wszystkich naraz. Kremowe ściany, niebieska wykładzina, typowe biurka z laminatu – pomieszczenie wyglądało jak niemal każde biuro detektywów, w jakim Quincy miał okazję przebywać, co zresztą pasowało do całej reszty budynku.

Ktoś pomyślał, żeby odsunąć dwa biurka na bok, robiąc miejsce w środku pomieszczenia. Shelly, sierżant Roy Peterson oraz zastępca szeryf Dan Mitchell stali tam teraz, przyglądając się obrazowi na płaskim ekranie umocowanym na przeciwległej ścianie. Rainie i Quincy znali wszystkich obecnych w pokoju, więc szybko się przywitali i mogli od razu przejść do rzeczy.

– Zgłoszenie przyszło tuż po ósmej rano – powiedziała do nich Shelly.

Wskazała na ekran. Widać na nim było zatrzymaną klatkę z młodym białym mężczyzną, który miał na sobie czarną bluzę z kapturem i patrzył prosto na nich. Jego twarz wydawała się całkowicie wyzuta z emocji.

– Sama tam pojechałam, bo moi zastępcy i tak już mają za dużo nadgodzin – dodała w reakcji na pytające spojrzenia.

Shelly delikatnie kołysała się na piętach. Była zmęczona, lecz równocześnie podekscytowana. Quincy doskonale pamiętał to uczucie.

– Ale zanim dotarłam na miejsce, było już po wszystkim – kontynuowała. – Dwa ciała, sprawcy brak. Biorąc pod uwagę okoliczności, postanowiłam od razu sprawdzić system monitoringu, a nie czekać na speców ze stanowej, bo to wydawało się najlepszym sposobem zidentyfikowania sprawcy.

– To on? – Quincy wskazał na ekran.

– Tak.

Przyjrzał się zdjęciu i odniósł dziwne wrażenie. Jakby spotkał już kiedyś tego dzieciaka, a jednocześnie nigdy w życiu nie widział go na oczy. Zerknął na Rainie, która również zmarszczyła brwi.

– Możemy zobaczyć od początku? – zapytała.

– Oczywiście.

Shelly wzięła do ręki pilota. Twarz młodego mężczyzny zniknęła. Pokazał się nowy obraz: tył kobiecej głowy. Włączyła nagranie.

Rozdzielczość była lepsza, niż Quincy spodziewał się po kamerze z niewielkiej stacji benzynowej. Nagranie było krótkie. Pojawił się pistolet i w ciągu zaledwie paru sekund dwoje ludzi straciło życie. Przerwa, kilkuminutowa, a potem niezidentyfikowany młodzieniec pokazał się w całej okazałości. Popatrzył prosto na nich. I uniósł pistolet, by oddać ostatni strzał.

– Broń? – zapytał Quincy, bo na podstawie nagrania trudno było rozpoznać.

– Dziewięć milimetrów, przynajmniej sądząc po znalezionej kuli. Będziemy wiedzieć więcej, jak balistycy przeprowadzą analizę.

Quincy pokiwał głową. Biorąc pod uwagę szokujący charakter tej zbrodni – nie wspominając o rozgłosie, jakiego z pewnością nabierze – władze stanowe bez wątpienia dołożą wszelkich starań, by dowody zostały zbadane jak najszybciej.

– Jak sprawca się tam dostał? – zapytała Rainie. – Przyjechał? Przyszedł na piechotę? – Spojrzała na Shelly.

– Dobre pytanie. EZ Gas jest na uboczu. Nie ma tam żadnych sąsiadów, którzy mogliby być świadkami. Leży osiem kilometrów na północ od autostrady... Na piechotę w upał to spora odległość.

– Więc najprawdopodobniej przyjechał – stwierdziła Rainie.

– Jedynym pojazdem na miejscu zbrodni był czerwony pick-up należący do zabitego mężczyzny.

– Czyli nie wiemy, czy sprawca działał sam, czy też miał wspólnika, powiedzmy: czekającego na niego kierowcę? – dopytywała Rainie.

– Wszystko jest możliwe. – Shelly zatrzymała znowu nagranie na zdjęciu napastnika. – W tej chwili mamy to. Zidentyfikujmy tego białego mężczyznę...

– A będziemy mieli sprawcę – dokończył za nią Quincy.

– Taki jest plan. I dlatego robimy konferencję. Do której, cholera, powinnam się przygotować. – Popatrzyła na Quincy'ego i Rainie. – Myślicie, że może być niebezpieczny?

– Tak – odpowiedzieli oboje bez wahania.

– W takim razie standardowa formułka. Ktokolwiek, kto posiada jakiekolwiek informacje, powinien skontaktować się bezpośrednio z nami, ale nie zbliżać się do poszukiwanego na własną rękę.

– Po co on to zrobił? – zastanowił się Quincy. – Dlaczego ten dzieciak strzelał i zabił tych dwoje ludzi?

– On się na nich zaczaił – stwierdziła Rainie. – Co byłoby dziwne, gdyby chodziło mu tylko o rabunek. – Odwróciła się do Quincy'ego. – Zero wahania – dodała.

Shelly zrozumiała sugestię.

– Uważacie, że robił to już wcześniej.

– Bardzo prawdopodobne – mruknął Quincy. – Potrzebujemy informacji o obu ofiarach. Zwłaszcza o dziewczynie.

Shelly była nie w ciemię bita.

– Ona stanowiła cel? Jest w zbliżonym wieku. Może to kłótnia kochanków, a klient z chipsami był tylko biedakiem, który znalazł się w nieodpowiednim miejscu w nieodpowiednim czasie.

– Myślę, że taki scenariusz ułatwiłby ci życie – stwierdził Quincy. – Gdyby to była zawiedziona miłość, zabójca osiągnąłby swój cel. Zrobił już to, co zamierzał.

– A teraz?

Quincy się nie wahał.

– Jeśli dopisze ci szczęście, pojedzie do domu i się zastrzeli.

– A jeśli nie jestem taką szczęściarą? – zapytała Shelly.

– To masz rację, jego przygoda dopiero się zaczyna. Pokażcie to zdjęcie mediom – doradził. – Zdobądźcie jego dane. Ale zdecydowanie oznaczcie go jako niebezpiecznego i uzbrojonego. Cywile nie powinni się do niego zbliżać.

– Jak myślisz, co ten chłopak teraz zrobi? – zapytała Shelly. – Tak między nami, prostaczkami, którzy na szczęście nie mają zazwyczaj do czynienia z tego rodzaju zbrodniami.

Quincy zmarszczył brwi. Uważnie przyjrzał się zdjęciu. I ponownie ściągnął brwi.

– Ten chłopak zastrzelił dwoje ludzi w ciągu mniej niż minuty – stwierdził – a potem celowo pokazał nam swoją twarz. Powiedziałbym, że w tym momencie i w przypadku tego człowieka wiemy o wiele za mało.

Rozdział 5

– Mamy nazwisko i adres. – Sierżant Peterson wsunął głowę do gabinetu Shelly, gdzie wciąż siedziała razem z Quincym i Rainie. Wszyscy mieli przed sobą kubki z kawą, choć Quincy wiedział z doświadczenia, że w kubku szeryf Atkins kryje się herbatka z rumianku.

– Przecież jeszcze nie miałam konferencji prasowej – stwierdziła Shelly.

– I już nie musimy jej organizować. Wysłałem mailem zdjęcie do paru kuratorów sądowych zajmujących się młodocianymi. – Peterson zerknął na Quincy'ego. – Zasugerowałeś, że chłopak miał już doświadczenie. I nie pomyliłeś się. Aly Sanchez od razu się odezwała. To jeden z jej chłopców.

– Wezwie go do siebie? – zapytał Quincy, marszcząc brwi. Wstał już z miejsca, podobnie jak Shelly i Rainie.

– Nie. Powiedziałem jej, żeby na razie się z nim nie kontaktowała. Obawiam się, że jeśli znajdzie się w jej biurze i cokolwiek wyczuje, jakieś napięcie... Ten chłopak zastrzelił już dwoje ludzi, nie chciałem narażać Aly na taką sytuację.

– Kartoteka? – rzuciła Shelly.

– Głównie drobne przestępstwa, wykroczenia, niszczenie mienia. Ale sporo tego jak na siedemnastolatka. Widać, że chłopak się nie nudził. Według Aly podejrzany mieszka obecnie u Sandry i Franka Duvallów. Frank jest nauczycielem w liceum w Bakersville, a Sandra zajmuje się domem. Ich własny syn wyjechał na studia, więc w zeszłym roku zgodzili się przygarnąć chłopca. A teraz posłuchajcie: Frank Duvall ma zarejestrowane na swoje nazwisko sześć sztuk broni, w tym dziewiątkę.

– Kontaktowałeś się już z tą rodziną? – zapytała Shelly.

– Dzwoniłem. Nikt nie odbiera.

– Okej. Powiadomię SWAT. Jak dadzą zielone światło, wchodzimy.

– Dobrze byłoby, gdyby podejrzany nie poczuł się zapędzony w kozi róg – doradził Quincy.

– Będę pamiętać, że mają być dla niego mili. Jeszcze jakieś uwagi, panie profilerze?

– Dziennikarze czekają.

– Ach, cholera.

– Spokojnie – powiedziała Rainie. – Zawsze możesz po akcji u Duvallów posłać SWAT na nich.

Okazało się, że Duvallowie mieszkają w skromnym, jasnoszarym farmerskim domu położonym z dala od drogi. Z jednej strony otaczał go zagajnik wysokich jodeł, a z drugiej gęsty żywopłot z rododendronów. Ganek zastawiony był doniczkami z jaskrawoczerwonymi kwiatami, a obok drzwi wisiała tabliczka z napisem „Wszędzie dobrze, ale w domu najlepiej".

Najwyraźniej rodzice zastępczy podejrzanego dbali o swoje włości. Czy chłopak to doceniał, czy też raczej cieszył się z tego, że trafił do domu z sześcioma spluwami?

Quincy i Rainie czekali razem z Shelly, podczas gdy pół tuzina funkcjonariuszy SWAT rozproszyło się wokół i zaczęło zbliżać do budynku. Shelly wyjęła komórkę i po raz kolejny wybrała numer Duvallów.

Wokół panowała cisza. Na podjeździe nie było samochodów. Przez okna nikogo nie było widać.

Mimo to Quincy wydawał się podenerwowany, spięty. To pewnie przez kofeinę, pomyślał. Zerknął na Rainie i zorientował się, że czuje to samo. Patrzyła na zegarek.

– Obóz pływacki – powiedziała bezgłośnie.

Jasne. Odebrać Sharlah. Nie powinien już o takich rzeczach zapominać. Ciekawe, że nawet po trzech latach rodzinnego życia nadal musiał nad tym intensywnie pracować. Natomiast to, co robił teraz, podchodzenie podejrzanego o morderstwo, było dla niego tak naturalne jak jazda na rowerze.

Trzaski w krótkofalówce.

– Tu baza, odbiór – rzuciła Shelly.

– Zespół Alfa na miejscach. Możemy ruszać.

– Zielone światło, Alfa. Ruszajcie.

Funkcjonariusze SWAT jakby wysypali się na scenę. Z przodu domu i z tyłu. Zaczęli walić w drzwi, a chwilę potem, gdy nie było żadnej reakcji, jeden z nich wziął zamach i uderzył w drzwi ręcznym taranem. I wtedy uzbrojeni po zęby i ciężko opancerzeni ludzie wpadli do małego domku.

Quincy zorientował się, że wstrzymuje oddech. Nasłuchiwał krzyków, wrzasków, wystrzałów.

Ale nic. Zupełnie nic.

Zerknął na Rainie, akurat gdy krótkofalówka Shelly znowu się odezwała.

– Dowódca do bazy.

– Odbiór.

– Zabezpieczyliśmy teren.

– Znaleźliście podejrzanego?

– Nie.

– Członków rodziny?

– Hm... Musi to pani sama zobaczyć.

Quincy od razu się domyślił, jaki los spotkał Franka i Sandrę Duvallów.

Frank Duvall nawet nie zdążył wstać z łóżka. Leżał rozciągnięty na plecach, prześcieradło sięgało jego nagiej piersi, na czole widać było pojedynczy ślad po kuli. Quincy dostrzegł oparzenia od prochu wokół dziury, tam gdzie lufa została przytknięta do ciała. To był strzał z bliska. Bardzo osobisty.

I z pewnością obudził Sandrę Duvall, która spała obok męża. Odrzuciła pościel, stanęła obiema nogami na podłodze i dostała trzy kulki w plecy. Jedną obok drugiej, tak jak uczy się na policyjnych strzelnicach, gdzie strzelec stara się trafiać w tułów, pomyślał mimowolnie Quincy.

Upadła na twarz obok łóżka, z szeroko rozrzuconymi rękoma i koszulą nocną zakręconą wokół talii.

Dalej dwa kolejne pokoje. Pierwszy mały, ledwo mieszczący podwójne łóżko i skromne biurko. Okno było otwarte, żeby wpadał przez nie orzeźwiający wiaterek, o którym niestety można było tylko pomarzyć. Podobnie jak w sypialni Duvallów w rogu szumiał wentylator, ale mielił tylko gorące powietrze.

Pościel została odrzucona, w sierpniowym upale było na nią zbyt gorąco. Żadnych ciał. W ogóle nic. Tylko łóżko, wentylator i lampa. Stos książek obok łóżka. Kupka brudnych ubrań w rogu naprzeciwko. Na pustym biurku ładowarka do elektronicznych urządzeń.

Quincy od razu się domyślił, że to pokój ich nastoletniego podejrzanego. I zabolała go świadomość, że Sharlah w mig rozpoznałaby takie miejsce. Pozbawione osobistych akcentów. Bo w świecie dzieci pod opieką zastępczą własne przedmioty to nagrody, na które trzeba sobie zasłużyć. A biorąc pod uwagę dotychczasowe dokonania tego siedemnastolatka, to on raczej tracił przywileje, niż je zyskiwał.

Jeszcze jeden pokój. Quincy się zawahał. Wyjątkowa i wymowna chwila dla kogoś, kto próbuje ojcostwa po raz drugi.

Rainie postanowiła w ogóle nie wchodzić do tego domu.

– Znam swoje ograniczenia – powiedziała, a on nie oponował.

Drzwi były otwarte, by zapewnić dostęp świeżego powietrza. Quincy szedł sam, korytarz był za mały, a pokoje zbyt blisko siebie, żeby funkcjonariusze mogli iść ławą. Nie zmieniali się nawet. Shelly, widząc, jak ograniczona jest przestrzeń, i chcąc w jak najmniejszym stopniu zacierać ślady, poprosiła Quincy'ego, żeby szedł dalej. Z nich wszystkich miał najlepsze kwalifikacje.

Roy Peterson powiedział, że Duvallowie mają syna na studiach. Był sierpień, więc najprawdopodobniej chłopak przyjechał na wakacje do domu...

Ręką w rękawiczce Quincy popchnął drewniane drzwi. Kolejna mała sypialnia. Podwójne łóżko, porządnie zaścielone, równo ułożona brązowo-niebieska pikowana narzuta. I brak ciała. Brak krwi, brak bzyczących much, brak odoru śmierci.

Tylko pusty pokój. Pod oknem stało opróżnione ze wszystkiego biurko. Na stoliku nocnym budzik, stara mosiężna lampa i nic więcej. Jedyne osobiste przedmioty to dwa plakaty przypięte do ciemnej boazerii ścian, oba przedstawiające koszykarzy. Portland Trail Blazers, rozpoznał Quincy po strojach, ale nie był fanem koszykówki, więc samych zawodników nie kojarzył.

Wycofał się z pustego pokoju i delikatnie westchnął.

Wrócił do skromnego salonu. Obok wielkiej kanapy pokrytej kolorową wełnianą narzutą stała Shelly, z rękoma na biodrach, a krople potu zbierały jej się na twarzy z powodu duszącego upału. Popatrzyła na Quincy'ego.

– Dwa ciała. Duvallowie. Zostali zastrzeleni w swojej sypialni. On jednym strzałem w głowę, ona trzema w tułów – zaraportował. – Trzeci pokój wydaje się niezamieszkany. Syn Duvallów nie przyjechał z college'u na wakacje?

– Henry Duvall – przekazała Shelly. – Dowiedziałam się właśnie, że studiuje inżynierię na uniwersytecie stanowym w Ohio i w tej chwili bierze udział w jakimś stażu w firmie w Beaverton. A więc nie, nie przyjechał na lato do domu.

– Rozmawiałaś z nim? – zapytał Quincy, bo wydawało mu się, że jest za wcześnie na informowanie rodziny o zbrodni, której szczegółów sami jeszcze nie poznali.

– Nie, skontaktowałam się z Aly Sanchez, kuratorką. To ona przekonała Duvallów do przyjęcia jej podopiecznego. Chyba nie muszę mówić, że jest mocno wstrząśnięta dzisiejszymi wydarzeniami. Jakieś ślady poszukiwanego?

– Łóżko jest niepościelone, jakby ktoś w nim niedawno spał. A, i wentylator jest włączony. Ale poza tym nic... Pokój wydaje się raczej funkcjonalny niż przytulny.

– Po jedenastu miesiącach chłopak nawet się nie rozpakował?

– Może nie miał czego rozpakować. – Quincy przeszedł do kuchni i rozejrzał się. Trzy talerze równo ustawione w suszarce obok zlewu. Tak samo szklanki i sztućce. Sprawdził lodówkę, która zawierała solidne zapasy mleka, jajek, soku pomarańczowego i mnóstwo pojemników Tupperware. – Wygląda na to, że wczoraj wieczorem zjedli kolację, a potem pozmywali naczynia.

– Do strzelaniny doszło najprawdopodobniej dzisiaj wcześnie rano – dokończyła Shelly. – Gdyby wydarzyła się wczoraj wieczorem, to zapewniam cię, że zapach byłby dużo gorszy.

– Samochody?

– Dobre pytanie. – Shelly włączyła krótkofalówkę i połączyła się z dyspozytornią. – Auta zarejestrowane na Franka i Sandrę Duvallów – poprosiła i podała adres.

Po kilku minutach otrzymała odpowiedź. Dwa auta, dziesięcioletnia srebrna honda i piętnastoletni niebieski pick-up Chevy.

– Honda jest w garażu – zameldowała Shelly, obszedłszy dom dokoła.

– Ale nie ma śladu po pick-upie, którego Duvall parkował pewnie na podjeździe.

Shelly pokiwała głową.

– Sejf na broń? – zapytał w następnej kolejności Quincy.

– Przypuszczam, że w sypialni – odparła Shelly.

– Tam nie zauważyłem. W garażu?

– Nie.

Rozdzielili się, żeby przeszukać dom. Sejf znalazła Shelly. W piwnicy, w której, dzięki Bogu, było chłodniej niż na górze. Quincy dołączył do szeryf Atkins. Panował tam półmrok, górne światło ukazało stary stół do ping-ponga, zamrażarkę i stojący obok stosu pudeł masywny sejf na broń, na tyle wysoki, by pomieścić strzelby.

Drzwiczki sejfu były otwarte.

Palcem odzianym w rękawiczkę Shelly powoli je odchyliła.

Kilka leżących luzem naboi i to wszystko.

– Mówisz, że ile sztuk broni miał Frank Duvall? – rzucił Quincy.

– Sześć.

– Przypuszczam, że miał do nich sporą ilość amunicji. – Quincy ocenił pustą przestrzeń sejfu.

– Innymi słowy, mamy siedemnastoletniego podejrzanego, obładowanego bronią i z pick-upem, który prawdopodobnie zastrzelił już czworo ludzi. Co się tutaj dzieje? Trudne dziecko, które strzela do swoich opiekunów, to jedno, ale dlaczego zabił tych dwoje w sklepie na stacji? Czego, do diabła, ten dzieciak chce?

– Obrabował sejf, a potem zastrzelił Duvallów – mruknął Quincy.

– Na to wygląda.

– Potem wsiadł do pick-upa i...

– Postanowił strzelać dalej?

– Rozkręcił się. – Quincy odwrócił się, żeby mieć pewność, że Shelly uważnie go słucha. – Nasz podejrzany jest jak w zakupowym szale, tylko zamiast wydawać pieniądze w galerii, zabija. Zwykle zaczyna się od morderstwa w jakimś bliskim mu miejscu, od zabicia żony, szefa, rodzica. Ale ten wybuch przemocy nie jest końcem, tylko początkiem, morderca przestaje nad sobą panować, wpada w amok. Pierwszy cel miał charakter osobisty. Ale potem... On zabije każdego, zabije wszystkich, którzy staną mu na drodze. Mamy bardzo niebezpiecznego przestępcę na wolności. On będzie dalej zabijać.

Pokryta potem twarz Shelly pobladła, przez co blizny wokół szyi stały się wyraźniej widoczne.

– Dobra – wykrztusiła. A potem powtórzyła: – Dobra. Musimy stworzyć centrum dowodzenia. Zarządzić poszukiwanie skradzionego pick-upa. Zmobilizować SWAT i siły stanowe. Do diabła, wszystkie możliwe służby.

– Miejsca publiczne w pobliżu stacji EZ Gas powinny zostać zamknięte. Biblioteki, centra sportowe, świetlice. – Obozy pływackie, pomyślał Quincy, dziękując Bogu, że pływalnia YMCA jest na drugim końcu miasta.

– Jasne.

– Musimy poznać tego dzieciaka, musimy dowiedzieć się o nim wszystkiego. O jego przyjaciołach, wspólnikach, hobby, zainteresowaniach. Dokąd udałby się w trudnej sytuacji? Jak dobrze strzela?

– Okej.

– Liczy się czas. Im dłużej trwa ta sytuacja...

– Tym bardziej robi się niebezpieczny – dokończyła Shelly.

– Nie wspominając o mieszkańcach, którzy w tej okolicy...

– Mają dużo broni – westchnęła. Pokiwała głową, zbierając się w sobie.

Była dobrym szeryfem, Quincy to wiedział, potrafiła działać pod presją. Ale jak większość szeryfów w kraju zajmowała się raczej narkotykami i przemocą domową niż zbrodniami tego rodzaju. Najbliższe dwadzieścia cztery godziny będą dla nich wszystkich bardzo trudne.

Shelly znów odpięła krótkofalówkę i połączyła się z dyspozytornią.

– Podaję rysopis poszukiwanego. Mężczyzna, siedemnaście lat, szatyn, brązowe oczy, ostatnio miał na sobie czarną bluzę z kapturem, prawdopodobnie przemieszcza się niebieskim pick-upem Chevy, numer rejestracyjny... – Shelly podała numer. – Jest uzbrojony i bardzo niebezpieczny. Należy powiadomić wszystkie sąsiednie miasta, a także policję stanową. Ale też straż leśną, koło łowieckie, lokalne kempingi. Znacie procedurę. Chłopak nazywa się Telly Ray Nash.

Quincy zamarł. Poczuł, że krew odpływa mu z twarzy.

– Jak?

– Telly Ray Nash – powtórzyła Shelly.

Ale Quincy już nie słuchał. Pędził po schodach do Rainie.

Rozdział 6

– *Nie ufasz mi* – *stwierdził mężczyzna. Frank. „Mów mi Frank"* –
*powiedział tamtego pierwszego popołudnia. A potem uścisnął
mi dłoń. Właściwie nią potrząsnął, a jego stojąca tuż obok żona,
Sandra, przestępowała z nogi na nogę, zaciskając i rozluźniając
palce. Bez wątpienia typowa przytulaczka, tylko starała się powstrzymać.* – *W porządku* – *kontynuował, patrząc mi prosto
w oczy.* – *Szczerze mówiąc, ja tobie też nie ufam. Na to jest jeszcze
za wcześnie. Musimy się najpierw poznać.*

*Nic nie odpowiedziałem. Co miałbym powiedzieć? Staliśmy
na polanie pośrodku lasu. Przed nami wisiała nowiutka tarcza
strzelnicza, którą Frank przypiął do zbitej z drewna palety. Wokół
naszych stóp walało się mnóstwo łusek, petów i kapsli od butelek.*

– *Wszyscy miejscowi tutaj przyjeżdżają* – *wyjaśnił mi po
drodze Frank.* – *Prawdziwa strzelnica dla ludu.*

*Mieszkałem u Duvallów od blisko czterech tygodni. W nie-
których rodzinach zastępczych na pierwszą miesięcznicę dostaje
się jakieś ciastko albo nawet tort. Wyglądało na to, że w domu
Duvallów nagrodą będzie strzelanie.*

*Frank wyjął z tyłu pick-upa rozkładany stolik. Rozstawił go.
A potem położył na nim dwie pary ochronnych okularów, paczkę
zatyczek do uszu i pudełka z amunicją. W końcu zza siedzenia
kierowcy wyciągnął zamykane czarne pudło, trochę większe od
tego na lunch do szkoły. Spluwa. Dwie spluwy?*

*Nadal nie byłem pewien, co tutaj robię. To z pewnością było
lepsze od zabrania mnie na boisko do bejsbolu, zwłaszcza z moją
historią.*

*Frank wpisał szyfr na pudełku z bronią. Nie zasłaniał ekra-
niku, a ja nie podpatrywałem. Nie jestem zbyt rozmowny, jak*

określiłaby to moja kuratorka. Ale uważnie obserwuję. Trudno żeby nie, zwłaszcza z moją historią.

Uniósł wieczko. Pudełko było wyłożone czarną pianką, przypominającą wytłoczkę na jajka albo piankowe panele, jakimi wykłada się studia nagrań. W samym środku, czarny pośród czerni, tkwił pistolet. Mniejszy niż się spodziewałem. I... przerażający.

Nigdy dotąd nie strzelałem z broni, bo gry wideo raczej się nie liczą.

Wsunąłem ręce do kieszeni. Chłodny październikowy poranek. Stopy i dłonie miałem wilgotne od porannej rosy. Znowu zacząłem się zastanawiać, co ja tu, do diabła, robię.

Frank wyjął broń.

– Ruger SR dwudziestkadwójka – oznajmił z dumą. – Dziesięć plus jeden, czyli dziesięć naboi w magazynku i jeden w komorze. Ale od początku. Broń to narzędzie. A narzędzia należy traktować z szacunkiem.

Popatrzył na mnie wyczekująco. W końcu pokiwałem głową i zmusiłem się, żeby spojrzeć mu w oczy. Frank był wysokim mężczyzną. Ponad sto dziewięćdziesiąt centymetrów, dobrze zbudowany, bardziej jak bejsbolista niż rugbysta. Nauczyciel przedmiotów ścisłych z lokalnego liceum, dorastał w tej okolicy. Miejscowy do szpiku kości. W moim wieku rano i po południu pracował na farmie mlecznej swoich rodziców, był utrapieniem dla nauczycieli i spędzał większość sobotnich wieczorów, żłopiąc piwo i szukając kłopotów. Wie, co znaczy bycie nastolatkiem, powiedział pierwszego wieczoru w ich domu. Wie, co znaczą kłopoty.

On i jego żona wzięli mnie do siebie świadomie. Wiedzieli, co zrobiłem. Wiedzieli, co jestem w stanie zrobić.

Wiedzieli też, że to koniec. Siedemnastolatek, który za rok wyrośnie z systemu. Duvallowie byli moją ostatnią szansą, żeby stać się częścią czegokolwiek. Nie adoptowanym dzieckiem. Na takie mrzonki byłem za stary już w momencie wejścia do systemu. Ale jeśli dobrze to rozegram, zbuduję zaufanie, cholera, poprawię swoje zachowanie, będę mieć przynajmniej rodzinę zastępczą na zawsze. Dom, do którego będę mógł przyjeżdżać na Boże Narodzenie i Święto Dziękczynienia. Co więcej, jak wyjaśniła mi moja kuratorka, będę mieć wsparcie podczas czekających mnie „wielkich zmian" – rozpoczęcia pracy, stworzenia własnego domu, płacenia rachunków. Otwiera się teraz przede mną prawdziwy świat. Para wspierających mnie opiekunów w moim narożniku bardzo by mi pomogła. Przynajmniej tak twierdziła kuratorka.

Nie potrafiłem powiedzieć jej ani wielkiemu, budzącemu zaufanie Frankowi „Wiem, co znaczą kłopoty", ani wypiekającej ciasteczka Sandrze „Pozwól tylko, że cię przytulę", że ja nie potrzebuję rodziny.

Już nie.

– Jeśli mówimy o obchodzeniu się z bronią – ciągnął Frank, wciąż trzymając w ręku dwudziestkędwójkę – na pierwszym miejscu jest bezpieczeństwo. Nigdy nie celuj w coś, do czego nie zamierzasz strzelać. Nawet jeśli myślisz, że broń jest niezaładowana.

Popatrzył na mnie.

– Nigdy nie celuj w coś, do czego nie zamierzasz strzelać – powtórzyłem z opóźnieniem.

– Niektórzy wyobrażają to sobie tak, że z końca lufy biegnie promień lasera. I na co padnie, to przecina wpół. Jak patrzysz na rugera w tej chwili, to do czego celuję?

– Mmm, do tego drzewa.

– Możemy je sobie przeciąć na pół?

– Chyba tak. Pewnie.

– A teraz?

– Właśnie odstrzeliłeś sobie palec u stopy.

– Zgadza się. A wolałbym go mieć, więc nie wymachujemy bronią jak idioci i nie ryzykujemy odstrzelenia sobie własnej stopy.

– Okej.

– Druga kardynalna zasada: nigdy nie zakładaj, że broń jest nienaładowana. Nawet jeśli podam ci ją i powiem, że jest rozładowana, musisz zawsze sam to sprawdzić. Zawsze. Koniec kropka.

Miał bardzo poważną minę, wręcz surową. Znowu pokiwałem głową.

Frank odłożył pistolet na stolik, cały czas lufą z dala od nas, wymierzoną w kierunku drzewa. To było duże drzewo. Gruby pień pokryty jaśniejszymi plamami mchu. A może to były porosty? Nigdy ich nie rozróżniałem. Frank by wiedział. Gdybym go oczywiście zapytał.

– Sprawdzanie broni składa się z dwóch etapów. Najpierw wysuwasz magazynek. – Frank uniósł rugera, otoczył rękojeść swoją masywną dłonią. – Chodź tutaj. Weź. Pistolet nie gryzie. A jeśli nie będziesz sobie radził z nienaładowanym, to na pewno nie jesteś gotowy do nauki strzelania.

Wyciągnąłem ręce z kieszeni. Zmusiłem się, by zrobić krok naprzód. Co było dość zabawne, bo wystarczyłoby, żeby Frank powiedział mi, abym nigdy nie dotykał jego broni, a ja przy pierwszej okazji zgarnąłbym całą kolekcję.

Czytał moje akta, więc najprawdopodobniej o tym wiedział. Zakaż dziecku z syndromem buntownika czegokolwiek, a masz to jak w banku. Natomiast udzielenie mi pozwolenia, oferta prawdziwej nauki strzelania... Teraz nie chciałem nawet tej głupiej dwudziestkidwójki.

Wolałbym, żeby ta broń i naboje, a także pokryte mchem czy porostami drzewa zniknęły.

Cięższy niż się spodziewałem. Taka była moja pierwsza myśl. Ale jednocześnie... wygodny. Pokryta gumą rękojeść idealnie pasowała do mojej dłoni. Solidny, ale nieduży pistolet.

Na pewno było go łatwiej unieść niż kij bejsbolowy.

– Okej, zdejmij palec ze spustu. Nigdy go nie dotykaj, dopóki nie jesteś gotowy do strzału. To dobry nawyk. Najlepiej trzymać palec powyżej osłony spustu. Czujesz tę gumę na rękojeści? Można ją zdjąć, nasunąć i zsunąć. Sam pistolet jest z metalu, czujesz go palcem spustowym. Dobrze to wiedzieć. Pomoże ci to ułożyć broń w dłoni, przyjąć odpowiednią pozycję dla palca spustowego, z czasem stanie się to coraz bardziej automatyczne. Będziesz to robić na wyczucie. I wtedy będziesz już wiedzieć, że jesteś dobrym strzelcem.

Nic nie powiedziałem. Ale miał rację. Czułem różne powierzchnie, gumę w dłoni, matowy metal pod palcem wskazującym. To było... takie prawdziwe.

– A teraz, trzymając palec nie na spuście, a lufę wymierzoną z dala od siebie, musisz sprawdzić broń. Pierwszy krok to wysunięcie magazynka. Spójrz na lewą stronę rękojeści, tuż za osłoną spustu. Widzisz ten mały czarny przycisk? Popchnij go kciukiem.

Zrobiłem to i w tym momencie magazynek wyskoczył ze spodu rękojeści. Nie całkiem, ale wystawał na tyle, że mogłem go wysunąć lewą dłonią. Był zaskakująco lekki.

– Do tego magazynka wchodzi dziesięć naboi. Ile ich tam jest? – zapytał Frank.

Zmarszczyłem brwi.

– Zero. Jest pusty – odparłem.

– Czyli broń jest rozładowana?

Spojrzałem na niego. To, że nigdy nie strzelałem, nie znaczy, że nie orientuję się, jak ktoś próbuje ze mnie zakpić.

– Mówiłeś, że to pierwszy krok, więc będzie co najmniej jeszcze jeden.

– Dobra robota. Pamiętasz, co mówiłem ci o rugerze? Gdy go na początku opisywałem.

– Dziesięć plus jeden – przypomniałem sobie powoli. – Komora. Dziesięć w magazynku, który właśnie wyjąłem. Ale zostaje jeszcze jeden w komorze.

– Doskonale. Broń nigdy nie jest rozładowana, dopóki nie sprawdzisz komory. Więc najpierw wyjmij magazynek, a potem odsuń do tyłu zamek, żeby sprawdzić komorę. Z wyjętym magazynkiem połóż lewą dłoń na broni od góry. Gładki metalowy zamek. Poczuj go.

– Czuję.

– Gumowa rękojeść. Matowy metal szkieletu. Gładki metal zamka. Zgadza się?

– Tak.

– Trzymając broń w wyprostowanych rękach, użyj lewej dłoni, żeby przesunąć zamek do tyłu. Użyj trochę siły, tak trzeba.

Spróbowałem mocniej. Nagle zamek odskoczył. Zdumiało mnie to, puściłem i znowu przesunął się z trzaskiem do przodu.

Frank zachichotał.

– Spokojnie, chłopie. Bo przytrzaśniesz sobie łapę i obedrzesz

53

trochę skóry. To ma być gładki ruch. Odsuń zamek powoli, ale nie puszczaj.

Jeszcze dwa razy mi się nie udało, ale w końcu załapałem.

– Zajrzyj do komory – poinstruował mnie.

– Pusta.

– Teraz możesz puścić zamek albo jeśli wolisz, po lewej stronie powyżej osłony spustu przed bezpiecznikiem jest taki czarny guzik. Widzisz? Wciśnij go, a przytrzyma zamek w pozycji otwartej.

Znalazłem guzik i z trudem go wcisnąłem.

Frank wziął ode mnie broń i położył ją na rozkładanym stoliku.

– Procedura jest taka. Zawsze oddajesz broń w taki właśnie sposób. Wyjęty magazynek, widoczna komora. Dzięki temu obaj będziemy widzieć, że jest rozładowana. Jasne?

– Jasne.

– Okej, teraz przejdźmy do poważniejszych spraw. Ale zanim załadujemy i zabierzemy się za strzelanie, musimy ustalić, które oko masz dominujące.

Okazało się, że prawe. Frank pouczył mnie, że nie przymyka się jednego oka, naciskając spust. Trzeba tylko, używając dominującego oka, skupić się na patrzeniu przez muszkę i namierzeniu celu.

Pierwszy strzelał Frank. Opróżnił magazynek. Jeden strzał przy drugim, większość w sam środek. Popisywanie się przed podopiecznym, pomyślałem. Ale nie wypiął piersi. Raczej pokiwał głową sam do siebie. Spełnił swoje własne oczekiwania.

Potem nadeszła moja kolej. Okulary ochronne. Zatyczki do uszu. Polowanie na toczący się po całym stoliku mosiądz, gdy próbowałem załadować trzy naboje do magazynka – akurat na początek.

Frank ustawił mnie trzy metry od tarczy. Z tak bliska mógłbym wręcz splunąć do celu.

No to jazda.

Spust naciska się dłużej, niż myślałem. A potem zupełnie zaskakujący odrzut. Pistolet podskoczył mi w dłoni. Zamarłem. A drzewo po prawej od tarczy straciło trochę mchu (albo porostów).

Frank wcale nie był zaskoczony.

– Skoncentruj się na naciskaniu spustu – poradził. – Pierwszy strzał idzie powoli, a potem o wiele szybciej. Przyzwyczaj się do tego. Później popracujemy nad celnością.

Ustawienie, wypuszczenie całego powietrza z płuc, delikatne działanie na spust. Pod koniec tego popołudnia miałem przynajmniej jakąś kontrolę nad tym, co robię. Z odległości pięciu metrów, choć nie trafiałem w środkową strefę, to jednak strzały w miarę się koncentrowały.

– Spójność – przyznał Frank. – Dobry początek.

Więcej pracował ze mną, niż strzelał. Ale potem, na koniec, bez wątpienia, żeby spuścić nieco pary, postanowił się popisać. Odwrócił papierową tarczę bokiem, aż znalazła się przodem do drzew, a my patrzyliśmy na jej niewiarygodnie cieniutką krawędź. Jeden strzał i trafił w cel szerokości włosa, elegancko dzieląc papier na pół.

– Chyba strzelasz od dawna. – W moich ustach była to prawdziwa pochwała.

– Całe życie – odpowiedział, biorąc pistolet, opróżniając magazynek i komorę i chowając wszystko do pudełka. – W domu nauczę cię czyszczenia broni. Strzelanie to połowa przyjemności, o broń trzeba też zadbać.

Razem pakowaliśmy zatyczki do uszu, okulary ochronne, pudełka z nabojami i składany stolik. Zabrałem strzępy tarczy. On zamknął bagażnik.

I wtedy znowu na mnie popatrzył, poważnym wzrokiem. Z surowym wyrazem twarzy.

– Wiesz, dlaczego wzięliśmy cię do siebie, Telly?

Nie odpowiedziałem.

– Bo w ciebie wierzymy. Czytaliśmy twoje akta. Wiem, co stało się z twoją rodziną. Pamiętasz tamtą noc, Telly?

Nie musiałem pytać, o którą noc mu chodzi. Całe moje życie ograniczało się do tamtego jednego wieczoru.

– Nie bardzo. – Nie patrzyłem na niego. Znowu zacząłem studiować mech na drzewach.

– Myślisz, że dobrze wtedy postąpiłeś?

Potrząsnąłem głową.

Frank milczał, przyglądając mi się.

– Kuratorka uważa, że powinieneś pomyśleć znowu o terapii – stwierdził w końcu. – Zawieziemy cię. Pomożemy, jeśli uważasz, że to ma sens.

– Nie, dziękuję.

– Telly, to, co się przydarzyło tobie, całej twojej rodzinie, było czymś strasznym. A czasem, gdy trzyma się coś tak strasznego w środku, to narasta i robi się jeszcze gorsze niż na początku.

– Nie pamiętam – słyszę swoje słowa.

– Nie pamiętasz.

– Nie. Krzyczącą mamę tak. I ojca... Ale po kiju... od momentu gdy wziąłem go do rąk... niewiele pamiętam.

– Mężczyzna musi zrobić co trzeba, żeby ochronić swoją rodzinę – stwierdził Frank.

W końcu na niego spojrzałem. Nie miałem pojęcia, o czym mówi.

– Twoja siostra cię broniła. Powiedziała, że ją uratowałeś, że uratowałeś was oboje przed ojcem. To ważne, Telly. Bo to znaczy, że bez względu na to, co mówią, słusznie tamtej nocy postąpiłeś. Musisz się tego trzymać. To świadczy o chłopcu, którym byłeś, i o mężczyźnie, którym możesz się stać. I dlatego razem z Sandrą cię wzięliśmy. Może myślisz, że to, co zrobiłeś, było złe. Ale my... My widzimy chłopca, który zrobił, co musiał. I ten chłopiec zasługuje na drugą szansę w życiu.

– Skrzywdziłem moją młodszą siostrę.

– Złamałeś jej rękę. Wydobrzała. Gdyby dopadł ją wasz ojciec, z pewnością byłoby gorzej.

Nie musiałem odpowiadać. I nie kłamałem wcześniej: niewiele pamiętałem z tamtego wieczoru. Czerwona mgiełka walki, może nawet totalne wyłączenie – próbował mi wytłumaczyć pierwszy psychiatra – wywołane przez strach, traumę i całe lata złego traktowania. Ale pamiętałem trzask łamanych kości.

I krzyk mojej małej siostry. Długi, wysoki, cienki krzyk, który trwał i trwał, i trwał.

Osiem lat później wciąż tkwił w mojej głowie.

– Nie chcę chodzić do psychiatry – powiedziałem Frankowi.

– W porządku. Ale będziemy musieli o tym porozmawiać, Telly, bo ty musisz o tym mówić. Twoje życie się zmienia. Za rok skończysz osiemnaście lat, będziesz gotowy wyruszyć w świat. A moim i Sandry zadaniem jest przygotować cię na to. Myślisz, że jesteś gotowy zostać sam w wielkim świecie?

Nie wiedziałem, co powiedzieć.

– Telly – wyjaśnił mi cierpliwie. – Nikt nie jest gotowy na to, by zostać sam w wielkim świecie. I nikt nie powinien. Okej? Więc oto jesteśmy. I mamy dwanaście miesięcy, żeby cię poznać. A ty masz dwanaście miesięcy, żeby poznać nas. Ma to jakiś sens?

Nadal nie wiedziałem, co powiedzieć.

Pokiwał głową, jakby rozumiał.

– W porządku. A jak strzelanie? Chciałbyś jeszcze kiedyś postrzelać?

Przytaknąłem.

Zabębnił w klapę bagażnika, a potem podszedł do drzwi od strony kierowcy.

– No to chyba mamy plan. Przyznam, że świetnie się dzisiaj spisałeś. Masz do tego talent, Telly. Spokój i opanowanie. Trzymaj się tego, a następnym razem zabierzemy strzelby.

Rozdział 7

Rainie wiedziała, że jest źle już w chwili, gdy Quincy wyszedł z domu Duvallów. Nawet nie chodziło o wyraz jego twarzy – Quincy był dumny ze swojej typowej dla mieszkańców Nowej Anglii rezerwy – ale o ułożenie szczęki. Zaciśniętej. Niemal skamieniałej. Wyglądał jak człowiek, który stara się wymyślić najlepszy sposób, by powiedzieć coś, czego powiedzieć nie chce.

Zauważyła ciemne smugi na jego granatowej koszulce polo. Plamy potu od nieznośnego gorąca. Dostrzeżenie tak ludzkiej rzeczy na zwykle bardzo opanowanym mężu wzbudziło jej niepokój.

– Nie żyją? – zapytała ostrożnie, gdy zatrzymał się tuż przed nią.

– Rodzice zastępczy, Frank i Sandra. Zastrzeleni w swojej sypialni.

– A ich syn?

– On nie. Jest w Beaverton, robi tam jakiś staż. Rainie, chłopak, którym zaopiekowali się Duvallowie, nasz podejrzany morderca, nazywa się Telly Ray Nash.

Przez moment nie rozumiała. Zaskoczona myślała jedynie o tym, że to przecież nazwisko Sharlah. Ale potem kawałki układanki dopasowały się i poczuła nieprzyjemny ucisk w brzuchu.

– Starszy brat Sharlah – stwierdziła.

– Czy ona się z nim kontaktowała? Wspominała o nim w ogóle? – Gdy Sharlah miała jakieś zmartwienie, wolała zwierzyć się Rainie niż Quincy'emu, i oboje zdawali sobie z tego sprawę. Choć trzeba pamiętać, że zwierzała się bardzo rzadko. Jesteśmy rodziną samotników, pomyślała nie po raz pierwszy Rainie.

– Nigdy o nim nie mówiła. Quincy, on zabił ich rodziców.

– Wiem. Kijem bejsbolowym, nie pistoletem.

– Złamał Sharlah rękę.

– Wiem.

– Nie powinna mieć z nim żadnego kontaktu. Tak ma wpisane w dokumentach. A zrywanie więzi rodzinnych to nie jest coś, co opieka społeczna robi lekką ręką.

Quincy pokiwał głową.

– Najpierw zabił Duvallów, prawda? – zapytała Rainie.

– Tak.

Pracowała z Quincym wystarczająco długo, żeby domyślić się reszty.

– Telly Ray Nash wpadł w zabójczy amok.

– Wiesz, że proponują na to nowe określenie? Morderca spontaniczny. – Quincy wcisnął ręce do kieszeni. Nie patrzył na Rainie, tylko w dal, na jodłowy zagajnik.

Domyśliła się, że próbuje odzyskać spokój za sprawą logicznego myślenia. Jeśli będzie potrafił zdefiniować i przeanalizować to, co się dzieje, będzie mógł to kontrolować. A jak każdy rodzic Quincy nie chciał czuć, że nie ma kontroli nad życiem swojego dziecka.

– Zabójcy w amoku i mordercy masowi kierują się tą samą potrzebą psychologiczną – kontynuował. – Mają poczucie izolacji, pragną zemścić się na społeczeństwie, które ich odrzuciło. Mordercy masowi ograniczają się do jednego miejsca: szkoły, kina, firmy, w której pracowali. Natomiast mordercy w szale z definicji zabijają w wielu miejscach, ale w krótkim czasie.

– Są jak mordercy masowi, tylko że w drodze.

– Dokładnie. Ale niekiedy trudno to rozróżnić. Kip Kinkel zamordował swoich rodziców, a potem strzelał w liceum. Adam Lanza najpierw zastrzelił matkę, a później zaatakował szkołę podstawową Sandy Hook. Czy to byli mordercy w szale, bo dokonali zbrodni w kilku miejscach? Czy też mordercy masowi, bo zabijali jednak w sumie w jednej lokalizacji?

Rainie czekała, aż Quincy sam odpowie na swoje pytanie.

– Kryminolodzy lubią definiować – mruknął. – Jeśli potrafimy zdefiniować, to możemy też zrozumieć. Stąd koncepcja trzeciej kategorii: mordercy spontanicznego, która ma obejmować zarówno zabójców w amoku, jak i morderców masowych.

– Stacja benzynowa to ani szkoła, ani dawne miejsce pracy – powiedziała Rainie. – Z tego co wiemy, to był przypadkowy cel.

– Amok – rzucił Quincy.

– On nie skończył.

– Zabójstwa w szale kończą się dopiero wraz ze śmiercią zabójcy.

– Muszę odebrać Sharlah – oznajmiła Rainie nieswoim, spiętym głosem. – Co jej powiemy?

– Tego nie da się ukryć. News o szalonym mordercy? Media i cała okolica będą o tym trąbić.

– Innymi słowy, to my powinniśmy pierwsi ją poinformować.

– Nie powinna przez jakiś czas wychodzić – stwierdził Quincy. – I niech Luka jej pilnuje.

Rainie pokiwała głową. Nie musiał jej tego mówić, to było oczywiste. Ale mimo to czuła się dziwnie wytrącona z równowagi. Parę godzin temu odwiozła córkę na obóz pływacki, potem dołączyła do męża, żeby służyć radą w miejscowym komisariacie, a teraz...

Od lat niewidziany brat jej córki był podejrzany o zabójstwa w amoku, zwane także wielokrotnym morderstwem spontanicznym. Czy w podręczniku dla rodziców zastępczych był taki rozdział? Jak ma spojrzeć córce w oczy i po raz kolejny zniszczyć jej świat?

Lekarstwem na strach i niepokój jest siła i pewność siebie. Rainie wiedziała tyle z podstawowej psychologii, zanim poszła na szkolenie dla rodziców zastępczych. Dziecko z taką historią jak Sharlah nie potrzebowało rozpieszczania ani frazesów. Ona już wiedziała, że mogą się zdarzyć najgorsze rzeczy. Potrzebne jej były wiedza, wsparcie i zapewnienie o jej własnej sile. Sharlah była silna, a zadanie Rainie polegało na przypomnieniu córce o tym.

Co oczywiście oznaczało, że musiała najpierw zebrać swoje własne siły. I to jak najszybciej.

– A ty? – zapytała męża.

– Powiedziałem szeryf Atkins, że pomogę przy tworzeniu profilu. Ale chcę też... sprawdzić, czy da się dowiedzieć czegoś więcej o śmierci rodziców Sharlah.

– Uważasz, że to, co Telly zrobił osiem lat temu, może mieć związek z tym, co dzieje się teraz.

Quincy przytaknął. Historia zabójcy zawsze ma znaczenie.

– Nikogo wtedy nie oskarżono. A skoro tak, to czy są jakiekolwiek akta do sprawdzenia? – zapytała Rainie.

– Może nie. Ale to było dość sensacyjne wydarzenie, ktoś... z prokuratury, z detektywów, z pracowników opieki społecznej... powinien coś pamiętać.

– Okej. Ty porozmawiasz z ekspertami, a ja z Sharlah. Chociaż ona nie lubi wracać do przeszłości. A biorąc pod uwagę, ile miała wtedy lat, nie jestem pewna, czy cokolwiek pamięta.

– Powodzenia – rzucił Quincy.

– Jak sądzisz, dokąd on się teraz uda? – zapytała nagle Rainie, mając na myśli Telly'ego Raya Nasha.

– Nie mam pojęcia, ale podejrzewam, że wkrótce się dowiemy.

Rainie dotarła pod centrum YMCA pięć minut przed czasem. Sharlah już stała na zewnątrz, wysoka, tyczkowata dziewczyna z ociekającymi wodą włosami i z jaskrawożółtą torbą na basen przewieszoną przez ramię.

Ku zaskoczeniu Rainie jej córka – dopiero wkrótce formalnie córka, ale to nie miało dla niej znaczenia – nie była sama. Obok Sharlah stała mała dziewczynka, sześcio-, może siedmioletnia, i z ożywieniem o czymś rozprawiała. Sharlah miała raczej powściągliwy wyraz twarzy, ale skrupulatnie dziewczynce przytakiwała.

Rainie podjechała bliżej i opuściła szybę.

– Czy to twoja mama? – zapytała natychmiast dziewczynka. – Jest bardzo ładna. Przyjdziesz jutro? Ja chyba tak. Świetnie ci dzisiaj szło. Do końca tygodnia nauczysz się pływać!

– Cześć – powiedziała Sharlah. Otworzyła drzwi auta, wsunęła się do środka i nachyliła ku włączonej na maksimum klimatyzacji. Dziewczynka na zewnątrz machała jak szalona.

– To twoja instruktorka? – zapytała Rainie, odjeżdżając. Zauważyła, że stuka w kierownicę palcem. Przestała, wzięła głęboki wdech i postanowiła się skupić.

– Coś w tym stylu.

– Było tak źle, jak się spodziewałaś?

– Nie umiem pływać.

– Oczywiście, że umiesz. Widziałam cię w wodzie wiele razy.

Sharlah pokręciła głową.

– To nie jest pływanie. To jest unoszenie się na wodzie. I... machanie kończynami. Umiem machać kończynami w wodzie. Ale nie pływać... Żabka, kraul, styl grzbietowy. Żadnego nie znam. A przez to trafiłam do grupy małych dzieci. Na dodatek większość z nich pływa lepiej ode mnie.

Rainie nie wiedziała, co powiedzieć. Sharlah mówiła o obozie pływackim, ale przed oczami Rainie przewijały się tylko sceny zbrodni. Jej upośledzone społecznie dziecko miało bardzo trudne przedpołudnie. A popołudnie szykowało się jeszcze gorsze.

Przyłapała się na tym, że znowu stuka w kierownicę. Zorientowała się, że Sharlah też to zauważyła. Jej twarz przybrała obojętny wyraz. Nie zapytała, co się stało, bo ona tego nie robiła. Tylko w łamiący serce Rainie sposób nastawiła się na to, że coś jest nie tak, i automatycznie przygotowała się na cios.

Proces stawania się rodziną zastępczą, a później adopcyjną, był dokładnie tak rygorystyczny, jak się o tym słyszy. Oregońska opieka społeczna kazała Rainie i Quincy'emu wypełnić stosy dokumentów. Mieli wizyty, spotkania dotyczące ich referencji i bezpieczeństwa dziecka. Oraz całe listy wymogów do spełnienia. Pracownica od adopcji miała chyba niekończący się zapas takich list.

Żeby uzyskać akceptację jako rodzina zastępcza, musieli ukończyć trzydziestogodzinny kurs podstawowy, który obejmował mnóstwo tematów: od praw dziecka umieszczanego w pieczy zastępczej, przez prawa jego rodziny biologicznej, aż po prawa rodzeństwa. W tym czasie dowiedzieli się, że Sharlah ma starszego brata, ale że nie będą mieli ze sobą kontaktu. Wydarzył się bowiem pewien incydent. Ojciec dzieci wpadł pod wpływem narkotyków w szał i zaatakował rodzinę. Telly, starszy z rodzeństwa, rzucił się na niego z kijem bejsbolowym. Efekt był taki, że zginęli oboje rodzice, a Sharlah miała złamaną rękę. Opinia była taka, że najlepiej byłoby, gdyby Sharlah nigdy swojego brata już nie spotkała. Z tego samego powodu Telly miał w swojej dokumentacji uwagę, że nie powinien trafić do rodziny z młodszymi dziećmi.

Jednak zdaniem Rainie przez osiem lat wiele mogło się zmienić. Telly pewnie chodził na terapię, podobnie jak Sharlah. Dziewczynka broniła brata, nawet wtedy, ze złamaną ręką, co sugerowało, że łączyła ich jakaś więź.

Ale Rainie nigdy nie słyszała, by córka o nim wspomniała. I nigdy też nie zadzwonił do nich skruszony nastolatek.

Po raz pierwszy pożałowała, że nie naciskali mocniej. Prowadzący kurs dla rodziców powtarzał, że relacje z rodzeństwem są zazwyczaj najważniejsze, bo czasem to jedyne stabilne relacje w życiu dzieci wymagających opieki zastępczej. Powinni byli zadać więcej pytań, zarówno Sharlah, jak i pracownikom opieki społecznej, nawet gdyby nikt im na nie nie odpowiedział.

Prawda była taka, że Rainie i Quincy byli zadowoleni z nieobecności brata Sharlah. Nie chcieli dodatkowych członków rodziny. Życie wydawało się prostsze, gdy mieli dziewczynkę tylko dla siebie.

Rainie wzięła głęboki wdech. Jej córka i tak już była bardzo spięta, najlepiej więc było skoczyć na głęboką wodę i mówić bez ogródek.

– Dzisiaj rano doszło do pewnego zdarzenia – zaczęła. – Do podwójnego morderstwa na stacji benzynowej. Policja ma nagranie wideo ze strzelaniny. Ruszyli tropem zabójcy do jego domu i okazało się, że zabił tam wcześniej swoich rodziców zastępczych. Sharlah, ten chłopak został zidentyfikowany jako Telly Ray Nash, twój starszy brat.

Sharlah się odwróciła. Wyprostowała się i wyjrzała przez okno.

– Okej – powiedziała.

Rainie czekała. Aż minie początkowy szok i Sharlah zacznie zadawać pytania. Ale dziewczyna cały czas patrzyła przez okno z obojętnym wyrazem twarzy.

– Pamiętasz swojego brata? – zapytała Rainie.

– Tak.

– Sharlah... A czy pamiętasz rodziców? To, co się z nimi stało?

– Tak.

Dziewczyna w końcu się poruszyła, zaczęła pocierać lewe ramię.

– Czy widziałaś swojego brata od tamtego czasu? Rozmawiałaś z nim?

– Nie.

– A chciałabyś z nim porozmawiać? Tęsknisz za nim?

Sharlah mocniej tarła ramię.

– Skarbie, wydaje nam się, że broniłaś swojego brata tamtej nocy. Według twojego oświadczenia on uratował was oboje przed ojcem.

– Miał nóż.

– Ojciec?

– Miał nóż. I biegł prosto na nas.

Rainie nic nie powiedziała.

A po chwili Sharlah dodała tak cicho, że ledwo było słychać jej słowa:

– To ja dałam Telly'emu kij. Obaj biegli korytarzem. Ojciec był tuż za nim. Myślałam, że go złapie. I że go zabije. Więc dałam Telly'emu kij.

– I Telly uderzył cię nim?

– Nie chciał.

– To był wypadek?

– Nie widział mnie.

– Chowałaś się? Czy za bardzo zbliżyłaś? Uderzył cię przypadkiem, kiedy brał zamach?

Sharlah potrząsnęła głową. Jej twarz była zupełnie bez wyrazu, a wzrok odległy.

– Nie widział mnie. Byłam tam, ale on mnie nie widział. Wyglądał zupełnie jak on. Wymachiwał kijem. Wyglądał dokładnie jak tata.

Rainie zrozumiała. Teraz to ona odwróciła wzrok. Osiem lat temu Telly był wymizerowanym dziewięciolatkiem. Naładowany strachem i adrenaliną, musiał cierpieć na coś w rodzaju rozdwojenia jaźni, gdy tłukł ojca na miazgę. Rainie mogła sobie tylko wyobrazić, jak wyglądał w oczach pięciolatki. To, co Telly zrobił

64

tamtej nocy, pozwoliło im obojgu przeżyć. Ale żadne z nich już nigdy nie było takie samo.

– Sharlah, czy wiesz, co stało się z twoim bratem po tamtej nocy?

– Policja go zabrała.

– A potem?

– Nie wiem.

– Pytałaś o niego? Mówiłaś, że chcesz się z nim zobaczyć?

– Nie.

– Dlaczego?

Dziewczyna wzruszyła ramionami i znów zaczęła pocierać jedno z nich. Miała tam bliznę. Ślad po nacięciu, które musieli zrobić lekarze, żeby połączyć jej złamaną kość. Żeby pięciolatka miała tak bolesne ostatnie wspomnienie o rodzicach i bracie... Rainie wcale się nie dziwiła, że Sharlah nie miała ochoty mówić o przeszłości.

– A co najlepiej pamiętasz, jeśli chodzi o Telly'ego? – zapytała ją teraz.

– To znaczy? – Sharlah w końcu na nią spojrzała.

– Jedno wspomnienie. Gdy wymawiam jego imię, jaki obrazek pojawia ci się w głowie?

– Cheeriosy.

– Dlaczego cheeriosy?

Sharlah zmarszczyła brwi, intensywnie się zastanawiając.

– Przynosił mi je. Dawał na śniadanie.

– A rodzice?

– Nie wiem.

– Byli w domu?

– Spali. Musieliśmy być cicho. Nie wolno było im przeszkadzać.

– Czy rodzice cię bili, Sharlah?

Dziewczyna odwróciła się, co wystarczyło Rainie za odpowiedź.

– Czy twój brat cię bił? – kontynuowała.

Ciche zaprzeczenie.

– A mama?

– Nie.

– Czyli to tata bił...

– Nie chcę o tym rozmawiać. Bez względu na to, co się dzisiaj wydarzyło. Nie chcę o tym rozmawiać.

– Tęsknisz za bratem? – zapytała Rainie.

Ale dziewczyna nie odpowiedziała.

– Jeśli się z tobą teraz skontaktuje – ciągnęła Rainie – w jakikolwiek sposób: zadzwoni, napisze maila, SMS-a, musisz nam powiedzieć. Natychmiast.

Sharlah milczała.

– I przez najbliższe kilka dni, przynajmniej dopóki nie dowiemy się więcej, nie będziesz wychodzić z domu.

– Zabił swoich nowych rodziców? – zapytała.

– Tak sądzimy.

– Dawnych rodziców, przyszłych rodziców – mruknęła Sharlah. A potem: – A nowe rodzeństwo?

– Duvallowie mieli starszego syna. Nic mu nie jest.

– W takim razie nie skończył.

– Dlaczego tak mówisz?

Sharlah potrząsnęła głową.

– On nie skończył – powtórzyła.

– Sharlah...

– Musicie go powstrzymać. On się sam nie powstrzyma. Ktoś inny musi to zrobić. – Znowu potarła ramię. – Tak to działa. Ktoś inny, wy, musicie go powstrzymać, dla niego.

– Policja znajdzie Telly'ego. I powstrzyma go. To już nie jest twój problem.

Rainie wiedziała, że dziewczyna jej nie wierzy.

Rozdział 8

Cal Noonan od kilkunastu lat był członkiem SAR, sześćdziesięcio-osobowego, złożonego z wolontariuszy zespołu poszukiwawczo-ratowniczego hrabstwa. Wyszkolony w technikach poszukiwawczych, nawigacji terenowej, tropieniu śladów, ratownictwie oraz udzielaniu pierwszej pomocy czuł się w lasach znanych mu od dzieciństwa równie komfortowo, jak we własnym salonie. A może nawet bardziej. Cal był jednym z tych ludzi, których męczy długie przebywanie w zamkniętych pomieszczeniach. Zawsze tak było. Jego matka przez całe jego dzieciństwo wołała poirytowana: „Calu Noonan, wyjdź pobawić się na zewnątrz, bo doprowadzasz mnie do szału!". Ojciec dał mu pierwszą wędkę na piąte urodziny, a pierwszy pistolet na kulki – na szóste.

Dopiero w liceum Cal odkrył swoje zamiłowanie do chemii, co doprowadziło go, ku zaskoczeniu rodziców, do pracy w przemyśle spożywczym. Mieszkali w krainie nabiału, a Cala zafascynowały procesy produkcji sera czy jogurtu. W statecznym wieku czterdziestu siedmiu lat był obecnie kierownikiem produkcji w fabryce i nadzorował wytwarzanie oraz dojrzewanie jednego z najlepszych lokalnych serów na świecie. Musiał przez to podróżować więcej, niżby chciał, ale pociechę przynosiła mu duma z pracy.

Podobnie jak możliwość mieszkania w Bakersville, z jego skalistymi plażami, wielkimi zielonymi polami i oczywiście pasmem nadbrzeżnych gór. W weekendy i święta Cal wędrował po lasach, łowił w strumieniach, a nawet spacerował po plaży.

I czasami był wzywany do akcji jako wolontariusz SAR.

Policja tropiła uzbrojonego uciekiniera. Na razie znaleźli jego auto, porzucone na południe od miejsca ostatniej strzelaniny. Podejrzany uciekający na piechotę oznaczał stary dobry pościg od nadbrzeżnej autostrady aż po podnóże poszarpanych gór. Funkcjonariusze niektórych służb byliby przytłoczeni tak wielkim obszarem poszukiwań. Ale Cal i jego drużyna uwielbiali tę zabawę.

Inni członkowie SAR byli już na miejscu zbiórki, gdy dotarł tam Cal. Skinął im głową na powitanie, kiedy obchodził swój wóz. Zawsze miał ze sobą w bagażniku dobrze zaopatrzony plecak i parę butów trekkingowych. Do domu wpadł tylko po strzelbę.

Pierwsze wezwanie otrzymali trzydzieści minut temu. Biorąc pod uwagę rozproszenie organizacji obejmującej całe hrabstwo, zebranie wszystkich członków SAR i stworzenie centrum dowodzenia zajmie około godziny. Jednak w pilnych sprawach ci, którzy przybywali pierwsi, natychmiast formowali zespół poszukiwawczy i brali się do roboty. Cal, który był jednym z najlepszych tropicieli, spodziewał się, że w ciągu piętnastu minut znajdzie się w terenie. Potrzebował tylko danych o sytuacji i paru kolegów z ekipy.

Wypatrzył mobilne centrum dowodzenia: podrasowany samochód kampingowy zaparkowany naprzeciwko podupadłej stacji benzynowej ze sklepem oklejonym mnóstwem policyjnej taśmy. Najprawdopodobniej tutaj właśnie ostatnio widziano poszukiwanego. Cal pokiwał głową i ruszył w tamtą stronę.

Szeryf Atkins stała w otwartych drzwiach przyczepy i przemawiała do wolontariuszy, w większości zlanych potem.

– Poszukiwany to siedemnastolatek podejrzany o zastrzelenie czterech osób. Według naszej wiedzy jest w posiadaniu co najmniej sześciu sztuk broni, w tym dwóch karabinów. Znaleźliśmy jego auto z przegrzanym silnikiem, porzucone jakieś trzy kilometry na południe stąd, więc zakładamy, że przemieszcza się pieszo, co ogranicza liczbę rzeczy, jakie mógł ze sobą zabrać.

– Komórka? – zapytał jakiś głos z tyłu.

– Znaleźliśmy zarejestrowany na niego telefon w schowku w pick-upie. Ale możliwe, że ma przy sobie drugi, na kartę. Na razie nie jesteśmy w stanie go wyśledzić.

– Co jeszcze ze sobą zabrał? – zapytała stojąca z prawej strony Jenny Johnson, dowódca Cala.

– Nie wiemy. Poza komórką w pick-upie niczego nie znaleźliśmy, więc jeśli założymy, że nie chciał wlec ze sobą całego arsenału, mógł skorzystać z jakiejś skrytki. Na ostatnim nagraniu miał na sobie czarną bluzę z kapturem oraz dziewiątkę. Po drugiej stronie ulicy widzicie ostatnie znane miejsce jego pobytu. To sklep, więc mógł się po strzelaninie zaopatrzyć w wodę czy przekąski. Na pierwszy rzut oka nie widać, żeby czegoś brakowało, ale to nie znaczy, że wyszedł z pustymi rękoma.

Zebrani wolontariusze pokiwali głowami. Pierwsza zasada tropienia: myśl jak ten, którego ścigasz. W takim upale najważniejsze jest nawodnienie. Uciekinier będzie potrzebować wody, mnóstwa wody. Plecaka pełnego butelek albo tabletek do uzdatniania wody, żeby móc korzystać ze znalezionych źródeł.

Kolejne pytanie, tym razem z tyłu:

– Umiejętności przetrwania?

– Nieznane – odparła szeryf. Słysząc gromadny jęk, uniosła rękę. – Przykro mi, koledzy, ale pierwszymi ofiarami podejrzanego byli jego rodzice zastępczy. Wygląda na to, że zastrzelił ich dzisiaj wcześnie rano, a potem wyjechał z domu, tuż przed siódmą trzydzieści. Na chwilę obecną jedyne osoby, z którymi miał kontakt, zostały przez niego zabite. Chyba nie muszę mówić, że to znacznie ogranicza zakres naszej wiedzy.

Cal poczuł, że automatycznie się prostuje. Dostali wezwanie do tropienia niebezpiecznego i uzbrojonego uciekiniera. Ale Cal nie zdawał sobie sprawy, jak niebezpiecznego i jak uzbrojonego. Zdarzyło mu się już ścigać ludzi, jednego oskarżonego o przemoc domową, a innego o włamanie, ale nigdy kogoś podejrzewanego o morderstwo.

– Mogę wam powiedzieć tyle – kontynuowała szeryf Atkins. – Podejrzany wędrował od jednego domu zastępczego do drugiego. Jego kartoteka obejmuje wykroczenia, niszczenie mienia oraz czynny opór przy zatrzymaniu. Dziś rano Telly Ray Nash wszedł do sypialni swoich obecnych rodziców zastępczych i zastrzelił ich oboje. Wygląda na to, że obrabował ich sejf z bronią, wyposażył się w sześć sztuk oraz nieokreślony, ale zapewne spory zapas amunicji. Potem wyruszył na północ w pick-upie Franka Duvalla, który znaleźliśmy z przegrzanym silnikiem trzy kilometry na południe stąd. Zakładamy, że stamtąd udał się dalej pieszo i dotarł do tego sklepu tuż przed ósmą rano. Zabił klienta i sprzedawczynię. I od tamtej pory go nie widziano.

Szeryf umilkła, by przetrawili te informacje.

– A teraz popatrzcie, proszę, tutaj. – Wskazała wielką mapę topograficzną, którą przypięto do boku mobilnego centrum dowodzenia. – To jest nasz wyjściowy teren poszukiwań. Biorąc pod uwagę, że od strzelaniny minęły trzy godziny, przyjęliśmy promień piętnastu kilometrów, może mniej ze względu na upał.

Cal doskonale wiedział, że pierwszy krok w poszukiwaniach to ustalenie zakresu maksymalnej przebytej odległości. Zakładając, że uciekinier porusza się ze średnią prędkością pięciu kilometrów na godzinę, szeryf zakreśliła olbrzymi krąg o promieniu piętnastu kilometrów i o środku w ostatniej znanej lokalizacji poszukiwanego, czyli w sklepie, który oznaczono na mapie wielkim czerwonym krzyżykiem. Trzygodzinna przewaga uciekiniera dawała mu wiele możliwości, co Calowi zupełnie się nie podobało. A uwzględniając, że promień trzeba będzie wydłużać o kolejne pięć kilometrów co każdą godzinę, teren poszukiwań będzie się nieustannie powiększać. Na szczęście geografia była po ich stronie, co szeryf właśnie wyjaśniała.

– Patrząc na mapę – mówiła – widać, że piętnaście kilometrów na zachód nasz poszukiwany utknąłby pośrodku zatoki Tillamook. Jest sezon plażowy, a nie mieliśmy żadnego zgłoszenia o odzianym na czarno mężczyźnie z bronią, więc możemy ze sporą dozą prawdopodobieństwa założyć, że nie poszedł na zachód. Podobnie, przemieszczając się prosto na północ albo prosto na południe, trafiłby na nadbrzeżną autostradę. Mamy już pół tuzina radiowozów, które patrolują okolicę od pierwszego zgłoszenia, i jak dotąd nie pojawiły się żadne informacje od lokalnych firm czy mieszkańców. Czyli z mapy wynika kierunek wschodni. Ku nadbrzeżnym górom. – Szeryf Atkins zeskoczyła ze schodków przyczepy, podeszła do mapy i postukała w olbrzymią zieloną połać. – Założę się, że podejrzany zszedł z utartego szlaku, żeby ukryć się pośród drzew. Pod ich osłoną będzie mógł przejść wzdłuż podnóża gór w obu kierunkach, pozostając w ukryciu. I dlatego pomimo zaangażowania sił lokalnych, hrabstwa i stanowych nadal go nie wypatrzyliśmy.

Cal i paru członków jego drużyny pokiwało głowami.

Zasadniczo dowództwo wyznaczyło spory teren do poszukiwań. Ale dzięki znajomości topografii wybrzeża oraz używając podstaw logiki, szeryf zmniejszyła go o jakąś połowę. Teraz tacy doświadczeni tropiciele jak Cal jeszcze bardziej go ograniczą, wybierając naturalne trasy – powiedzmy rzekę, wzdłuż której powinien przemieszczać się uciekinier, albo wygodny szlak przez las wydeptany przez jelenie. Zaczynając od punktu zero – sklepu na stacji – kilka drużyn poszukiwawczych wyruszy w różnych kierunkach, koncentrując się na takich właśnie naturalnych trasach i starając się jak najszybciej znaleźć jakieś ślady.

I wtedy dopiero zrobi się ciekawie.

Szeryf zapewniła ich, że detektywi już zagłębiają się w historię uciekiniera. Gdy tylko się czegoś dowiedzą, przekaże tę informację dalej. Na razie ekipę poszukiwawczą będzie wspierać SWAT. Psy są w drodze. Ach, dla niej priorytetem jest to, żeby wszyscy bezpiecznie wrócili do domu.

Spotkanie zakończono. SAR miało swoją własną strukturę dowodzenia. Cal poszukał wzrokiem dowódcy. Jenny Johnson stała przy mapie i machała do reszty, żeby do niej dołączyli.

Jedno z wielu mylnych wyobrażeń o tropieniu: grupa poszukiwawcza w magiczny sposób dogoni uciekiniera. Nawet tropiciel tak doświadczony jak Cal, pracujący na swoim własnym terenie, jest w stanie przemieszczać się w tempie najwyżej kilometra na godzinę.

Biorąc pod uwagę o wiele szybsze tempo uciekiniera, który porusza się z prędkością pięciu kilometrów na godzinę, Cal i jego drużyna nie mają szansy go dogonić. Celem tropicieli jest ustalenie kierunku, w jakim zmierza. Gdy tylko podejmą właściwy trop i ustalą ten kierunek, staną się niczym dzida, która powoli, ale nieubłaganie będzie popychać uciekiniera do przodu, depcząc mu po piętach, ale także, bez względu na to, czy ten to sobie uświadomi, czy nie, wymuszając na nim pewne wybory. I wkrótce Jenny Johnson, która będzie śledzić postępy Cala na mapie, domyśli się, dokąd w następnej kolejności uda się poszukiwany. W tamto miejsce zostanie błyskawicznie wysłana ekipa przechwytująca, która go dopadnie.

Mimo wszystko tropienie to niebezpieczne zajęcie. Zaszczuci, spanikowani uciekinierzy mogą zdecydować się na przygotowanie zasadzki albo czując presję, wybrać jakieś dogodne miejsce i zrobić z niego swoją twierdzę. Stąd obecność funkcjonariuszy SWAT, którzy zostaną przydzieleni do każdej ekipy poszukiwawczej, służąc jako osłona. Zadaniem Cala będzie złapanie tropu, natomiast funkcjonariusze zadbają o to, by wszyscy wieczorem bezpiecznie wrócili do domów.

Zakładając oczywiście, że do tego czasu poszukiwania zostaną zakończone. Drużynie SAR zdarzały się już akcje trwające trzydzieści sześć godzin, a Cal pracował kiedyś dwie doby bez przerwy. Inni będą ewentualnie donosić tropicielom wodę i zapasy. Tak to mniej więcej wygląda.

Cal był pozytywnie nastawiony. A to raczej dobry znak. Ale może i zły. Adrenalina dodaje energii, potrafi rozruszać. Trzeba jednak pamiętać, że w takich sprawach jak ta wyścig wygrywa ten, kto za bardzo się nie śpieszy, ale jest wytrwały.

Jenny zaczęła wyznaczać drużyny. Cal, jako główny tropiciel, był gotowy do wymarszu. Potrzebował tylko asystenta do tropienia – czyli po prostu drugiej pary oczu – oraz dwóch ochroniarzy ze SWAT.

Jenny przydzieliła mu Norinne Manley. Zgodził się. Nonie, siwowłosa babcia czworga wnucząt, była lepszym tropicielem od większości młodszych kolegów. Czas wolny spędzała w miejscowym kościele, ucząc dorosłych pisania i czytania. Powiedzieć, że ją uwielbiano, byłoby niedomówieniem. W każdym razie Cal był bardzo zadowolony, że ma ją w swojej drużynie.

Jenny wymieniła nazwiska Antonia Barrionuevo i Jessego Doddsa ze SWAT. Dwóch ubranych na zielono mężczyzn oddzieliło się od grupy funkcjonariuszy i ruszyło w kierunku Cala i Nonie.

Obaj nosili lekkie kamizelki kuloodporne, ale w takim upale Calowi i tak zrobiło się ich żal. Choć być może pod koniec dnia to oni, stojąc nad podziurawionym kulami ciałem Cala, będą żałować jego. Nigdy nie wiadomo.

Oficerowie SWAT mieli karabiny AR-15 kalibru dwieście dwadzieścia trzy, przewieszone przez ramiona. Cal domyślił się, że są wyposażone w celowniki holograficzne EOTech. Poza tym kamizelki funkcjonariuszy aż kipiały od wyposażenia – dodatkowe magazynki, zestaw pierwszej pomocy, kajdanki zaciskowe, pałka teleskopowa – a kieszenie spodni wypychały batony proteinowe, tabletki do uzdatniania wody, baterie i noże. Cal niezbyt często pracował z funkcjonariuszami SWAT. W tym momencie najbardziej interesowały go ich buty, jego zdaniem jeden z najważniejszych elementów wyposażenia. Nic nie spowalniało ekipy poszukiwawczej tak bardzo jak odciski. Irytujące na początku i sprawiające koszmarny ból na koniec, mogły ich wręcz całkowicie wyeliminować z pościgu. Ale obaj funkcjonariusze mieli na sobie doskonałe buty.

Cal rozpoczął swoją krótką, lecz treściwą przemowę. Uciekinier miał już nad nimi przewagę trzech godzin, nie było powodu, by zapewniać mu jej jeszcze więcej.

Podniósł swój plecak.

– Nie zostawiajcie niczego, czego moglibyście potrzebować, ani nie zabierajcie niczego, czego potrzebować nie będziecie. Tempo nie będzie ostre, ale jak już wyruszymy, mogą minąć dni, zanim wrócimy.

Nonie, która wcześniej brała udział w takich akcjach, ziewnęła. Antonio i Jesse nawet nie mrugnęli. Twardziele. W porządku.

– Jeśli tylko zaczniecie podejrzewać, że robi wam się odcisk, natychmiast dajcie znać! Mam ze sobą specjalne grube plastry. Lepiej zająć się pęcherzem, zanim w ogóle powstanie. Bo jak już mówiłem, jak wyruszymy, to nie wiadomo, kiedy wrócimy.

Tak, zdecydowanie twardziele.

– Tropię w promieniu niecałych dziesięciu metrów – kontynuował Cal – szukając śladów, czyli jakichkolwiek zaburzeń w stanie otaczającej mnie przyrody. Złamana gałązka, odcisk na mchu, ślad buta w błocie. Dwa dni temu padał deszcz, więc jeśli dopisze nam szczęście, mamy szansę trafić na jakieś ślady w cienistych miejscach. Nonie będzie moją drugą parą oczu, bo jak mówi przysłowie: co dwie głowy, to nie jedna. Jeżeli stracimy trop, wracamy do ostatniej lokalizacji, pracujemy po coraz bardziej rozszerzających się kręgach, aż znowu go podejmiemy. Będą chwile, gdy będzie się wydawać, że raczej się cofamy, niż idziemy do przodu, ale musicie nam zaufać. A jeśli nigdy dotąd nie pracowaliście z tropicielami, ważna uwaga: nie jesteśmy psami gończymi. Nie chodzimy, patrząc sobie pod nogi. Najłatwiej coś zauważyć, jeśli się do tego podchodzi po skosie. Więc będziemy patrzeć raczej przed siebie niż w dół, co wcale nie znaczy, że nie pracujemy.

Antonio i Jesse pokiwali głowami, z wciąż obojętnym wyrazem twarzy.

– Patrzcie w górę – poradził im Cal. – W tych okolicach często się poluje, czyli jest tu dużo ambon myśliwych. A każda z nich to świetne miejsce na kryjówkę w najlepszym razie albo na zasadzkę w najgorszym. Jeśli będę o takich stanowiskach wiedzieć, uprzedzę was. Ale myśliwi cały czas budują nowe, a mapy tutejszych terenów rzadko są aktualizowane.

Dwa bliźniacze kiwnięcia głową.

– Macie doświadczenie w wędrówkach? – zapytał.

– Dorastaliśmy w Bend – odpowiedział Jesse. Po drugiej stronie Gór Kaskadowych, w okolicy znanej ze świetnych terenów do pieszych wędrówek.

Cal zrozumiał. Wybrano takich funkcjonariuszy SWAT, którzy mieli doświadczenie w poruszaniu się po dziczy. Uśmiechnął się do nich.

– Wybaczcie, ale wiecie, jakie bywa dowództwo.

Wreszcie ich twarze wykrzywił grymas. Doskonale wiedzieli. Czasem mróweczki na dole mogły jedynie pokiwać głowami.

Skończyli przygotowania, funkcjonariusze zdjęli broń z ramion. A potem, już jako zespół, przeszli przez ulicę.

Cal zaczął od oględzin sklepu. To ostatnie miejsce, w którym widziano sprawcę. Punkt zero dla poszukiwań. Obserwował i robił to, co potrafił najlepiej: myślał jak uciekinier.

Siedemnastoletni dzieciak. Coś sprawiło, że wstał dziś rano z łóżka i zastrzelił swoich rodziców zastępczych. A potem uciekł. Opróżnił sejf z bronią, ukradł pick-upa. I ruszył na północ.

Dlaczego w tym kierunku? Pierwsza decyzja, nad którą warto się zastanowić.

Pick-up się zepsuł. Silnik przegrzał się w tym cholernym upale. Gdzie się, do diabła, podziała nadmorska bryza?

Więc dzieciak ruszył dalej pieszo. I zabrał ze sobą sześć sztuk broni? To na pewno zwróciłoby uwagę. Więc raczej część ukrył. Najprawdopodobniej w pobliżu samochodu, detektywi powinni ją wkrótce odnaleźć. Cal i jego drużyna chcieliby to wiedzieć. Gdy ściga się uzbrojonego podejrzanego, lepiej mieć pewność, w co jest uzbrojony.

Szeryf wspomniała o dziewiątce. Cal był gotów się założyć, że chłopak zostawił sobie też karabin. Jedna sztuka broni krótkiej i jedna długiej, dobry zestaw dla kogoś zdeterminowanego, by zabijać.

A to znowu przypomniało mu o kierunku. Dlaczego wybrał północ? Czy miał w głowie jakiś konkretny cel? Powiedzmy stację EZ Gas, gdzie zabił kolejne dwie osoby?

Cal nie był kryminologiem. Nie zgłębiał przyczyn wybuchów przemocy. Nie, Cal miał dar do szczegółów logistycznych, potrafił myśleć jak uciekinier w drodze. A ten uciekinier, gdy już zastrzelił dwie kolejne osoby...

Cal zbliżył się do otoczonego taśmą sklepu, pozostali członkowie zespołu trzymali się z tyłu. Nonie rozglądała się trochę na własną rękę, ale przede wszystkim, mając już doświadczenie w pracy z Calem, czekała na jego sygnał.

Na moment stanął w drzwiach. A potem, starając się wejść w umysł poszukiwanego, odwrócił się na północ. Obszedł taśmę policyjną wokół, aż po jego lewej ręce zalśniła srebrem w słońcu wąska nadbrzeżna autostrada. Po prawej miał teraz sklepowy kontener na śmieci oraz żywopłot z gęstych zarośli. Nie było widać żadnej wydeptanej ścieżki. Ani żadnych śladów, żeby ktoś tamtędy niedawno przechodził.

Mimo to od razu poczuł, że przyśpiesza mu tętno.

Przykucnął. Szukał jakichś nieregularności na pokrytym kurzem parkingu. Popatrzył na zarośla z innej perspektywy. Po drugiej stronie poobijanego kontenera na śmieci coś zauważył. Ślad stopy? Ciemniejsza plama.

Obszedł kontener i tam, tuż za nim, niemal dotykając jednego z zablokowanych kółek, czekała na niego nagroda. Pierwszy trop tego dnia.

Odwrócił się do zespołu, który trzymał się kilkanaście kroków za nim.

– Hej! – zawołał. – Powiedzcie szeryf, że mamy wymiociny.

Rozdział 9

Quincy miał już okazję poznać Tima Egana, prokuratora okręgowego hrabstwa. Dwa razy spotkał go, gdy doradzali razem z Rainie w jakiejś lokalnej sprawie, ale widywali się zwykle w bardziej towarzyskich sytuacjach, jak impreza charytatywna czy grill u znajomych. Quincy powiedziałby, że zna prokuratora dość dobrze, natomiast tkwiący w nim psycholog kryminalny doskonale wiedział, że tak naprawdę nie jesteśmy w stanie poznać nikogo.

Być może Egan myślał o nim to samo.

Pracował jako prokurator okręgowy od piętnastu lat. A to znaczy, że to on podjął przed ośmiu laty decyzję, by nie oskarżać brata Sharlah o zamordowanie ich rodziców.

Egan kończył właśnie rozmowę przez telefon. Wskazał gestem, by Quincy usiadł, co nie było łatwe, bo niemal całą przestrzeń jego biura zajmowały pudła z papierowymi teczkami. Po chwili Quincy zrezygnował i wolał postać. I tak był zadowolony z klimatyzacji i butelki wody, którą sekretarka Egana wcisnęła mu do ręki.

Prokurator odłożył telefon, spojrzał na Quincy'ego i chyba po raz pierwszy uświadomił sobie, że w jego biurze nie ma gdzie usiąść.

– Przepraszam – skrzywił się. – Hrabstwo postanowiło trochę zaoszczędzić, zmniejszając powierzchnię magazynową. Teoretycznie mamy odchodzić od papierowych wersji dokumentów, więc nie będziemy potrzebować tyle przestrzeni, prawda? Tylko że w zeszłym roku hrabstwo też postanowiło zaoszczędzić, obcinając zatrudnienie. A to oznacza, że nie mam wśród personelu nikogo, kto mógłby w jakiś magiczny sposób sprawić, żeby te wszystkie papiery zniknęły.

– To chyba praca dla stażystów – podsunął Quincy.

– Ach, gdyby tylko głodni doświadczenia studenci prawa byli tego zdania. Te nowe pokolenia są wychowywane w przeświadczeniu, że zaczną na samym szczycie. Żadnej nudnej, upokarzającej pracy. Wolą mieszkać u rodziców i czekać, aż od razu przyjdzie oferta zostania wspólnikiem.

Egan wstał ze spóźnionym powitaniem i wyciągnął rękę, a Quincy ją uścisnął. Prokurator okręgowy rzadko występował bez szarej marynarki i charakterystycznego kolorowego jedwabnego krawatu. Teraz marynarka wisiała na oparciu krzesła, a na niej pasek jedwabiu w kolorze fuksji, więc starszy pan został w samej klasycznej koszuli z krótkim rękawem od Brooks Brothers. Dwa górne guziki miał już rozpięte. Pokiwał głową, widząc swobodny ubiór Quincy'ego.

– Kto mógł przypuszczać, że zrobi się tak cholernie gorąco – stwierdził.

– Oj tak.

Jako że Quincy nie miał gdzie usiąść, prokurator porzucił swoje krzesło i obszedł biurko, żeby stanąć obok niego. Na jednej wieży z pudeł stał zapas butelek z wodą. Egan się poczęstował.

– Słyszałem, że sporo się dziś wydarzyło – stwierdził. Nie marnował czasu, on i Quincy raczej nie byli zainteresowani towarzyskimi pogaduszkami.

– Wielokrotne morderstwo – oznajmił Quincy, nie używając na razie określenia „zabójca w amoku". – Siedemnastoletni podejrzany zastrzelił rano swoich rodziców zastępczych. A potem kolejne dwie osoby na stacji benzynowej.

Egan skinął tylko głową, bo bez wątpienia został już o tym poinformowany.

– Szeryf Atkins poprosiła mnie o pomoc.

Kolejne kiwnięcie, kolejna informacja, którą Egan już otrzymał.

– Mamy nagranie wideo drugiej strzelaniny. Podejrzany został zidentyfikowany jako Telly Ray Nash. Z tego co wiem, to nie jest jego pierwszy kontakt z przemocą. Zdaje się, że jako dziecko zabił swoich własnych rodziców.

Egan przybrał kamienny wyraz twarzy. Odkręcił butelkę, uniósł ją i powoli się napił.

– Telly Ray Nash – powtórzył prokurator. – I śmierć jego rodziców.

– Tak.

– Nie ma akt. Nigdy nie został oskarżony.

– Rozumiem.

– A więc jesteś tutaj...

Quincy zdawał sobie sprawę, że jest mnóstwo możliwych zakończeń tego zdania. A większość z nich nie oznacza dla człowieka na stanowisku Egana niczego miłego. Czy Quincy jest tutaj, żeby dowiedzieć się, dlaczego Egan nie oskarżył dziecka, które teraz podejrzewa się o cztery morderstwa? Czy też po to, żeby wskazać sygnały ostrzegawcze, na które Egan nie zwrócił uwagi? A może, by zacząć zadawać pytania, które w najbliższym czasie staną się dla biura prokuratora okręgowego bardzo niewygodne?

Mając tego świadomość, postanowił okazać litość.

– Chyba wiesz, że razem z Rainie przyjęliśmy pod opiekę zastępczą pewną dziewczynkę. Rozpoczęliśmy już nawet procedurę adopcyjną i mamy nadzieję, że zdążymy ją sfinalizować przed Świętem Dziękczynienia.

Egan pokiwał głową, lekko marszcząc brew z powodu zmiany tematu.

– Nasza córka nazywa się Sharlah May Nash. To młodsza siostra Telly'ego.

Prokurator natychmiast się wyprostował.

– Och – powiedział.

– Och – zgodził się Quincy.

– Więc jesteś tutaj...

– Zarówno ze względów osobistych, jak i zawodowych.

Egan znów pociągnął łyk wody z butelki. A potem westchnął i skrzyżował ręce na piersi.

– Wiesz, nie miałem wyrzutów sumienia z powodu tej decyzji sprzed ośmiu lat. Niektórymi sprawami człowiek się zamartwia: czy to będzie dobre, czy złe? Co do innych od razu przeczuwa, że kiedyś wrócą i się zemszczą. Ale Telly Nash, to, co przydarzyło się jego rodzicom i siostrze... Zanim policja skończyła badać miejsce zbrodni, a psycholog kryminalny grzebać w głowie chłopaka, ja już nie miałem wątpliwości. Czy to nie wystarczy? Nie miałem żadnych wątpliwości.

– Opowiedz mi wszystko po kolei – zaproponował Quincy.

– Zadzwonili sąsiedzi – zaczął Egan. – Zgłosili kłótnię i krzyki. Zanim dotarli pierwsi funkcjonariusze, dziewięcioletni Telly stał już pośrodku, cały pokryty krwawą miazgą i z ociekającym krwią kijem bejsbolowym. Obok dwa ciała i jego mała siostra... cztero- albo pięcioletnia... skulona i zapłakana u jego stóp.

Quincy skrzywił się, nic nie mówiąc.

– Telly nie był dużym dzieckiem. Raczej mizernym. Żadnej historii użycia przemocy, choć rodzice byli znani policji. Kłótnie rodzinne, zakłócanie spokoju i tym podobne. Według policji oboje byli uzależnieni od narkotyków. Dwa razy zgłaszano sprawę opiece społecznej, ale dzieci pozostały w rodzinie. Powiadomiono moje biuro. Osobiście pojechałem na miejsce ze względu na charakter sprawy oraz wiek sprawcy. Pamiętam, że ten chłopiec tylko tam stał, nie ruszał się, nie mówił. Widok był niesamowity. Chudy, umazany krwią chłopczyk i jego pozbawiona jakiegokolwiek wyrazu twarz. Włosy stanęły mi dęba. Okazało się, że zamachnął się też na siostrę i złamał jej rękę. Ale ona go mimo wszystko broniła. Twierdziła, że ojciec dźgnął nożem matkę, a potem ścigał ich oboje po domu. I to ona znalazła kij i dała go Telly'emu. Ustawił się w salonie. I najwyraźniej, gdy już zaczął tym kijem wymachiwać, to nie mógł przestać. Wprost zmiażdżył czaszkę ojcu. A kiedy siostra wyszła mu naprzeciw, ją także uderzył. Upadła i to go chyba otrzeźwiło. A przynajmniej przerwało amok. Choć nadal był w szoku, gdy tam dotarliśmy. Jakby nie wiedział, co zrobił.

Egan spojrzał na Quincy'ego.

– Myślałem, że zabił oboje rodziców – powiedział Quincy. – Ale mówisz, że to ojciec zabił matkę.

– I to jest właśnie najciekawsze. Bo zdaniem koronera, poza dźgnięciem w klatkę piersiową, matka została również uderzona w głowę. Ale żadne z dzieci nie chciało tego wyjaśnić. Za każdym razem, gdy o to pytaliśmy, zamykały się w sobie. Dopiero wiele dni później coś drgnęło. Po raz kolejny skonfrontowaliśmy Telly'ego z dowodami z miejsca zdarzenia, próbując skłonić go do mówienia.

Jego jedyna reakcja: „Ja to musiałem zrobić". Ciekawy dobór słów. Nie, że to zrobił. Tylko że musiał to zrobić.

Quincy pokiwał głową.

– Czy rana zadana nożem była śmiertelna?

– Krwawienie wewnętrzne. Nie wiadomo, czy pogotowie uratowałoby tę kobietę.

– Interesujące.

Egan wzruszył ramionami.

– Masz jeszcze raport psychologa kryminalnego? – zapytał Quincy.

– Pewnie. Gdzieś musi być. Pogrzebię trochę i poszukam. Tak z pamięci to były trzy główne powody, dla których zdecydowałem się nie stawiać zarzutów. Po pierwsze, rodzina była znana z uzależnienia od narkotyków i przemocy domowej. Sąsiedzi i znajomi byli przekonani, że w tym domu wcześniej czy później dojdzie do jakiegoś nieszczęścia. Po drugie, Telly miał kilka ran od noża, które potwierdzały wersję jego siostry o samoobronie. Poza tym matka również została raniona nożem, zanim dostała w głowę kijem bejsbolowym, a ślady krwi poświadczały wersję siostry.

– Telly nigdy nie złożył pełnego zeznania? – zapytał Quincy.

– Nie, powiedział tylko to swoje „Ja to musiałem zrobić". Zgodnie z procedurą umówiliśmy go z biegłą, doktor Bérénice Dudkowiak. Niepokoił mnie poziom agresji, potrzebowałem opinii specjalisty, zanim zdecyduję o postawieniu zarzutów lub nie. Zdaniem doktor Dudkowiak, gdy dziecko z taką historią jak Telly wybucha...

– Telly prawdopodobnie do dziś nie wie, ile razy uderzył wtedy ojca – dokończył za niego Quincy.

– Ją bardziej interesowało, jaki rodzaj strategii chłopak przyjął, zanim doszło do „tragicznego zdarzenia". Wszystko wskazywało na to, że nie było to zachowanie zaplanowane, tylko impulsywne, wywołane agresją ze strony będącego pod wpływem narkotyków ojca...

– Badania toksykologiczne?

– Rodzice byli totalnie naszprycowani – zapewnił go Egan. – Kolejny punkt na korzyść chłopca. Podejrzewano, że Telly cierpiał na reaktywne zaburzenia...

– Więzi.

– Właśnie. Oczywiście doktor Dudkowiak chciała sprawdzić, czy u Telly'ego nie wystąpiła typowa dla morderców triada.

– Nocne moczenie, podpalenia, okrucieństwo wobec zwierząt – podsunął Quincy.

– Dokładnie tak. Ale pod tym względem chłopak był czysty. Co więcej, wykazywał raczej instynkt opiekuńczy, zajmował się siostrą. Doktor Dudkowiak martwiła się reaktywnymi zaburzeniami więzi, lecz biorąc pod uwagę nałogi rodziców i poziom narażenia tych dzieci na agresję...

– Zaburzenia więzi musiały wystąpić. – Quincy znał to doskonale z dokumentów Sharlah. I oczywiście z doświadczenia trzech lat spędzonych z dzieckiem, które umiało zamknąć się w swojej własnej głowie na długi czas, a potem popatrzeć na niego i na Rainie, jakby to oni byli wariatami.

Egan wziął kolejny łyk wody.

– Decydujący czynnik dla doktor Dudkowiak: więź Telly'ego z siostrą.

– Naprawdę?

– Naprawdę. Z tego co mówił chłopak i co potwierdzili między innymi nauczyciele, Telly dbał o siostrę. Tak właściwie to on ją wychowywał. Robił jej śniadanie, pranie, odprowadzał do szkoły. Zabierał ją nawet po lekcjach do biblioteki i czytał jej książki, chyba głównie po to, żeby nie musieli wracać do domu. Według Sharlah on już wcześniej wstawiał się za nią, gdy ojciec się wściekał, i często wtedy za nią obrywał.

Quincy pokiwał głową. Taki scenariusz – małe dziecko wychowujące jeszcze młodsze rodzeństwo – był dość częsty w patologicznych rodzinach.

– Zdaniem doktor Dudkowiak to dowodziło dwóch rzeczy. – Egan zaczął wyliczać na palcach. – Raz, chłopak potrafił tworzyć więzi, bo ewidentnie zależało mu na siostrze. Dwa, on się starał. Wydaje mi się, że użyła dokładnie takiego sformułowania. Fakt, że brał na siebie takie dorosłe role, pokazuje, że starał się jakoś radzić sobie z problemami rodziców. Po dziecku w takim wieku można spodziewać się kilku strategii. I Telly je wykorzystywał. Niestety, jego ojciec wolał sięgnąć po igłę, a potem po kuchenny nóż. W tym momencie Telly porzucił klasyczne strategie i wybrał opcję z kijem bejsbolowym. Według biegłej to smutne, ale można się było tego spodziewać.

– Co się stało z Tellym? – zapytał Quincy.

– Nie wiem. Najpierw trafił pewnie do pogotowia opiekuńczego. Zakładam, że potem opieka społeczna znalazła mu odpowiedni dom zastępczy. Nie miał żadnych krewnych, więc nie powinno być z tym problemu.

– Rozdzielono go z Sharlah. W jej aktach zalecono, żeby nie miała żadnych kontaktów z bratem.

– Złamał jej rękę kijem bejsbolowym.

– A mimo to go broniła.

Egan wzruszył ramionami. Był w końcu prokuratorem okręgowym hrabstwa, a nie pracownikiem opieki społecznej.

– Tak czy inaczej, Telly stracił tamtej nocy panowanie nad sobą. Może odpowiednie władze uznały, że lepiej będzie zapewnić Sharlah nieco przestrzeni. Większość swojego krótkiego życia spędziła z brutalnym ojcem. Po co dodawać do tego brutalnego brata? A biorąc pod uwagę wydarzenia z dzisiejszego poranka...

Obaj zamilkli.

– Czy doktor Dudkowiak nadal prowadzi praktykę? – zapytał Quincy.

– Ma gabinet w Portlandzie – odparł Egan. – Sekretarka poda ci jej numer. Moja kolej: właśnie widziałem zdjęcie z nagrania z dzisiejszej strzelaniny. Ten dzieciak, Telly Nash... On patrzy prosto w kamerę. Jego twarz jest całkowicie pozbawiona wyrazu, nie ma w niej nic, zupełnie nic.

Quincy nic nie powiedział, ale to wystarczyło prokuratorowi za odpowiedź.

Egan westchnął ciężko.

– To się nie skończy dobrze, prawda?

– Uwzględniając statystyki? – Quincy dopił wodę i odstawił pustą butelkę na pudło z aktami. – Wdamy się w strzelaninę z siedemnastolatkiem. Albo on najpierw powystrzela nas.

Rozdział 10

Rainie nie pozwala mi bawić się z Luką na zewnątrz.

– Jest za gorąco – mówi. To prawda, że tak jest, tylko że obie wiemy, że nie to ją martwi. Biorę więc miskę z jogurtem i granolą i schodzę do piwnicy. Skoro na zewnątrz jest tak gorąco, to chyba nie będzie miała nic przeciwko chłodowi w piwnicy, prawda?

Lubię ten dom. Jestem szczęściarą, że tutaj trafiłam, i wiem o tym. I to nie tylko dlatego, że Rainie i Quincy chcą mnie adoptować, albo dlatego, że zajmują się łapaniem morderców, ale dlatego, że im się powodzi, czego dowodem jest ten dom. Nie chciałabym być źle zrozumiana. Mój pierwszy dom zastępczy był czysty i miły. Pamiętam, że trzeci też był śliczny, pełen ręcznie szydełkowanych narzut i uśmiechniętych krasnali w ogródku...

Ale dom Rainie i Quincy'ego... Lubię jego położenie na szczycie wzgórza, ze stromym wysypanym żwirem podjazdem, który nie pozwala nikomu zbliżyć się niepostrzeżenie. Lubię paprocie i dzikie kwiaty, które otaczają ganek od frontu, i idealnie pasujące do otoczenia bujane drewniane fotele. Gdy pracownica opieki społecznej przywiozła mnie tutaj pierwszy raz, miałam wrażenie, że trafiłam na strony magazynu o urządzaniu wnętrz.

Dom jest duży. Ale nie za duży, jak lubi powtarzać Quincy. Podejrzewam, że to on go zaprojektował. Jak na standardy rodzin zastępczych jest ogromny. Otwarta przestrzeń na dole, wyeksponowane belkowanie sufitu, wielki kominek z kamienia. Pełno okien i świetlików, które w szare zimowe miesiące ratują mnie i Rainie przed szaleństwem.

I jest w nim mnóstwo szczególików. Kamienna mozaika na posadzce w holu. Oryginalne schody z poręczami z gałęzi brzozy. „Żeby mieć w środku naturę" – wyjaśnił mi pewnego dnia Quincy.

Lubię naturę. Chciałabym kiedyś zbudować dom, który jest jej pełen. Może pójdę w ślady moich przyszłych adopcyjnych rodziców i też zostanę ekspertem od potworów.

Idę na dół, a Rainie siedzi w kuchni i dalej stuka w klawiaturę laptopa. Nie mówi mi, nad czym pracuje, a ja nie pytam. Taką właśnie jesteśmy rodziną.

W piwnicy Luka szeroko otwiera pysk, jakby ziewał. Moim zdaniem stara się zaczerpnąć jak najwięcej chłodnego powietrza. Do piwnicy wpada naturalne światło z okienek umieszczonych wysoko na tylnej ścianie. To głównie przestrzeń do rekreacji. W jednym kącie stoją sprzęt do ćwiczeń, bieżnia i rowerek, dla dwójki maniaków, na wypadek gdyby nie mogli wybrać się na codzienną przebieżkę. Pośrodku znajduje się brązowa sofa w kształcie podkowy, a naprzeciwko – olbrzymi telewizor z płaskim ekranem. To miejsce na odpoczynek. Mogłabym tu zapraszać przyjaciół, zasugerował pewnego dnia Quincy, zanim zorientował się co i jak.

Nawet Luka ma swoją przestrzeń. Wielka klatka kennelowa, mnóstwo psich posłań, kilka bezcennych tenisowych piłek i oczywiście ogromna miska z wodą. To wszystko wygląda trochę upiornie i dlatego Quincy ironizował nieraz na temat psychologów kryminalnych i tego, co trzymają w piwnicy, dopóki nie zorientował się, że słyszę. Rainie go oświeciła: „Quincy, masz teraz dziecko. A dzieci zawsze słyszą".

Luka ma odpoczywać w klatce; przynajmniej taki był plan Quincy'ego, gdy ją wstawiał. Ale Luka śpi zwykle w moim łóżku albo rozciągnięty u stóp Rainie. Quincy powiedziałby, że potrafi się zorientować, kiedy jest bez szans.

Stawiam miskę z jogurtem na poplamionym stoliku do kawy. Pies jej nie ruszy. Jest profesjonalistą, a nie drobnym złodziejaszkiem.

Luka kręci się po pomieszczeniu, sprawdza teren, cieszy się chłodniejszym powietrzem; pozwalam mu się odprężyć. Mamy zaległości z codzienną dawką ruchu, nie wspominając o treningu, ale obwiniam o to panującą na zewnątrz temperaturę. Gdy tylko owczarek się tutaj zjawił, oznajmiłam mu, jakie ma szczęście, a poważny wyraz jego oczu powiedział mi, że mi wierzy.

Nie zapalam w piwnicy żadnych świateł. Jaskrawe słońce, które wpada przez górne okienka, w zupełności wystarczy. Poza tym dzięki temu mam wrażenie, jakby było chłodniej.

Z miską jogurtu przed sobą i Luką kręcącym się w pobliżu sięgam do tylnej kieszeni i wyciągam prawdziwy powód, dla którego znalazłam się tutaj, na dole. Mój iPhone. Wpisuję w wyszukiwarkę: „strzelanina, Bakersville, Oregon". *Z ostatniej chwili* – czytam pierwszy nagłówek. *Dwie osoby zastrzelone na stacji benzynowej EZ Gas. Wkrótce więcej informacji.*

Jednak informacji nie ma zbyt wiele. Marszczę brwi. Luka siada obok mnie. Kładzie mi pysk na kolanach i patrzy na mnie swoimi wielkimi brązowymi oczami. Ma bardzo wyraziste brwi. Unosi teraz jedną w niemym pytaniu. Klepię go delikatnie po głowie i zjadam łyżkę jogurtu.

– Ktoś musi coś wiedzieć – mówię. – Po co tyle wiadomości w internecie, skoro nie można się dowiedzieć tego, czego się chce?

Próbuję znaleźć coś na stronie internetowej naszego lokalnego oksymoronu, jak mawia Quincy, czyli „Bakersville Sun".

I proszę bardzo, jest zdjęcie. To chyba nieruchoma klatka z nagrania z monitoringu. Nastolatek w czarnej bluzie z kapturem mierzy z broni. Powiedziałabym, że typowy materiał na oprycha. Tylko że ten młodociany oprych ma oczy Telly'ego i patrzy prosto na mnie.

Przyglądam mu się długo. Szukając... sama nie wiem czego. Momentu oświecenia? Błysku rozpoznania? Ucisku w piersi?

Patrzę na zdjęcie i właściwie nie czuję nic. Zupełnie nic.

A potem, niemal jak na zawołanie, zaczyna mnie palić ramię.

Luka cicho popiskuje. Głaszczę go po uszach, ale głównie po to, żeby pocieszyć samą siebie.

Odrywam się od zdjęcia i przechodzę do treści artykułu. Strzelanina na stacji EZ Gas miała miejsce tuż przed ósmą rano. Akurat się wtedy obudziłam i podciągnęłam nogi do klatki piersiowej, przerażona czekającym mnie dniem. O ósmej zabrałam Lukę na spacer. Irytowała mnie ściana gorąca, a jeszcze bardziej perspektywa spędzenia przedpołudnia w centrum YMCA.

Najciekawsza informacja znajdowała się na samym dole artykułu. Podejrzany został zidentyfikowany jako siedemnastoletni

Telly Ray Nash. Poszukiwany także w związku ze śmiercią Franka i Sandry Duvallów. Zdaniem policji jest uzbrojony i niebezpieczny. Teraz reaguję. Dreszczem. I czy chcę tego, czy nie, widzę nóż. Słyszę głos ojca, jak nuci z drugiej strony kanapy. I czuję ręce Telly'ego, który łapie mnie i przerzuca przez drzwi, jak najdalej od ojca.

Moja dłoń zaciska się w pięść na pięknej złotobrązowej głowie Luki. Warknął, ale tak delikatnie, jakby zadudniło mu w gardle, a ja rozluźniam palce i znowu delikatnie go poklepuję.

– Już dobrze – mówię mu, ale tym razem mi nie wierzy.

Nie wiem, co myśleć. Nie wiem, co czuć. Nie kłamałam wcześniej Rainie. Naprawdę nie pamiętam mojego brata. Ani rodziców. Mam w głowie jakieś niewyraźne migawki. Żółte pudełko cheeriosów. Zapach papierosów. *Clifford, wielki czerwony pies.*

Brat, który zabierał mnie do biblioteki i czytał mi książeczki, a ja piłam sok jabłkowy.

Boli mnie ramię. Pocę się, ale nie tylko z powodu temperatury. Nie chcę o nim myśleć. Ani o rodzicach. A mimo to nie potrafię się powstrzymać i wypełniają mnie smutek i strach... i tęsknota.

Tęsknię za bratem, za rodzicami. Bez względu na to, jacy byli okropni, mimo wszystko byli moją rodziną.

To nieprawda, mówię sobie. Teraz mam Rainie i Quincy'ego. A żadne z nich nigdy nie goniłoby mnie po domu z zakrwawionym nożem ani nie uderzyłoby mnie kijem bejsbolowym.

Jest mi teraz lepiej.

Lecz mimo to... czuję smutek.

Przyłapuję się na tym, że dotykam ponurej twarzy Telly'ego. Jakbym próbowała znaleźć w niej coś, czego najprawdopodobniej nigdy tam nie było.

Wracam do pracy. Stukam w malutką dotykową klawiaturę mojej komórki. Wpisuję: „Frank i Sandra Duvall, Bakersville, Oregon". Okazuje się, że Sandra ma profil na Facebooku, na którym rozprawia o zaletach gotowania w wolnowarze, pokazuje zdjęcia starszego chłopaka w koszulce uniwersytetu stanowego w Ohio i dzieli się pomysłami na rękodzieło.

Czy jest dobrą matką? Zastanawiam się. Z pewnością wydaje się dumna z najstarszego syna. A jej mąż, Frank? Czy zgłosili się na ochotnika do opieki nad Tellym? Czy mieli pojęcie, w co się pakują?

Natrafiam na ostatnie zdjęcie, niedawno dodane. Wysoki mężczyzna, cały w militarnym kamuflażu, i niższy nastolatek, podobnie ubrany. Natychmiast rozpoznaję Telly'ego. Obaj trzymają strzelby, u ich stóp leży martwe zwierzę. *Taki chłopcy mieli dziś dzień* – czytam treść posta. Mój brat myśliwy.

I znowu nie wiem, co myśleć. Czy Telly dobrze się wtedy bawił? Wspaniałe chwile spędzone z przyszywanym ojcem? Szczęśliwy, że jest w lesie i doświadcza rozkoszy polowania? A może myślał, że wszystko byłoby łatwiejsze, gdyby dali mu kij bejsbolowy?

Nie wiem, nie wiem, nie wiem.

Chciałabym umieć strzelać. Poprosiłam kiedyś Quincy'ego, żeby mnie nauczył. Zapytał po co. Odpowiedziałam, że dla samoobrony. Tak na wszelki wypadek.

– Masz Lukę – oznajmił. – Niczego więcej nie potrzebujesz.

– W tym domu jest broń – upierałam się. – Powinnam przynajmniej poznać podstawowe zasady bezpieczeństwa.

Uśmiechnął się i pomyślałam, że tu go mam. Ale nigdy mnie nie zabrał. Później, mówi teraz, choć ja nie mam pojęcia, na co czekamy.

Patrzę na zdjęcie w internecie i myślę o swoim bracie. Czy lubił Duvallów? Czy był u nich dłużej, czy myślał o nich jak o rodzinie? A może trafiał z domu do domu, starszy chłopak ze skłonnością do przemocy?

Dawał mi płatki, myślę.

Złamał mi rękę.

Uratował mi życie.

I nigdy od tamtej pory się do mnie nie odezwał. Czy to ja podjęłam taką decyzję, czy on? Nie pamiętam. Byłam dzieckiem, a tamta noc była tak przerażająca. Płakałam, krzyczałam, to pamiętam. Czy wrzeszczałam na niego? Nazwałam go potworem i powiedziałam, że nigdy więcej nie chcę go widzieć?

A może on obwiniał mnie? Czy patrzył z pogardą na swoją małą siostrę, jak żałośnie łka u jego stóp, i myślał, że to wszystko jej wina? Gdyby była cichsza, lepsza, ojciec by nie wybuchł, a on nie musiałby zabić naszych rodziców.

Wstydzę się teraz. A może tak naprawdę cały czas się wstydziłam, tylko teraz jest ten pierwszy raz, gdy wreszcie to sobie uświadamiam?

Moi rodzice nie żyją. Zabił ich mój starszy brat.

A ja odeszłam. Ani razu się nie odwróciłam. Znalazłam sobie nową rodzinę w lepszym domu, z cudownym psem. I zupełnie zapomniałam o Tellym i rodzicach.

Ostatnie wyszukanie. Stacja benzynowa EZ Gas, miejsce zbrodni dokonanej przez mojego brata. A potem sprawdzam odległość z tamtego miejsca tutaj. Dziewiętnaście kilometrów na zachód, mówi mapa. Dwadzieścia pięć minut samochodem, o wiele dłużej na piechotę.

Blisko, ale nie zbyt blisko.

Czyli dokładnie tak, jak żyliśmy przez ostatnie osiem lat.

Opadam na sofę i pogrążam się w myślach. Czuję, że powinnam coś zrobić, ale nie wiem co.

Przeszłość to luksus niedostępny dla dzieci z rodzin zastępczych. Za bardzo angażujemy się w życie chwilą. Cokolwiek myślałam sobie o moich rodzicach, już tego nie myślę. Cokolwiek czułam, czytając o tym, co zrobił mój brat, już tego nie czuję.

A teraz zastanawiam się, czy Telly robił to samo aż do dzisiejszego poranka, gdy wstał z łóżka, załadował broń i pociągnął za spust.

Rozdział 11

– Co masz na myśli, mówiąc, że nie natrafiliście na ślad broni?

– Przykro mi, pani szeryf. Ale przeszukaliśmy każdy centymetr kwadratowy między pick-upem Franka Duvalla a stacją benzynową EZ Gas. Nie ma tam żadnej ukrytej broni.

Shelly skrzywiła się, odsunęła do tyłu kapelusz z szerokim rondem i z trudem powstrzymała się przed podrapaniem swędzącej skóry u nasady włosów. I bliznowatych gruzłów na szyi. Cholerny upał.

Westchnęła, popatrzyła na sierżanta i ponownie westchnęła.

– Roy, musimy wiedzieć o tym chłopaku wszystko. O każdym pryszczu, o każdym pieprzyku, a już z całą pewnością o każdej broni, jaką może przy sobie mieć. Tam są, do cholery, nasi ludzie.

– Wiem.

– Jeśli porusza się na piechotę, to na pewno nie wziął ze sobą sześciu sztuk broni i dziesiątek pudełek z amunicją. Byłoby mu za ciężko.

– Wiem.

– A to oznacza, że albo je gdzieś upchnął, albo... – zawahała się – ma wspólnika.

– Albo ukradł kolejny środek transportu.

Shelly westchnęła ciężko. Każda opcja była możliwa. Musieli przestać snuć teorie, a zacząć szukać odpowiedzi.

– Nie było zgłoszeń na gorącą linię? Nikt nie widział poszukiwanego? – zapytała.

– Nie, pani szeryf.

– Gdzie on jest, Roy? Co ten chłopak, do diabła, robi? Dlaczego nie możemy znaleźć siedemnastoletniego dzieciaka?

Roy nie odpowiedział. Shelly wreszcie poddała się i podrapała po szyi. Stała w mobilnej jednostce dowodzenia, która wyposażona była w generator zdolny do zasilenia klimatyzacji. Teraz jednak szeryf Atkins interesowało wyłącznie zasilanie w prąd szeregu komputerów, monitorów i urządzeń satelitarnych. Komfort fizyczny będzie musiał poczekać.

Martwiła się. Nie tylko odnalezieniem młodocianego przestępcy, którego poszukiwano za zabicie czterech osób. Martwiła się o swoje trzy zespoły poszukiwawcze, które ruszyły w lasy za EZ Gas. Żaden z nich nie dysponował porządną informacją o podejrzanym.

– Powtórzmy sobie wszystko – powiedziała, wyświetlając na najbliższym komputerze mapę Bakersville.

Roy pokiwał głową. Ale nie usiadł. Jedyne dostępne siedziska umieszczone przy komputerach przypominały rozkładane stołki-laski na jednej nóżce dla wędkarzy lub myśliwych. Ten, kto z nich korzystał, był narażony na dodatkowe promieniowanie ciepła z monitorów komputerów. On i Shelly woleli postać. Szeryf pochyliła się i powiększyła mapę satelitarną, aż zobaczyli bezpośrednie otoczenie domu Duvallów.

– Chłopak tutaj rozpoczął swój dzień.

Roy przytaknął.

– Czas zgonu rodziców to około szóstej rano – powiedział.

– Czyli Telly Ray Nash z samego rana zastrzelił Duvallów i ukradł broń. A potem zabrał jedzenie, wodę i zapasy?

– Nie wiadomo.

Shelly skrzywiła się. Roy wzruszył ramionami.

– Kuchnia nie została opróżniona, nic na to nie wskazuje. Technicy kryminalni znaleźli nietknięty portfel Franka Duvalla na nocnym stoliku, to samo dotyczy torebki Sandry Duvall i jej szkatułki z biżuterią. Widać ślady kolacji z poprzedniego dnia, ale nikt raczej nie jadł śniadania tego ranka. Nie ma żadnych świadków działań Telly'ego w domu Duvallów ani żadnych tropów w porzuconym pick-upie, więc nie mamy pojęcia, co się wydarzyło między strzelaniną o szóstej a wejściem Telly'ego do sklepu na stacji benzynowej tuż przed ósmą.

Shelly była rozczarowana, lecz nagle zmarszczyła brwi.

– EZ Gas też nie zostało splądrowane.

Ray nic nie powiedział.

– To ciekawe – kontynuowała. – Nastolatek, który dokonuje napadów z bronią i niczego nie kradnie.

Znów milczenie. Może Roy nie miał nic do dodania. Shelly odwróciła się z powrotem do ekranu komputera.

– Telly wychodzi od Duvallów i rusza...

Na mapie widać było kilka dróg wokół domu Duvallów. Większość z nich wiodła do jakichś innych domostw. Ślepe zaułki. Dwie drogi prowadziły do głównej arterii, zmierzającej przez centrum Bakersville, a potem ku autostradzie 101, która biegnie wzdłuż wybrzeża Oregonu.

– Kieruje się na północ – mruknęła Shelly, przesuwając wzrok po stojedynce przez Bakersville, obok fabryki sera, aż do stacji EZ Gas. – Około dwudziestu minut jazdy, chociaż ostatni kawałek musiał przejść, bo zepsuł mu się pick-up. Mimo wszystko to sporo czasu, w którym nie wiadomo, co robił. Komórka? – zapytała Roya.

– Cała rodzina miała cztery telefony w abonamencie. W sypialni znaleźliśmy komórki Duvallów i trzecią w schowku w pick-upie, którym przemieszczał się Telly. Czwarta jest najprawdopodobniej u starszego syna, tego studenta.

– A więc Telly zabrał telefon, ale zostawił go w wozie ojca. Dlaczego? Jaki szanujący się nastolatek zostawiłby komórkę?

– Taki, który nie chce zostać wyśledzony. Zabił już swoich rodziców zastępczych. Jeśli oglądał jakikolwiek serial policyjny w telewizji, to wie, że możemy użyć GPS-u w komórce, żeby go namierzyć.

– To po co w takim razie w ogóle ją ze sobą zabierał?

Roy wzruszył ramionami.

– Może chwycił z przyzwyczajenia, a potem, w trakcie jazdy, uświadomił sobie, że można ją wykorzystać, żeby go znaleźć. Nie wiem. Nie jestem nastolatkiem.

Shelly się zastanowiła.

– Albo skombinował sobie drugi telefon na kartę jako środek komunikacji. Wtedy nie potrzebowałby już swojej starej komórki. – Postukała w mapę na ekranie. – Musiał przejechać tuż obok Walmartu. Powinniśmy sprawdzić, czy się tam nie zatrzymał i nie zrobił zakupów.

– Wyślę tam mundurowego. W tej chwili Dan Mitchell sprawdza nazwiska z listy kontaktów z telefonu Telly'ego. Na razie mamy jego kuratorkę, sekretariat szkoły oraz rodziców zastępczych. Ale żadnych kolegów z klasy czy przyjaciół. Większość wiadomości ma charakter czysto informacyjny, pyta kuratorkę, o której mają spotkanie, albo uprzedza rodziców, że spóźni się na obiad, i tym podobne. Nie wygląda na nastolatka z bujnym życiem towarzyskim, przynajmniej sądząc po zawartości telefonu.

– A co z Erin Hill, sprzedawczynią z EZ Gas?

– Nie było jej na liście jego kontaktów. Ale jak już wspomniałem, jest bardzo krótka.

– Telly to samotnik – stwierdziła Shelly. To pasowało do wizerunku wielu morderców masowych.

Roy się zawahał.

– No? – ponagliła go.

– Mitchell znalazł coś ciekawego w komórce Telly'ego. Niedawno zrobione zdjęcia. Nie najlepszej jakości. Wygląda to tak, jakby zrobiono je ze sporej odległości, z dużym zbliżeniem. Jest na nich nastoletnia dziewczynka. Ma ze trzynaście lat. – Roy zerknął na Shelly. – Mitchell przesłał te zdjęcia. Spotkałem ją tylko raz, ale myślę... jestem właściwie pewien, że to dziewczynka, którą wzięli pod opiekę Rainie i Quincy, Sharlah.

Shelly znieruchomiała, a potem się wyprostowała. Musiała to sobie dobrze przemyśleć, instynkt bowiem od razu podpowiedział jej, że to jest bardzo, bardzo zła wiadomość.

– Sharlah to młodsza siostra Telly'ego – mruknęła pod nosem. Wiedziała, że coś jest na rzeczy od chwili, gdy wymieniła nazwisko chłopaka, a twarz Quincy'ego stężała. To, co miał do powiedzenia o przeszłości poszukiwanego, nie wspominając o istniejącym powiązaniu rodzinnym, było bardzo niepokojące. – Zdaniem Quincy'ego Telly Ray Nash osiem lat temu zabił swoich rodziców w samoobronie, ratując życie swoje i siostry. Potem dzieci rozdzielono. Sharlah trafiła w końcu do Quincy'ego i Rainie. Telly do Duvallów. Quincy przysięga, że Sharlah nie utrzymywała od tamtej pory żadnych kontaktów z bratem. Rainie i Quincy nawet go nie poznali, nie mieli pojęcia, że mieszka w okolicy. To potwierdzałoby, że Sharlah nie miała z nim styczności.

– Sprawa się komplikuje – stwierdził Roy. – Nie jestem pewien, co to oznacza, ale wszystkie inne zdjęcia w telefonie wykasowano. Jedynymi zdjęciami w komórce Telly'ego są zdjęcia Sharlah.

Shelly zrozumiała.

– To celowa robota. Kiedy zrobiono te zdjęcia?

– Pięć dni temu.

– Historia wyszukiwań? Jakiś ślad, że szukał informacji o Sharlah? Albo o Quincym czy Rainie?

– Historia wyszukiwań też została wykasowana.

Shelly wpatrywała się w sierżanta. Znów odezwał się jej instynkt – to są bardzo, bardzo złe wiadomości. Mimo to wciąż nie była pewna, co oznaczają.

– A co z komputerem w domu Duvallów? Cokolwiek użytecznego?

– Duvallowie mieli jeden komputer stacjonarny, z którego korzystali wszyscy. Na pierwszy rzut oka tam również wykasowano niedawno historię wyszukiwań. Wysłałem go do techników z policji stanowej, żeby sprawdzili. Jeśli z komputera domowego usunięto coś przydatnego, na pewno to odzyskają, ale to potrwa.

– W porządku. A więc Telly łapie komórkę, opuszczając dom Duvallów. Potem zmienia zdanie i ją zostawia. Z wyczyszczoną wyszukiwarką, krótką listą kontaktów i prawie pustym folderem wiadomości, a w galerii zdjęć zostały tylko fotografie siostry, której ponoć nie widział od lat. – Shelly potrząsnęła głową. – Dzieciak, który zapomniał telefonu? Nie, on coraz bardziej wygląda mi jak podejrzany celowo pozostawiający pewien przekaz.

Spojrzała znowu na mapę na ekranie komputera. Ostatnie miejsce, w którym widziano Telly'ego Raya Nasha, znajdowało się prawie dwadzieścia kilometrów na zachód od domu Quincy'ego. Jeśli chłopak porusza się na piechotę, to nie ma powodu do wszczynania alarmu. Ale mimo to...

– Okej – powiedziała miękko, bardziej do siebie niż do Roya. – Powtórzmy jeszcze raz, co wiemy. Telly Ray Nash zastrzelił swoich rodziców zastępczych. Obrabował sejf z bronią. A potem ruszył na północ stojedynką, aż przegrzał mu się silnik w pick-upie. W tym momencie założył grubą czarną bluzę, mimo że było już goręcej niż w piekle. Wybrał z kolekcji sześciu sztuk broni dziewiątkę i ruszył na północ, aż dotarł do stacji EZ Gas. Tam zastrzelił kolejnych dwoje ludzi, najprawdopodobniej przypadkowych.

Roy pokiwał głową.

– Przeszukaliście teren wokół pick-upa – powtórzyła Shelly. – Jak dokładnie obejrzeliście sam wóz? Może Telly wepchnął resztę broni pod siedzenia albo wetknął gdzieś w podwozie?

– Usunęliśmy panele na drzwiach, zerwaliśmy wykładzinę, prześwietliliśmy dokładnie podwozie. Zaufaj mi, nie ma tam żadnej broni. Przetrząsnęliśmy też teren w promieniu półtora kilometra wokół pick-upa. Cokolwiek Telly zrobił z bronią Franka Duvalla, w pobliżu auta jej nie ukrył.

– Czyli wracamy do naszych wcześniejszych hipotez. Może Telly spotkał się z kimś, przekazał niepotrzebną broń wspólnikowi. A może nawet sprzedał ją za gotówkę.

– Jeśli tak, to był wystarczająco sprytny, żeby użyć drugiego telefonu do takich kontaktów.

Shelly skrzywiła się.

– Coś nam umyka. Za dużo założeń, za mało faktów. Kamery. Tego nam potrzeba. Monitoring ruchu drogowego, nagrania z kamer bezpieczeństwa, wszystko, co pokaże, co Telly robił między domem Duvallów a stacją EZ Gas.

– W tej części autostrady jest niewiele kamer – stwierdził Roy, ale już pochylał się nad ekranem, rozważając możliwości. – Natomiast w centrum Bakersville... Tutaj, skrzyżowanie Trzeciej i Głównej. Tam na pewno jest monitoring.

– Tuż obok. – Shelly postukała w ekran. – First Union Bank. Bankomat przodem do ulicy. Ta kamera mogła coś złapać.

– Dobra. Zajmę się tym.

– Zrób oś czasu – poleciła Shelly. – Ze wszystkim, co Telly Ray Nash robił dziś rano. O której wstał, co zjadł i z kim rozmawiał. A potem co dokładnie stało się w ciągu tych minut pomiędzy zastrzeleniem rodziców a dotarciem na stację benzynową.

Roy pokiwał głową.

– A później pełne tło. Każda rodzina zastępcza, w której kiedy-kolwiek przebywał, każda osoba, której powiedział „cześć", każdy kolega, z którym trącił się ramieniem na szkolnym korytarzu. Musimy dowiedzieć się o Tellym Rayu Nashu wszystkiego. Absolutnie wszystkiego.

Roy znów przytaknął.

– Powiedziałeś, że jeden z kontaktów w telefonie Telly'ego to jego kuratorka sądowa. Aly Sanchez?

– Tak. To ona przekazała nam informację o Duvallach.

– Okej. Skontaktuję się z nią. Sprawdzę, czy może rzucić ja-kieś światło na stan psychiczny chłopaka. A w szczególności czy wie, by miał jakikolwiek kontakt z siostrą albo czy myślał o tym, żeby się z nią skontaktować, i tak dalej.

– Mamy wyznaczyć kogoś do pilnowania Sharlah?

– Porozmawiam najpierw z Quincym i Rainie. Dobra wia-domość jest taka, że Sharlah jest pod doskonałą opieką. No i ma tego psa. – Shelly pokręciła głową, wciąż próbując nadać jakiś sens temu, co wiedzą. – Dwie strzelaniny. Jedna w domu. Druga raczej przypadkowa. I komórka ze zdjęciami młodszej siostry, której po-dejrzany rzekomo nie widział od lat.

Potarła grubą bliznę na karku.

– Ten chłopak wypłynie. Potrzebuje zapasów, pragnie zemsty, nie mam, do diabła, pojęcia. Ale w ten czy inny sposób Telly Ray Nash znowu nam się objawi. Pytanie tylko, ile nas to będzie kosz-tować.

Rozdział 12

Cal Noonan znalazł rów melioracyjny. Wijący się wzdłuż drogi, częściowo porośnięty gęstwiną jeżynowych krzewów, był wystarczająco głęboki, żeby ktoś mógł się w nim ukryć. W tej chwili on i jego drużyna poruszali się nim w kierunku północnym, przesuwając się od jednego śladu do drugiego. Odcisk obcasa w błocie, porwana pajęczyna, zgnieciona trawa.

Ktoś z pewnością szedł tym wąskim rowem w ciągu ostatnich dwudziestu czterech godzin. Ale pozostawało pytanie: czy był to ich podejrzany?

Tropienie w filmach zwykle wygląda tak, że jakiś milczący, nieco szalony samotnik sunie bez wysiłku po śladzie niewidocznym dla innych i wygłasza dziwaczne komentarze typu: „Smak powietrza wskazuje, że obiekt przeszedł tędy trzynaście minut temu. Był ubrany we flanelową koszulę i jadł snickersa".

W prawdziwym życiu jest zupełnie inaczej. Cal dostrzegał ślady. Cieszyły go. Odciski stóp, złamane gałązki, zgniecione paprocie, wszystko to mówiło mu, że coś tędy z pewnością przeszło. Ale to wcale nie znaczy, że był to poszukiwany przez nich zabójca. Równie dobrze mogli podążać właśnie tropem trzydziestoletniej byłej tancerki z Las Vegas, która przeszła wczoraj tym rowem, kupiwszy na stacji gumę do żucia.

Cal potrzebował dowodów. Skrawka czarnego materiału z naderwanej przez kolce jeżyn bluzy z kapturem. Upuszczonej butelki po wodzie z numerem, który detektywi mogliby powiązać z partią dostarczoną do sklepu na EZ Gas. Do diabła, fajna byłaby jakaś łuska. Dzieciak biegający z dziewiątką i kieszeniami pełnymi amunicji mógłby zgubić chociaż jeden czy dwa naboje.

Zamiast tego na początku rowu, tam gdzie dochodził do

parkingu stacji benzynowej, Cal znalazł w miękkiej ziemi częściowy odcisk obcasa. Rozmiar wydawał się odpowiedni dla mężczyzny, ale nie miał bieżnika. Zostanie zrobiony odlew do ewentualnych porównań. Na razie Cal miał złapać trop poszukiwanego.

Doszedł do wniosku, że w połowie mu się udało: jakiś trop miał. Jesse i Antonio poruszali się wolno, dobre pięć metrów z tyłu, z karabinami w dłoniach. Nie podobał im się ten rów. Był stromy i tkwili w nim jak w pułapce. Strategicznie rzecz biorąc, gdyby na krawędzi pojawił się ktoś uzbrojony... mógłby ich wystrzelać jak kaczki.

Cal był świadomy niebezpieczeństwa. Ale to był najlepszy kierunek, jaki mogli założyć.

Kolejna złamana gałązka, tuż przed nimi. Środek lśnił bielą, a końcówka wciąż była świeża i giętka. W takim razie została odłamana niedawno, bo drewno jeszcze nie wyschło. Rów zaczął się zwężać i powoli robił się coraz płytszy. Wkrótce znajdą się na wysokości drogi, a wtedy będą musieli podjąć decyzję.

– Cal – szepnęła Nonie.

Zamarł, odwracając głowę na prawo, tam gdzie pracowała, dwa i pół metra za nim.

– Co jest?

– Mam coś, ukryte tutaj, w jeżynach.

Zmienił kurs, zawrócił, by mieć dokładnie taki sam kąt widzenia jak Nonie. Babcia bez wątpienia miała doskonały wzrok. Cal patrzył prosto przed siebie, gdy mijał ten odcinek. Nonie rozsądnie rozglądała się na boki.

Teraz, wiodąc wzrokiem za jej palcem, zobaczył to, co zwróciło jej uwagę. Na pierwszy rzut oka wydawało się, że to tylko głębszy cień, może wyjątkowo gęsty fragment jeżynowych zarośli. Ale nie.

Nonie miała drobniejsze dłonie. Skinął głową, żeby zrobiła, co trzeba.

Najpierw włożyła rękawiczki. Wszyscy członkowie SAR mieli przeszkolenie w zbieraniu dowodów. Nawet najpilniejsze poszukiwania były zaledwie wstępem do o wiele poważniejszego spektaklu policyjno-sądowego. Zniszczenie dowodów mogło skutkować wypuszczeniem podejrzanego, którego wcześniej przy ogromnym wysiłku udało się dopaść.

Wydobycie znaleziska z gęstwiny kolców zajęło Nonie chwilę. Ostrożnymi, ale pewnymi ruchami wyjęła z ukrycia kłąb materiału. Antonio i Jesse stanęli bliżej, wciąż z bronią w dłoniach. Nie patrzyli na Nonie, tylko obserwowali otoczenie.

– Mam – mruknęła Nonie.

Rozwinęła znalezisko. Gruba czarna bluza. Zbliżyła materiał do nosa, żeby powąchać.

– Wymioty – stwierdziła ze stoickim spokojem.

I wtedy po raz pierwszy od rozpoczęcia poszukiwań ona i Cal się uśmiechnęli.

– Mamy trop – powiedział Cal.

– Mamy trop – powtórzyła Nonie.

Cal nadał wiadomość przez krótkofalówkę.

Jenny Johnson była zadowolona. Sprawdziła ich położenie na głównej mapie. Mieli przed sobą jeszcze około dziewięćdziesięciu metrów rowu, a potem powinni dotrzeć do skrzyżowania z drogą gruntową. Droga wiodła ze wschodu na zachód. Na zachodzie łączyła się z autostradą, a na wschodzie prowadziła do wiejskich zabudowań. Z tego co Jenny widziała, było tam od pięciu do sześciu farm. Każda na sporym terenie.

Cal i Nonie wymienili spojrzenia. To nie najlepsze wieści. Po wyjściu z rowu znajdą się z powrotem na ubitej ziemi. Trudna powierzchnia do tropienia. Nie wspominając o domostwach ukrytych w gęstym lesie...

Antonio i Jesse, ubrani w lekkie kamizelki kuloodporne, przesiąknięte potem, w ogóle nie zareagowali.

Cal zostawił bluzę na widoku i oznaczył jaskrawopomarańczową chorągiewką, żeby idący ich śladem funkcjonariusze z łatwością ją znaleźli. Druga chorągiewka pokazywała miejsce, z którego Nonie wyciągnęła ubranie z krzaków. Technicy kryminalni będą chcieli zabrać je do badań, ale wykonają też swoją magiczną robotę na miejscu. Cal podejrzewał, że wytną całe pasy jeżyn w poszukiwaniu pokrytych krwią kolców, o które podejrzany mógł się skaleczyć.

Ale to już działo się poza zakresem obowiązków Cala. Dowództwo miało swoje zadania, detektywi swoje, a spece od kryminalistyki swoje. Jeśli chodzi o niego i jego drużynę...

Powrócili do tropienia.

Dotarli do końca rowu melioracyjnego, tam gdzie łączył się z drogą gruntową. Z lewej strony szum autostrady. Z prawej ciemnozielony cień.

Cal nie musiał nawet oglądać kolejnego odcisku buta – widniał z boku płytkiego rowu – żeby wiedzieć, dokąd skierował się poszukiwany.

Weszli w chłodny, ciemny las, w którym w oddali majaczył dach pierwszego domostwa.

Rozdział 13

– *To karabin czterotaktowy kaliber dwadzieścia dwa. Treningowy, więc zauważysz, że odrzut nie jest duży. Ale i tak jest zupełnie inaczej niż przy pistoletach. Spróbuj.*

Znowu byliśmy w lesie. Na polanie. Ten sam widok: rozkładany stolik, drewniana paleta z tarczą, mnóstwo łusek na ziemi. Tym razem jednak na stoliku leży długa czarna torba. Już po samym kształcie mogłem się domyślić, że to karabin. Teraz Frank odsunął zamek i rzeczywiście...

Piękna broń. Zupełnie inna od niewielkiego czarnego rugera, z którego strzelaliśmy dwa tygodnie temu. Przypominająca trochę strzelby z filmów o szeryfach na Dzikim Zachodzie. Drewniana kolba miała piękny złoty mazerunek, a chwyt tłoczenie w romby.

Lufa była długa. Ponad sześćdziesiąt centymetrów, powiedział Frank, gdy wysuwał karabin z torby. Podobnie jak zrobił to z pistoletem, położył broń na stole, z wysuniętym magazynkiem i odsuniętym zamkiem, żeby pokazać pustą komorę.

– Sam dodałem lunetę – kontynuował, odrzucając torbę na bok. – Nic specjalnego. Podstawowy bushnell. Pomoże ci się przyzwyczaić do patrzenia przez nitki celownicze. Podobnie jak ruger, to jest broń z magazynkiem. Mieści się w nim pięć nabojów. Gdy naciśniesz tamten przycisk z przodu, magazynek wyskoczy ci do ręki. Załaduj go i wciśnij na miejsce. Znajduje się przed osłoną spustu, więc nie jest częścią chwytu, ale to niewielka różnica. Jest malutki i dlatego kupiłem też większy, dziesięć plus. Ale to na później. Teraz potrzebny ci komfort, a nie siła ognia. Ze względów bezpieczeństwa, podobnie jak w przypadku pistoletu, opróżniasz magazynek, a potem sprawdzasz komorę. Tutaj zamek odsuwa się cały i pokazuje pustą komorę. Ten karabin jest wyjątkowy, bo

czterotaktowy, a nie samopowtarzalny. Nie jest gotowy do kolejnego strzału natychmiast po oddaniu pierwszego. Musisz sam umieścić każdą kulę z magazynka w komorze, odsuwając zamek po każdym pojedynczym strzale. Zobacz, pokażę ci.

Frank bez wysiłku uniósł broń i przesunął zamek na sam dół lufy, tuż pod lunetę. Strasznie ciasno, pomyślałem, ale najwyraźniej miejsca było dokładnie tyle, ile trzeba.

W następnej kolejności wyjął dziwny pojemnik z jasnoniebieskimi nabojami, mniej więcej kalibru dwadzieścia dwa.

– Załaduj magazynek – poinstruował mnie, wskazując głową pojemnik.

Ręce mi się trzęsły. Starałem się trzymać je blisko siebie, żeby Frank nie zauważył. Cieszyły go te lekcje. Jego starszy syn wyjechał na studia. Więc to chyba ja, podopieczny z problemami, miałem uzupełnić ojcowsko-synowskie więzi. Ale ja się denerwuję przy broni. Ruger, jak już wziąłem go do ręki, nie był taki zły. Pierwsza lekcja była okej.

Ale ten karabin... Przerażał mnie.

W końcu wcisnąłem naboje do magazynka. Bardzo niezręcznie. Czułem, że Frank mnie obserwuje, że to widzi. Lecz nic nie powiedział.

Wziął ode mnie magazynek. Wcisnął go na miejsce, przed osłonę spustu.

– Jasnoniebieskie naboje to ślepaki – oznajmił. – Naboje bez prochu. Pomogą ci wyczuć broń.

Jego oczy były łagodne. Chyba. Jak wygląda łagodność w oczach mężczyzny? Niezbyt często ją widziałem. Wzruszyłem ramionami, wysunąłem ręce spod mojej ulubionej czarnej bluzy z kapturem, którą nosiłem w komplecie z luźnymi czarnymi dżinsami. Czerń i czerń. Gdy się tak ubierałem, Frank nazywał mnie Johnnym Cashem, ale ja nie miałem pojęcia, o co mu chodzi.

– No dalej – powiedział. – Podnieś ją. Pamiętaj, co mówiliśmy o wyobrażaniu sobie lasera, który wychodzi z końca lufy. Nawet jeśli broń jest załadowana ślepakami, to nie celuj do niczego, do czego nie zamierzasz strzelać.

Karabin był ciężki. Niewygodny. Próbowałem oprzeć kolbę

o prawe ramię, z prawą dłonią na spuście (ale nie dotykając go), a lewą podtrzymywać koszmarnie długą lufę. Lewa ręka natychmiast zaczęła mi drżeć. Nie wiem, jak ktoś może wytrzymać tak długo, a co dopiero spędzić cały dzień na polowaniu w lesie.

– Okej, po kolei. – Frank stanął obok mnie. – Przestaw stopy. Stań bokiem, z lewą nogą wysuniętą do przodu. O tak. I prawa ręka, wysuń łokieć do tyłu. Widzisz teraz, że w naturalny sposób tworzy ci się w ramieniu zagłębienie. Wsuń w to miejsce kolbę. Dokładnie tak. Opuść łokieć lewej ręki. Masz go trzymać blisko ciała. Lepiej? To długa broń. Waży trzy i pół kilograma. Ciężarek tej wagi uniósłbyś bez trudu, ale przez znaczną długość środek ciężkości przesuwa się do przodu. I to męczy twoją rękę, sprawia, że drży. Musisz mocniej przyciągnąć karabin do ramienia. Wciśnij go w to zagłębienie. Zauważ, że od razu zmniejsza się ciężar w lewej ręce.

Zrobiłem, jak powiedział, i rzeczywiście, moja lewa ręka przestała się trząść.

– Świetnie. Do karabinu trzeba się przyzwyczaić. Będziesz musiał więcej ćwiczyć, żeby poczuć w końcu, że stanowi naturalne przedłużenie twojego ciała. A teraz spróbuj przyłożyć prawe oko do lunety. Możesz zamknąć lewe, jeśli tak ci będzie łatwiej. Znajdź nitki celownicze. Ustaw je na celu i tak przez chwilę przytrzymaj. Zrób wdech i wydech, ale tak, żeby nitki jak najmniej się poruszyły. Dobra robota.

Kłamał. Ponownie łagodność? Nitki celownicze latały mi po całym terenie. Lewa ręka znowu zaczęła się trząść, każdy wdech i wydech powodował totalne rozkołysanie. Ale nie narzekał. Tylko kiwał głową, stojąc obok mnie, jakby wszystko przebiegało zgodnie z planem.

W zeszłym tygodniu Sandra zapytała mnie, jakie jest moje ulubione danie. Powiedziałem, że makaron z żółtym serem Krafta. Nie, nie, próbowała wyjaśnić. Jakiś domowy posiłek albo coś, co jadłem kiedyś w restauracji. Upierałem się przy makaronie z żółtym serem. Więc wczoraj na kolację to właśnie podała. A przynajmniej próbowała. Tylko zamiast taniego granatowego pudełka z sosem w proszku kupiła wersję do samodzielnego przygotowania w domu. W jej wersji był prawdziwy sos, ale miał przynajmniej *taki pomarańczowożółty kolor, jak zapamiętałem. Frank dzielnie się starał. Sandra przesuwała makaron po talerzu. A ja zjadłem wszystko i poprosiłem o dokładkę, chociaż to nie był dokładnie taki makaron z serem, jak należy. Ale Sandra wydawała się zadowolona.*

Wciąż jej nie rozgryzłem. Zdaje się szczęśliwa wtedy, gdy jej chłopcy są szczęśliwi. Szczerze mówiąc, przeraziło mnie to.

Pora zająć się przeładowaniem karabinu. Miałem zdjąć prawą dłoń ze spustu, żeby przesunąć rączkę zamka do góry, do tyłu, do przodu i w dół. To było trudniejsze, niż się wydawało. Za pierwszym razem opuściłem lufę. Mój laser wypalił dziurę w ziemi. Ale po kolejnych próbach zacząłem wyczuwać zamek. Przyzwyczaiłem się do tego, jak ślepy nabój wyskakuje po prawej, a nowa kula wsuwa się na miejsce.

Bolały mnie ręce. Zwłaszcza lewa. Wolałem rugera. Ruger nie był taki zły. Ale to...

– Może spróbujemy z normalną amunicją? – zapytał Frank.

– Pewnie. – Z ulgą odłożyłem karabin na stolik. Miałem nadzieję, że nie zauważył, że próbuję rozluźnić lewą rękę i masuję sobie prawe ramię.

– Dwudziestkadwójka to mały kaliber. Czyli to dobra broń do treningu i tyle. Do polowania potrzeba trzydziestkiósemki. A do samoobrony AR-piętnaście.

Pokiwałem głową, choć nie miałem pojęcia, o czym mówi.

Jakby czytał mi w myślach.

– Wiesz, jaka jest różnica między kalibrem dwadzieścia dwa a trzydzieści osiem? – zapytał.

– Rozmiar kuli.

– To prawda. Trzydziestkaósemka jest większa i robi większą dziurę. Ale co jest ważniejsze?

Frank, nauczyciel przedmiotów ścisłych z lokalnego liceum, wpatrywał się we mnie.

Potrząsnąłem głową.

– Energia. Trzydziestkaósemka wypada z lufy z o wiele większą energią. Wyobraź sobie, że kula w lufie jest jak sanki na torze bobslejowym. Dwudziestkędwójkę popycha czterech gości, którzy stoją w jednym miejscu. Oglądaliśmy niedawno film

o bobsleistach z Jamajki, pamiętasz? A jaki jest lepszy sposób, żeby rozpędzić sanki?

– Biec razem z nimi, nabrać prędkości i dopiero wtedy popchnąć.

– Właśnie. Karabin myśliwski kalibru trzydzieści osiem nadaje o wiele większą energię większej kuli, czyli jest skuteczniejszy. Taką bronią możesz zranić. – Uniósł załadowany karabin treningowy. – A trzydziestkąósemką zabijesz.

Po raz kolejny ustawił mnie w odpowiedniej pozycji, tym razem z prawdziwą amunicją.

Przy pierwszym strzale nie trafiłem. Przy drugim naderwałem róg tarczy.

– Nie śpiesz się. Skoncentruj. Mocniej przyciśnij kolbę do ramienia. Wdech i wydech.

Trzy ładowania magazynka i dwanaście strzałów później trafiłem do celu.

– Tak! – zawołałem, zanim zdołałem się powstrzymać.

Frank poklepał mnie po ramieniu.

– Teraz ty strzelasz? – zapytałem, odkładając karabin na stolik i zabierając się za jego rozładowanie. Czułem się prawie jak profesjonalista.

– Nie, późno się zrobiło. Wracamy.

– No weź. Parę strzałów. To w końcu twój karabin.

Byłem ciekawy. Z pistoletu strzelał świetnie. A z karabinu?

– Okej – zgodził się, zerkając na niebo, które robiło się coraz ciemniejsze. – Załaduj mi ją – poprosił.

Szybko mu poszło. Pięć strzałów. Pięć w sam środek. A do tego ja stałem dziesięć metrów od celu, a on ze trzydzieści. To w zupełności wystarczyło, żeby mi zaimponować.

– Naprawdę jesteś dobry – powiedziałem, gdy zaczęliśmy się pakować.

– Tak jakby.

– Byłeś w wojsku albo coś takiego?

– Nie.

– Brałeś udział w zawodach strzeleckich? No bo chyba są takie zawody.

– To jedynie hobby. Moją pasją jest nauczanie. A tak tylko odreagowuję. Przy okazji, co ty lubisz robić, Telly?

Zaskoczył mnie tym pytaniem. Nie spodziewałem się go. Obronnym gestem wzruszyłem ramionami, próbując wsunąć karabin z powrotem do wąskiej torby.

– Nie wiem.

– W szkole. Poza szkołą. Przecież każdy coś lubi.

– Mnie jest wszystko jedno.

– Dyrektor szkoły powiedział coś innego, gdy zadzwonił w sprawie bójki w piątek.

Moje palce znieruchomiały na torbie. Odwróciłem wzrok. Powinienem był wiedzieć. „Chodźmy sobie we dwóch postrzelać". Zawsze jest jakiś haczyk.

– To on zaczął – wymamrotałem.

– Dyrektor też tak sądzi.

Nie odpowiedziałem.

– Ale nie możesz ciągle robić z siebie celu. A kiedy oddajesz, zwiększasz prawdopodobieństwo, że to się znowu zdarzy.

Nic nie mówiłem.

– Złościsz się, Telly. Widzę to w tobie. Rozumiem. Do diabła, gdybym przeszedł przez to wszystko, przez co ty przeszedłeś, też byłbym zły. Na moich beznadziejnych rodziców. Na inne dzieciaki. Na system. Nawet na takich ludzi jak Sandra i ja. My jesteśmy w tym tylko przelotnie, a ty całe życie musiałeś sobie z tym radzić sam.

Umilkł. Cały czas wpatrywałem się w torbę.

– Czy masz jakieś jedno dobre wspomnienie, Telly? Z czasu gdy byłeś z rodzicami?

– Biblioteka – słyszę swój głos.

– Zabierali cię do biblioteki?

– Nie. Sam tam chodziłem. Z moją małą siostrą.

– Ale rodzice czytali ci książki?

– Nie.

– Zachęcali, żebyś je wypożyczał?

Pokręciłem głową. Byłem bardzo zmieszany. Frank gapił się na mnie.

– Czyli twoje jedyne dobre wspomnienie z rodzicami to takie, w którym ich w ogóle nie ma?

Wzruszyłem ramionami.

– Lubiłem bibliotekę. Dobrze nas tam traktowano.

– W porządku. Okej. No to może... chciałbyś zostać bibliotekarzem?

Teraz to ja spojrzałem na niego, jakby zwariował, ale on potrząsnął głową.

– Naprawdę, Telly. Jesteś teraz w trzeciej klasie liceum. Ledwo zdałeś, a do tego bójki na korytarzach, dowcip, który zrobiłeś na stołówce, rozbijanie szkolnych szafek... Pora dorosnąć. Dosyć bycia młodym wściekłym łobuzem. W przyszłym roku ostatnia klasa. I wtedy koniec. Będziesz zdany na siebie. I kim będziesz, Telly? Jesteś do tego przygotowany?

Nie potrafiłem mu odpowiedzieć.

– Twoich rodziców nie ma. Siostry też. Co się stało, to się nie odstanie. Nienawiść, obwinianie innych, siebie, to wszystko to tylko strata czasu. Prędzej czy później będziesz musiał przestać być taki zły. I prędzej czy później będziesz musiał przestać żyć przeszłością. O to chodzi w całym przyszłym roku. Musisz dowiedzieć się, kim chcesz być. Przygotować się, żeby ci się powiodło. Razem z Sandrą będziemy cię wspierać. Damy radę. Więc przestań myśleć cały czas, że jesteś sam i że świat cię nienawidzi. Masz przynajmniej dwoje ludzi po swojej stronie. Nie jest tak źle.

Frank wziął ode mnie torbę z karabinem i ruszył w stronę pick-upa.

– Nie będę mógł cię tu zabrać w przyszły weekend – zawołał przez ramię. – Licealne targi nauki. Ale może w następny weekend. Znowu weźmiemy karabin. Poćwiczysz sobie.

Zająłem się składaniem stolika.

Frank zatrzymał się obok wozu i uważnie mi się przyjrzał.

– Dasz radę, Telly. Może nie będzie idealnie i może najpierw będziesz musiał popełnić parę błędów, ale ja coś w tobie dostrzegam. Uratowałeś siostrę. Teraz musisz wymyślić, jak uratować siebie. Jeden rok, Telly. I wszystko będzie zależeć od ciebie: to, jakim człowiekiem się staniesz.

Rozdział 14

Siedząca przy kuchennym stole Rainie słyszała, jak pazury Luki stukają o podłogę w piwnicy, gdy owczarek biegał po chłodnym pomieszczeniu. Żadnych dźwięków ze strony Sharlah, ale nic dziwnego. Trzynastolatka wolała ciszę, starała się nigdy nie zwracać na siebie uwagi. Czytała, słuchała muzyki na słuchawkach, grała w gry na iPadzie i wszystko to robiła bardzo cicho. Spędzali tak całe wieczory: Rainie, Quincy i Sharlah siedzieli razem w salonie, wpatrzeni w swoje książki albo ekrany, nie wydając z siebie żadnych dźwięków.

Na początku ta cisza martwiła Rainie. Ale ostatnio uznała, że jest korzystna, dowodzi, że dziewczynka, którą mają wkrótce adoptować, zaskakująco dobrze wpisuje się w ich rodzinę – milczącą i przebywającą głównie we własnym domu.

Wstała i obeszła stół. Właśnie skończyła rozmowę telefoniczną z Brendą Leavitt, która zajmowała się Sharlah z ramienia opieki społecznej. Trochę to potrwało, ale w końcu udało się jej uzyskać pewne informacje o przeszłości dziewczyny. Brenda miała teraz sprawdzić, gdzie wcześniej mieszkał Telly, i wkrótce oddzwonić do Rainie.

Rainie bardzo się denerwowała. Z jednej strony wierzyła w to, co sama powiedziała Sharlah – że jej córka nie musi się martwić Tellym; to było zadanie Rainie i Quincy'ego. Z drugiej strony doświadczenie życiowe nauczyło ją, że to, co najgorsze, może się wydarzyć i często się wydarza. Prawdę mówiąc, im bliżsi byli adoptowania Sharlah, uczynienia jej ich własnym dzieckiem, tym bardziej Rainie się niepokoiła.

Szczęśliwe zakończenia, kochające się rodziny. Takie rzeczy zdarzają się innym ludziom, myślała często. Ale ją jakoś zawsze omijały, zawsze były tuż-tuż.

Choć to nie do końca prawda, upomniała samą siebie. Miała Quincy'ego, Sharlah i Lukę. Miała świetną pracę, piękny dom, udane życie. Tyle że miała też swoje demony. I musiała je codziennie zwalczać, codziennie pokonywać. Tak właśnie wygląda życie kogoś uzależnionego.

I właśnie dlatego tak desperacko pokochała Sharlah już w pierwszej chwili, gdy tylko ją poznała. Popatrzyła w oczy swojej podopiecznej i od razu wiedziała, że ją zna. Po prostu... zna. Jej lęki, niepokój, kruchą nadzieję, ukrytą w głębi siłę. Rainie zobaczyła wszystko. I pokochała Sharlah nie pomimo jej słabości, ale właśnie ze względu na nie. Dziewczynka należała do wojowników. Podobnie jak ona i Quincy.

I nie było, do diabła, żadnej możliwości, żeby Rainie pozwoliła teraz jakiemuś bliżej nieznanemu starszemu bratu o morderczych skłonnościach zadzierać z jej rodziną.

Zadzwoniła komórka. Zerknęła na ekran, spodziewając się, że to oddzwania Brenda Leavitt. Ale to była szeryf Shelly Atkins.

– Mamy postęp – oznajmiła bez żadnych wstępów. Rainie i Quincy współpracowali z Shelly od momentu, gdy objęła stanowisko szeryfa. Żadne z nich nie lubiło tracić czasu na pogawędki. – Znaleźliśmy telefon Telly'ego. A w nim zdjęcia Sharlah. Sprzed pięciu dni.

Rainie przestała krążyć po kuchni. Poczuła, jak jej serce zaczyna łomotać, a dłonie zaciskają się w pięści. Wzięła głęboki oddech i zmusiła się, żeby usiąść przy stole.

– Pięć dni temu – powiedziała. Próbowała sobie przypomnieć, co robili pięć dni temu. Czy byli w domu? Gdzieś na zewnątrz? I jak ona, wyszkolona funkcjonariuszka służb bezpieczeństwa, mogła nie zauważyć nastoletniego oprycha, który robi zdjęcia jej córce?

– To są zdjęcia kiepskiej jakości. Zrobione komórką, przy dużym zbliżeniu. Dan Mitchell prześle ci je mailem. Rozpoznał jeden z budynków w tle. To biblioteka.

Racja, pięć dni temu Rainie zabrała Lukę i Sharlah do Biblioteki Hrabstwa Bakersville. Luka brał udział w letnim programie bibliotecznym, w którym dzieci z trudnościami w czytaniu zachęca się do głośnej lektury zwierzakom, bo taka publiczność sprawia im więcej przyjemności i wywołuje dużo mniej stresu.

– Okej – powiedziała Rainie.

– Rozmawiałaś z Sharlah o jej bracie?

– Nie miała z nim żadnego kontaktu od nocy, w której zabił ich rodziców. Więcej nawet, prawie go nie pamięta. Miała zaledwie pięć lat, gdy ich rozdzielono.

– A co z mailami, SMS-ami? Zauważyłaś coś?

Rainie uśmiechnęła się.

– Telefon Sharlah jest podłączony do mojego abonamentu, dostaję kopie wszystkich jej wiadomości. I rutynowo przeglądamy jej pocztę mailową. Tak wygląda współczesne rodzicielstwo.

– Rainie... Nie wiem, co to znaczy... ale ten telefon Telly'ego został wyczyszczony: wykasowano dane z wyszukiwarki internetowej, usunięto wszystkie zdjęcia. Poza zdjęciami Sharlah. Jakby chciał, żebyśmy je znaleźli. Żebyśmy wiedzieli, że ją obserwował.

Rainie znieruchomiała. Serce łomotało jej w piersi. Poczuła przypływ adrenaliny, instynktowny odruch: walcz albo uciekaj. Miała rację, że się niepokoiła – najgorsze właśnie się działo.

Kolejny głęboki wdech. Myśl jak Quincy. W takich momentach jego nieugięta logika potrafiła być jednocześnie kojąca i frustrująca.

– Macie jakieś informacje, gdzie Telly Ray Nash może teraz być? – zapytała. Jej głos zabrzmiał całkiem mocno. Kolejny uspokajający wdech. A potem wstała od stołu i przeszła korytarzem do gabinetu Quincy'ego, gdzie trzymali sejf z bronią.

– Tropiciel Cal Noonan trafił na jego ślad. Na północ od stacji EZ Gas. Wygląda na to, że Telly skierował się na obszary zamieszkane, jest tam parę domostw rozrzuconych na ogromnym terenie. Przeszukują go teraz.

Rainie pokiwała głową, zdjęła ze ściany fotografię najstarszej córki Quincy'ego, a potem przystawiła palec wskazujący do czytnika biometrycznego. Drzwiczki sejfu uchyliły się. Jej ulubioną bronią był glock, kaliber czterdzieści dwa. Jednak pistolet tego rozmiaru byłby widoczny pod letnim ubiorem. Zamiast niego wzięła więc zapasową dwudziestkędwójkę. Quincy nosił swoją w kaburze na kostce, Rainie wolała chować broń z tyłu za pasek spodni. Uważała, że łatwiej po nią wtedy sięgnąć.

– Minęły ponad cztery godziny od strzelaniny na stacji – powiedziała.

– Owszem.

– I nadal ani śladu poszukiwanego? Żadnych zgłoszeń na gorącą linię, żadnej reakcji na list gończy?

– Nic.

– Czyli może kręcić się pieszo po okolicy. Albo ukradł inny samochód. Albo zgadał się z jakimś kolegą z autem. Może być wszędzie.

– Zgadza się. – Korzyść z rozmowy jednej funkcjonariuszki z drugą. Żadna z nich nie musi kłamać. – Mogę wyznaczyć wam kogoś do ochrony – zaproponowała szeryf Atkins.

– I zmniejszyć liczbę ludzi, którzy szukają uzbrojonego podejrzanego? Nie, dziękuję. Mamy tu wszystko pod kontrolą. – Rainie nie chodziło tylko o to, że ma przy sobie teraz broń albo że jej córce cały czas towarzyszy wyszkolony pies policyjny. Quincy zbudował ten dom, przewidując tego rodzaju sytuacje. Układ okien zapewniał doskonałą widoczność, a wysypany żwirem podjazd działał niczym dźwiękowy system wczesnego ostrzegania.

Rainie miała swoje demony i lęki. A Quincy miał swoje.

– Rozmawiałam z opiekunką społeczną Sharlah – powiedziała Rainie. – Sharlah twierdzi, że niezbyt pamięta rodziców i starszego brata. Prawdę mówiąc, nigdy nie wypytywaliśmy jej jakoś szczególnie o Telly'ego albo o to, dlaczego jest nieobecny w jej życiu. Ale biorąc pod uwagę dzisiejsze wydarzenia... – Rainie nie widziała Shelly, ale domyśliła się, że tamta właśnie kiwa głową. – Zdaniem Brendy Leavitt Sharlah broniła działań Telly'ego tamtej nocy. Co więcej, prokurator okręgowy Tim Egan poprosił wtedy o zbadanie obojga dzieci przez psycholog kryminalną. W jej ocenie Telly był opiekunem siostry. Robił jej śniadania, zabierał do szkoły i tak dalej.

– Kochał Sharlah?

– Zdaniem psycholog tak. Ale tu robi się ciekawie. Jako wyznaczona do tej sprawy opiekunka społeczna Brenda osobiście przeprowadziła rozmowę z Sharlah, gdy ta dochodziła do siebie w szpitalu. Telly zaatakował kijem bejsbolowym także siostrę... według hipotezy psycholog kryminalnej w gorączce chwili... więc

Brenda chciała mieć pewność, że Sharlah nie miałaby nic przeciwko mieszkaniu z bratem. Państwo rzadko rozdziela rodzeństwa i robi to tylko wtedy, gdy uważa się, że dzieciom będzie lepiej oddzielnie.

– Okej.

– Za każdym razem gdy Brenda pytała Sharlah o jej brata, dziewczynka bardzo się denerwowała. „On mnie nienawidzi", powtarzała. W końcu Brenda zaczęła się obawiać, że Sharlah boi się Telly'ego i uważa, że on może znowu ją skrzywdzić. Stąd rekomendacja, by umieścić dzieci w różnych rodzinach zastępczych.

– Czyli można uznać, że to Sharlah zerwała ich relację?

– Tak. Choć nie wiemy, czy Telly o tym wiedział... Miał wtedy zaledwie dziewięć lat i musiał radzić sobie z własną traumą.

– Mimo wszystko. Z perspektywy Telly'ego można powiedzieć, że zabił rodziców, żeby uratować siostrze życie, a ona potem stwierdziła, że nie chce go nigdy więcej widzieć.

– Można tak powiedzieć – przyznała Rainie. – Na dodatek według raportu psycholog kryminalnej, skoro Telly przez dłuższy czas z oddaniem opiekował się Sharlah...

– Odrzucenie przez nią mogło być dla niego jeszcze trudniejsze – weszła jej w słowo Shelly. – Najprawdopodobniej mocno go wkurzyło.

– Owszem – zgodziła się cicho Rainie. – Brenda prześle mi listę wszystkich poprzednich rodzin zastępczych Telly'ego, ale to nie brzmi zbyt dobrze. Od utraty rodziny ciągle go przerzucano. Tendencje aspołeczne, reaktywne zaburzenia więzi. Ten nastolatek naprawdę ma problemy.

Shelly ciężko westchnęła.

– Czy to jeden z tych przypadków, gdy pokazują potem w telewizji sąsiadów, którzy twierdzą: „Od razu wiedziałem, że coś jest z nim nie tak"?

– Możliwe. Brenda znała jego poprzednią rodzinę zastępczą. Matka miała z nim kłopot. Uważała, że jest zbyt cichy. Zawsze robił, co mu kazano, ale nigdy mu nie zaufała. Cytując jej słowa: bała się, że zabije ich podczas snu.

– Świetnie.

– Pozbyli się Telly'ego pod pretekstem kradzieży. Poginęły jakieś drobiazgi z domu. Chłopak nie oponował. Przyjechała po niego kuratorka sądowa i zabrała go. Zapewne, żeby odstawić do Duvallów. Jednak parę miesięcy później tamta rodzina odnalazła te zaginione rzeczy. Mieli czworo dzieci pod opieką zastępczą. Okazało się, że to inny dzieciak kradł, co się da, i chomikował to. Znaleźli wszystko w pudełku pod jego łóżkiem. Czuli wyrzuty sumienia, że oskarżyli Telly'ego, ale nie na tyle silne, żeby zawnioskować o jego powrót.

– A więc wkurzony i podejrzanie cichy nastolatek dorastał w domu pełnym przemocy, zabił rodziców, jak miał dziewięć lat, został odrzucony przez prawdopodobnie jedyną osobę, na której mu zależało, malutką siostrę, a potem nikt już nie dał mu szansy.

– Zabójcy w szale często mają listę swoich celów – powiedziała Rainie. – Czyli wszystkich, którzy ich skrzywdzili.

– Przyślę wam kogoś. Poważnie.

– I zrobisz tak z każdą rodziną zastępczą, która kiedyś odrzuciła Telly'ego? A co z dyrektorem szkoły, który go zawiesił, albo z kolegami, którzy mu dokuczali? Lista tych, do których chłopak mógłby mieć żal, jest zbyt długa, nie starczy ci funkcjonariuszy. Znajdź go. Tego nam trzeba. Ustal, gdzie jest. I aresztuj go.

– Tropiciele idą jego śladem. A ja mam zamiar porozmawiać z Aly Sanchez, kuratorką Telly'ego. Zobaczę, co może nam powiedzieć o jego stanie psychicznym oraz o sytuacji u Duvallów. Jeśli Telly to typ mocno przeżywający urazę, to Bóg jeden wie, co zrobili, że wywołali amok.

– Czy Quincy mógłby wziąć udział w tej rozmowie? Ja również bym chciała, ale muszę zostać z Sharlah.

– Wgląd psychologa kryminalnego zawsze się przyda. Zwłaszcza w takim przypadku, w którym mamy więcej pytań niż odpowiedzi.

– Prześlijcie mi te zdjęcia.

– Zaraz będziesz je miała.

Rainie wróciła do kuchni. Zatrzymała się, żeby posłuchać odgłosów dobiegających z piwnicy. Czekała, ale w domu panowała cisza...

– Sharlah?! – zawołała ostro.

– Tak? – Jej córka wyszła zza kuchennego blatu ze szklanką lemoniady w dłoni. Luka był tuż obok niej.

I po raz kolejny Rainie musiała uspokoić swoje serce, rozluźnić palce zaciśnięte na telefonie.

– Musimy porozmawiać – powiedziała.

Rozdział 15

Quincy był mocno zdenerwowany. A to, co Rainie mówiła mu właśnie przez telefon, nie pomagało.

– Telly miał zdjęcia Sharlah w swojej komórce?

– Sześć ujęć zrobionych przed pięcioma dniami. Quincy, na większości z nich jest Sharlah z Luką idąca do biblioteki. Ale na ostatnim zdjęciu... Widać nasz ganek. On był pod naszym domem.

– Myślę, że ty i Sharlah powinnyście pojechać na wycieczkę. Wyjedźcie do Seattle. Do Kanady. Gdziekolwiek.

– Rozumiem. Rozmawiam właśnie z Sharlah. Nadal zarzeka się, że nie miała żadnych kontaktów z bratem. I nigdy nie zauważyła, żeby ktoś robił jej zdjęcia. Dlaczego on zostawił te zdjęcia, Quincy? Dlaczego wykasował z komórki wszystko oprócz nich? Shelly uważa, że to celowy przekaz, być może ostrzeżenie. Ale jakie?

Quincy nie wiedział, co powiedzieć.

– Może jest zły? Sharlah go kiedyś odrzuciła. A on teraz daje do zrozumienia, że może ją znaleźć, kiedykolwiek zechce.

– No to czemu jej nie znalazł? Dlaczego po zabiciu Duvallów nie przyjechał tutaj i nie załatwił sprawy? Po co pojechał na północ i zabił dwoje przypadkowych ludzi? Skoro te zdjęcia są ostrzeżeniem...

– Nie wiem – przyznał w końcu Quincy.

– Wszystko, czego dowiaduję się o Tellym, brzmi jak podręcznikowy przypadek. Cichy samotnik z problemami. Dorastał w domu pełnym zła. W wieku dziewięciu lat doprowadziło go to do zamordowania własnych rodziców. I od tamtej pory jest stracony. W nim jest wszystko, czego można się spodziewać po zabójcy w amoku. Ale mimo to mam wrażenie, że my go w ogóle nie znamy.

– Bo znasz Sharlah. I kochasz ją. A kochając ją, nie potrafisz sobie wyobrazić, że jej brat mógłby być aż tak zły.

– Możliwe. Ale opiekował się nią. Jej pierwsza myśl na wspomnienie brata to płatki śniadaniowe Cheerios. On dawał jej śniadanie, Quincy. Na pewno taki rodzaj relacji... musi coś znaczyć.

– Łączyła go z siostrą więź – podpowiedział Quincy. – W teorii to dobra rzecz. Dziecko, które potrafiło stworzyć jakąś więź, może stworzyć ją ponownie. – I dlatego dali Sharlah psa. – Jednak gdy taka więź zostaje zerwana... Całkiem prawdopodobne, że on czuje się zdradzony przez siostrę. Możliwe, że tkwi w nim ziarno urazy, którą pielęgnował przez lata. A teraz, gdy w końcu wybuchł...

– Wszystko może się zdarzyć – dokończyła cicho Rainie.

– Ty i Sharlah powinnyście wyjechać.

– Wiem. Przemyślę to. A ty? Dołączysz do Shelly podczas rozmowy z kuratorką Telly'ego?

– Jadę właśnie do mobilnego centrum dowodzenia.

– Musimy go zrozumieć, Quincy. I nie tylko dlatego, że stanowi zagrożenie, ale dlatego, że jest bratem Sharlah. Ona będzie potrzebować odpowiedzi, bo najpierw jej ojciec próbował zabić całą rodzinę, a teraz brat został mordercą. Zacznie się zastanawiać nad własną przyszłością. Bo jak inaczej?

– Wiem. Poradzimy sobie z tym, Rainie. Złapiemy podejrzanego, tak jak zawsze. I Sharlah będzie bezpieczna, a życie wróci do normalności.

– A u ciebie w porządku?

Jego żona i wspólniczka, która doskonale go znała, zadała to pytanie miękkim tonem. Wiedziała, że jedną córkę już przez mordercę stracił.

– Chciałbym, żebyście się z Sharlah wybrały na wycieczkę – powtórzył.

A ponieważ Rainie go znała, naprawdę go znała, odpowiedziała:

– Sharlah to nie Mandy. Masz rację. Znajdziemy Telly'ego, a Sharlah będzie bezpieczna. Zrobimy to, Quincy. Razem.

Podjechał do mobilnego centrum dowodzenia.

Aly Sanchez, kuratorka Telly'ego, już tam była, wciśnięta w wąską przestrzeń obok szeryf Atkins.

Na pierwszy rzut oka można było pomylić Aly z jedną z jej podopiecznych. Drobna, długie czarne włosy, twarz raczej czternastolatki niż czterdziestolatki. Siedziała teraz ze skrzyżowanymi nogami na krześle w jakiejś niemożliwej według Quincy'ego pozycji. Ubrana w szorty i luźną, marszczoną u góry bluzkę w kwiaty, uśmiechnęła się na widok jego zachowawczej granatowej koszulki polo i beżowych spodni.

– Pan jest pewnie tym psychologiem kryminalnym.

– Trafiony, zatopiony. – Wepchnął się na tyle głęboko, żeby móc uścisnąć jej rękę, a potem wycofał się pod drzwi. Przestrzeń była tak ograniczona, że słyszeliby się wzajemnie z każdego miejsca.

– Właśnie mówiłam pani szeryf, że znam Telly'ego od roku. Przydzielono mi go dopiero, gdy miał szesnaście lat. To chłopak o wybuchowym temperamencie. Zdemolował szkolne szafki, został oskarżony o zakłócenie porządku publicznego. Zawieszono go na tydzień, ale pojawił się w szkole po dwóch dniach wbrew zarządzeniu dyrektora. Cały Telly. Kolejny popis na korytarzu i wtedy dyrektor wezwał policję, żeby siłą usunęła chłopaka z terenu szkoły. Powiedzmy, że nie zastosował się grzecznie do poleceń, w związku z czym został oskarżony o czynny opór przy aresztowaniu, a jego akta trafiły na moje biurko. I od tamtej pory właściwie drepczemy w miejscu.

– Narkotyki, alkohol? – zapytała Shelly.

– W ramach kurateli sądowej Telly poddawany jest testom na substancje uzależniające. W zeszłym roku zaleciłam cztery takie testy. Na wszystkich był czysty.

– Wierzy pani w te wyniki? – zapytał Quincy, bo doświadczeni narkomani znali wiele sposobów na oszukanie testów.

– Owszem. Nie twierdzę, że Telly to święty. Ma wiele problemów, ale nie są nimi, moim zdaniem, narkotyki. Szczerze mówiąc, odniosłam raczej wrażenie, że Telly po doświadczeniach z rodzicami jest przeciwnikiem substancji odurzających.

– Nietypowe – zauważył Quincy. Dzieci osób uzależnionych statystycznie częściej same się uzależniają.

– Och, Telly jest bardzo nietypowy. To jeden z podopiecznych typu „cicha woda". Czy go lubię? Owszem. Czy przyszłoby mi do głowy, że będę przesłuchiwana w związku z jego udziałem w masowym morderstwie? Nie. Ale... cicha woda brzegi rwie. A ja spotykałam się z nim tylko od czasu do czasu, zaledwie od roku. Więcej o nim nie wiem, niż wiem. No i ten jego charakter... Telly jest zbyt skryty. A to oznacza, że gdy już wybuchnie...

– Wszystko będzie możliwe – dokończyła Shelly.

– Nie pamiętał, co zrobił ze szkolnymi szafkami. Oglądał nagranie z monitoringu z takim samym zdumieniem jak inni, choć krew kapiąca z jego pięści stanowiła jednoznaczną wskazówkę. – Sanchez pochyliła się do przodu. – Elementem pracy kuratora jest zapoznanie podopiecznego ze strategiami radzenia sobie z różnymi sytuacjami. Nie tylko nadzoruję Telly'ego z powodu jego złych czynów z przeszłości, ale też staram się pracować z nim nad wyrobieniem nowego podejścia, żeby takich czynów uniknąć w przyszłości. A w tym przeszkadza Telly'emu kilka rzeczy. Przede wszystkim nie może spać. Trauma, zbyt duża ilość przemocy, lęki, do wyboru, do koloru. Więc rzadko kiedy śpi w nocy więcej niż godzinę czy dwie, co, jak łatwo można sobie wyobrazić, czyni naukę w szkole czy skupienie się na czymkolwiek o wiele trudniejszym.

Quincy, który mieszkał z dwiema osobami cierpiącymi na bezsenność, doskonale to sobie wyobrażał.

– Sandra Duvall starała się coś z tym zrobić – kontynuowała Sanchez. – Ale tabletki nasenne działały na Telly'ego wręcz odwrotnie. Natomiast gdy widziałyśmy się ostatnim razem, mówiła, że zaczęła podawać mu melatoninę, naturalny suplement diety, żeby sprawdzić, czy jakoś zadziała.

– I zadziałało? – zapytała Shelly.

– Nie wiem. To było cztery tygodnie temu.

– Inne trudności? – zapytał Quincy.

– Telly nie potrafi unikać problemów. Gdy ktoś go pchnął, natychmiast oddawał. A biorąc pod uwagę jego historię i to, co dzieciakom wydawało się, że o nim wiedzą... Przechodzą z klasy do klasy, jakiś uczeń mówi coś na korytarzu albo trąca Telly'ego w ramię i od razu zaczyna się chryja. W maju zaproponowałam, żeby nosił na przerwach słuchawki w uszach, żeby skupił się na muzyce i własnych myślach. To chyba pomagało. Oczywiście on już wtedy nie pozaliczał przedmiotów i musiał spędzić dwa ostatnie miesiące w szkole letniej. Dla Telly'ego szkoła równa się stres.

– Łatwo wybucha – mruknął Quincy.

– Właśnie.

– Czy lubił swoich rodziców zastępczych? – zapytała Shelly.

Sanchez wzruszyła ramionami.

– Tolerował ich, a to jak na Telly'ego dużo. Przyznam, że to ja poleciłam dla niego Duvallów i osobiście skontaktowałam się z osobą prowadzącą jego sprawę w opiece społecznej. W systemie rodzin zastępczych istnieje pewna hierarchia, począwszy od rodzin, które wchodzą w to z powodu dwudziestu dolarów dziennie, poprzez ludzi, którzy przyjmują dzieci tylko na krótki czas, zapewniając im bezpieczne schronienie, zanim trafią do swoich domów już na zawsze, aż po rodziców zastępczych, którzy myślą o zostaniu rodzicami adopcyjnymi i o zaoferowaniu stałej opieki. Frank i Sandra Duvallowie znajdowali się na samym krańcu tego spektrum. Szukali starszego dziecka i chcieli być dla niego mentorami. W przypadku nastolatka w wieku Telly'ego trudno nadal myśleć o stworzeniu mu rodziny. Z drugiej strony potrzebuje jednak wsparcia. Za rok wyrośnie z systemu i zostanie zupełnie sam. Jak znajdzie sobie mieszkanie? Pierwszą pracę? Otworzy konto, będzie płacić rachunki? Pracuję z moimi podopiecznymi również nad takimi sprawami. Ale dzieciaki często potykają się o kolejne schody. Osiemnastka to trudny wiek dla każdego, a dla dzieci wymagających opieki zastępczej... wyjątkowo trudny.

– Widzieliśmy zdjęcia na profilu Sandry Duvall na Facebooku – powiedziała Shelly. – Wygląda na to, że Frank zabierał Telly'ego na strzelanie. Wiedziała pani o tym?

– Frank rozmawiał ze mną, zanim zabrał Telly'ego na pierwszą lekcję. Wierzył, że dzięki strzelaniu Telly nauczy się koncentracji. Trafienie do celu wymaga dyscypliny i skupienia. A jeśli dziecku dobrze idzie, to poprawia jego pewność siebie. Niewiara we własne siły to był kolejny problem Telly'ego. Przynajmniej tak przedstawił mi ten pomysł Frank.

– A Telly o tym opowiadał? – zapytał Quincy.

– Nie, nigdy.

– Dobrze strzelał? – chciała wiedzieć Shelly.

– Nie mam pojęcia.

– A Sandra? – zapytał Quincy. – Co Telly myślał o niej?

– Raz pochwalił jej kuchnię.

– Mówił o swojej przeszłości? O tym, co stało się z jego rodzicami?

– Nie.

– Czy pani o tym wspominała?

– I tak, i nie. Krążyliśmy wokół tego tematu. Technicznie rzecz biorąc, nikomu nie postawiono w tej sprawie zarzutów, a to znaczy, że nie ma żadnych oficjalnych akt, które łączyłyby Telly'ego ze śmiercią rodziców. Rozmawiałam jednak z paroma funkcjonariuszami, którzy zajmowali się tą sprawą, żeby dowiedzieć się, tak dla siebie, co się wydarzyło. Poza tym wiadomo, krążą plotki. Dzieciaki w liceum ułożyły nawet wierszyk: „Telly Nash złapał kija, zatłukł ojca, skuł matce ryja". Jak już wspomniałam, słuchawki w uszach na szkolnym korytarzu to było dla Telly'ego dobre rozwiązanie.

– Ale nie rozmawiał o tym? – upewnił się Quincy.

– Nie. A gdy próbowałam naciskać... jego twarz kompletnie traciła wyraz. Nie jestem pewna, czy potrafię to opisać. Jakby: światła są zapalone, ale nikogo nie ma w domu.

Quincy pochylił się do przodu.

– A jego siostra? Czy kiedykolwiek wspomniał Sharlah?

Sanchez po raz pierwszy się zawahała.

– Telly? Nie. Ale Frank Duvall tak. Z pięć miesięcy temu, gdzieś w marcu. Zadzwonił do mnie. Chciał się dowiedzieć, czy mam jakieś informacje na temat Sharlah.

– A miała pani?

– Nie, jestem tylko kuratorem sądowym.

Quincy uważnie jej się przyjrzał.

– Dlaczego zadał takie pytanie? Co dokładnie chciał wiedzieć?

– Frank doszedł do wniosku, że Telly nie potrafi zapomnieć o tym, co stało się z jego biologiczną rodziną. Zabicie własnych rodziców, nawet jeśli ojciec gonił cię z nożem w ręku, to ciężka sprawa. A do tego jeszcze w szale złamał rękę siostrze... Frank uznał, że gdyby Telly mógł zobaczyć, a przynajmniej dowiedzieć się, że z jego siostrą wszystko w porządku, to pomogłoby mu ruszyć do przodu. Pogodzić się jakoś z tym, co się wydarzyło. Bo to, zdaniem Franka, było niezbędne, jeśli Telly miał kiedykolwiek pójść naprzód.

– Chciałbym zobaczyć te zdjęcia – powiedział Quincy. Przeniósł wzrok na Shelly. Jego słowa zabrzmiały raczej jak stwierdzenie niż prośba.

Szeryf westchnęła, przesunęła się do jednego z laptopów i zaczęła stukać w klawiaturę.

– Wciąż pracują nad tą komórką, ale Mitchell skopiował dla mnie te zdjęcia. Jest ich sześć, zrobiono je pięć dni temu, sądząc po datach plików.

Tak jak powiedziała Rainie, pięć pierwszych zdjęć zrobiono przed lokalną biblioteką. Sharlah szła przez parking, z Luką u boku, a Rainie z tyłu za nimi. Sanchez zerknęła nad ramieniem Quincy'ego.

– Telly często zaglądał do biblioteki? – zapytał Quincy.

– Chyba nigdy go o to nie pytałam. Ale lubił czytać. Zawsze miał jakieś podniszczone tanie wydania w plecaku. Tom Clancy. Brad Taylor. Thrillery wojskowe.

Czy to mogło być aż tak proste? Pięć dni temu Telly zauważył w bibliotece swoją siostrę, której nie widział od lat. A potem...

Widząc, jaka jest szczęśliwa ze swoim psem, postanowił wystrzelać całe miasto, zaczynając od rodziców zastępczych? Quincy potrząsnął głową. Nie podobało mu się to. Czegoś w tej układance brakowało. Nadal za mało wiedzieli o Tellym i o tych strzelaninach.

Ekran wypełniło ostatnie zdjęcie. Tylko że to już nie była Sharlah stojąca przed biblioteką. To była Sharlah siedząca na ganku w jednym z dwóch drewnianych bujanych foteli. Na ich ganku.

W domu Quincy'ego.

– Kiedy je zrobiono? – zapytał ostro.

– W to samo popołudnie. – Shelly miała spokojny głos.

– Pojechał za Rainie i Sharlah z biblioteki do domu.

– Tak zakładam.

– Dlaczego? – Obrócił się do Sanchez, która zdążyła już wycofać się na swoje krzesełko. – Dlaczego zrobił te zdjęcia? Skąd to nagłe zainteresowanie młodszą siostrą, o której według pani własnych słów nigdy nawet nie wspomniał?

– Nie wiem.

– Czy to Frank Duvall interesował się moją córką? Czy to on drążył temat?

– Przykro mi, nie wiem. Trzeba by zapytać Franka...

Głos kuratorki załamał się. Bo nie mogli zapytać Franka. Telly zabił go z samego rana strzałem w głowę.

– Telly Ray Nash to rozgniewany dzieciak – stwierdziła Shelly, stając między nimi i próbując sprowadzić rozmowę na właściwe tory.

Sanchez oderwała wzrok od Quincy'ego i skierowała swoją uwagę na szeryf Atkins.

– Chcecie, żebym przylepiła mu etykietkę. Dobry albo zły. Czarne albo białe.

– Zabił dziś rano cztery osoby. Moim skromnym zdaniem to wystarczy, żeby określić go mianem złego.

– Rozumiem, pani szeryf. I biorąc pod uwagę, że osobiście znałam Franka i Sandrę, że zaproponowałam im wzięcie tego chłopca... – Głos Sanchez zadrżał, a Quincy po raz pierwszy był świadkiem trudnych emocji, które najwyraźniej starała się dotąd ukryć. – Nie mogę zaszufladkować dla was Telly'ego – podjęła po chwili. – Owszem, jest impulsywny i wybuchowy, tak, jest wkurzony i sprawia problemy. Ale jest też siedemnastolatkiem, który próbuje poradzić sobie z pełnym przemocy dzieciństwem, a jednocześnie słyszy, że ma zaledwie parę miesięcy, żeby zdecydować, co zrobić z resztą życia. Czy chciałabym być na jego miejscu? Zdecydowanie nie. Ten Telly, który się starał, nie był złym dzieciakiem. Ten Telly, który łykał melatoninę i wkładał w szkole słuchawki do uszu, ten Telly miał nadzieję, że jakoś to wszystko ogarnie. Pracował ze mną. Może nawet słuchał Franka. Ale... – Sanchez umilkła. Wzięła głęboki oddech, żeby się uspokoić. – Telly jest zestresowany. Jego przeszłość, jego przyszłość, teraźniejszość w letniej szkole. Do wyboru, do koloru. To nastolatek poddany ogromnej presji, a wiemy z jego historii, że w stresowych sytuacjach...

– Wybucha – dokończył Quincy.

– Tak. A wtedy staje się kimś, kto jest zdolny niemal do wszystkiego.

– W tym do uderzenia malutkiej siostry kijem bejsbolowym?

Sanchez zamilkła. Quincy nie był przekonany, czy sam ma cokolwiek do dodania. Zaczął z powrotem wpatrywać się w zdjęcie córki zrobione na ich własnym ganku. Nadal nic nie wiedzieli.

Jak chłopakowi udało się podejść tak blisko? I dlaczego teraz? Czego, do diabła, Telly chce od swojej siostry?

Krótkofalówka przypięta do munduru Shelly nagle zatrzeszczała. Meldunek wydawał się bardzo głośny w pełnej napięcia ciszy panującej w centrum dowodzenia.

– Padły strzały, padły strzały! Zespół Alfa do bazy. Potrzebujemy natychmiastowego wsparcia, padły strzały!

Rozdział 16

Cal Noonan lubił drzewa. Podziwiał ich wzniosłe piękno, doceniał głęboki cień, jaki dają, a teraz dodatkowo cieszył się, że zapewniają taktyczne schronienie. Gdy tropi się uzbrojonego uciekiniera, najlepiej mieć między sobą a nim jak najwięcej drzew.

W związku z tym ich podejście do pierwszego domu było bardzo trudne. To był mały biały dom na farmie, do której prowadziła gruntowa droga. Otoczenie zostało wykarczowane całe dekady, jeśli nie pokolenia temu, olbrzymi pusty teren rozpościerał się pomiędzy ekipą tropiącą a drzwiami wejściowymi. Ale to nie sam dom interesował Cala. Znalazł odcisk buta prowadzący od drogi w kierunku lewej strony farmy, gdzie widać było walącą się szopę. Miejsce, w którym właściciel mógł trzymać zardzewiałą półciężarówkę, stary traktor albo, znając te okolice, quada z napędem na cztery koła.

Gdyby Cal był siedemnastolatkiem na gigancie, zdecydowanie preferowałby quada.

Antonio wysunął się naprzód. Tuż za nim szedł Cal, potem Nonie, a pochód zamykał Jesse. Szli prosto przed siebie, jak najbliżej cienia rosnących na poboczu zarośli. Utrzymywali równe tempo. Broń mieli gotową do strzału. Wypatrywali jakiegokolwiek ruchu.

Tylko Cal patrzył na ziemię, szukając tropów.

Więc pierwszy strzał bardzo go zaskoczył. W jednej sekundzie przyglądał się zbyt mocno zgniecionej kępce trawy, a w drugiej...

Huk karabinu. Głośny i wyraźny.

Antonio zaklął. Cal i Nonie natychmiast rzucili się na ziemię. Zaraz potem Jesse minął ich, czołgając się na brzuchu z karabinem przed sobą.

– Ktoś oberwał? – zapytał. – Wszystko w porządku? Widzieliście go?

Antonio już wzywał przez radio wsparcie.

Cal obiecał sobie, że jeśli wyjdzie z tego cało, to przez resztę życia będzie już tylko w spokoju wyrabiał swój ser. Drugi huk. Tym razem Cal zdołał ustalić, że strzały padają od strony domu. I wtedy, akurat gdy trzeci pocisk trafił w zarośla tuż nad jego głową, ujrzał lufę karabinu wystającą z jednego z okien na piętrze.

– Tu policja! Wstrzymać ogień! – zawołał skulony Antonio, pokazując coś Jessemu gestami dłoni. Drugi funkcjonariusz SWAT pokiwał głową, a potem trzy razy przeturlał się i zajął pozycję za rododendronem.

– To prywatny teren! – dobiegł ich skrzeczący głos starszego człowieka. – Wynoście się stąd. I to już! Nie ma tu nic do oglądania. Ani do zwędzenia.

– Jesteśmy z policji. Ścigamy uzbrojonego przestępcę. Proszę odłożyć broń! I nie strzelać!

– Moją broń możecie dostać tylko, jak wyrwiecie mi ją z martwych dłoni! – odkrzyknął właściciel farmy.

Cal spuścił głowę. Umrzeć z powodu paranoi jakiegoś staruszka? To by dopiero było.

– Proszę pana! – zawołał, podejmując własną próbę. Antonio rzucił mu krzywe spojrzenie. – Szukamy siedemnastolatka. Zastrzelił sprzedawczynię i klienta na stacji benzynowej niedaleko stąd. Może widział pan to w wiadomościach.

– Ktoś strzelał na EZ Gas?

– Tak, proszę pana. A ja mam tego kogoś wytropić. Podejrzewamy, że przeszedł przez pańską posiadłość.

– Znaczy się ten dzieciak, co był w mojej szopie? Nie martwcie się, do niego też strzelałem. Opryszek jeden. Wydaje mu się, że może sobie wziąć, co chce.

– Czy on nadal jest w szopie? To ważne. On jest uzbrojony i niebezpieczny.

– Nie. Parę strzałów z mojej strzelby i śmignął prosto w zarośla na poboczu. Pewnie włamuje się teraz do domu sąsiadki, nie żeby było mi jej żal...

– Proszę pana, ja teraz wstanę. Proszę do mnie nie strzelać. Tak normalnie to jestem kierownikiem produkcji w fabryce sera, więc jeśli lubi pan ser... – Cal bardzo ostrożnie wyprostował jedną nogę, a potem drugą. Wstał, podczas gdy Antonio osłaniał go, mierząc z karabinu w okno na piętrze.

Cal uniósł obie dłonie.

– Musimy znaleźć tego chłopaka, zanim znowu kogoś skrzywdzi. Powiedział pan, że był w pańskiej szopie?

– Tak. Dopóki nie wystrzeliłem paru kulek ołowiu w jego tyłek.

– Trafił go pan?

– Nie. Celowałem wysoko ponad głową. Tak jak do was. – Głos mężczyzny uspokajał się. Jego nastawienie stawało się mniej konfrontacyjne, a bardziej konwersacyjne.

– Musimy sprawdzić pańską szopę. Poszukać dowodów. Znaleźć trop. To bardzo ważne.

– Kogo zastrzelił na tej stacji?

– Kasjerkę. Miejscową dziewczynę...

– Erin? Zabił Erin? No niech mnie... Co za sukinsyn, powinienem był go zastrzelić, jak miałem okazję. W porządku. Schodzę na dół. Spotkamy się przy szopie.

Lufa zniknęła z okna. Antonio, który kucał przed Calem, pokręcił głową, a potem powoli wstał.

– Co za ludzie... Co za czasy...

– Taa – zgodził się Cal. – A to dopiero początek...

Tropiciele pierwsi ruszyli w stronę szopy, a Antonio i Jesse zajęli pozycje między nimi a drzwiami wejściowymi domu bojowo nastawionego staruszka. Trzymali opuszczoną broń przed sobą, wciąż gotowi jej użyć, ale jednocześnie okazując zaufanie.

Cal dojrzał kolejne dwa odciski buta, tam gdzie ziemia była bardziej wilgotna, a zaraz potem znaleźli się przy szopie.

Miała wielkość małego garażu i wydawała się bardzo zaniedbana. Boczne drzwi były otwarte i ukazywały ciemne, ponure wnętrze. W obu oknach brakowało szyb. Wpadało przez nie gorące sierpniowe słońce, rozświetlając drobinki kurzu, zbite w kupki i pasma tam, gdzie niedawno ktoś się kręcił.

Skrzypienie od strony domu z tyłu. Cal odwrócił się i zobaczył, jak starszy pan w dżinsach, białym T-shircie i czerwonych szelkach schodzi po frontowych schodkach. Przynajmniej zostawił broń w domu.

– Jack jestem – przedstawił się, dołączając do nich. – Jack George. To moja farma. A to moja szopa. No to co musicie sprawdzić, żeby złapać tego małego drania?

Na prośbę Cala pan George pozwolił im otworzyć drzwi szopy z przodu, żeby wpuścić więcej światła. Teraz Cal widział wyraźne ślady w kurzu. Świeże znaki na szerokim blacie roboczym, który ich podejrzany dokładnie zbadał, prawdopodobnie szukając przydatnego wyposażenia, a może i broni.

W szopie stało mnóstwo narzędzi ogrodniczych i elektrycznych oraz całkiem nowy traktorek do koszenia, który pachniał świeżo ściętą trawą. Ale to, co było najbardziej interesujące, znajdowało się z tyłu: pokryty warstwą pajęczyn quad z napędem na cztery koła, z których dwa nie miały powietrza w oponach.

– Kupiłem dla wnuków – wyjaśnił pan George. – Pomyślałem, że poszaleją sobie na farmie. Ale dawno u mnie nie były. Trzeba dopompować koła i pewnie dolać paliwa, ale powinien działać. Gdybym nie zauważył, że ten opryszek się tu kręci, to pewnie by go ukradł.

Cal pokiwał głową. Widać było wyraźne ślady stóp obok quada, gdzie ich poszukiwany przystanął, rozważając, jakie ma możliwości. Quad zakupiony dla wnuków stał w ciemności na samym tyle szopy, zupełnie poza zasięgiem wzroku kogoś, kto przebywał w domu, więc Cal miał wątpliwości co do oceny sytuacji przez pana George'a.

Poszukiwany wszedł do szopy. Najprawdopodobniej flaki w oponach i pusty bak przekonały go do rezygnacji z quada. I wtedy, sądząc po śladach na pokrytej kurzem podłodze, wyszedł z szopy bocznymi drzwiami. Dopiero w tym momencie pan George go zauważył i otworzył ogień. Przyłapał chłopaka, jak wychodził z szopy, a nie jak do niej wchodził.

Więc teraz, gdy padły strzały...

Cal wyszedł na zewnątrz i znów zaczął przyglądać się trawie. Podejrzany najwyraźniej obszedł szopę dokoła. Głębsze odciski w większych odległościach, więc zapewne biegł, z nisko pochyloną głową, próbując uniknąć trafienia.

Po drugiej stronie szopy znalazł dwa słabsze odciski jeden obok drugiego. Poszukiwany zatrzymał się, żeby złapać oddech i zdecydować, w którą stronę najlepiej uciekać.

Jasne. Na tyłach szopy znajdował się gęsty żywopłot, z wąskim przejściem, gdzie jeden z krzewów obumarł, a dziura nie została uzupełniona. Trochę wąsko dla Cala czy kolegów ze SWAT, ale dla szczupłego siedemnastolatka...

Cal podszedł bliżej, przyglądając się przerwie w żywopłocie. Zauważył kilka świeżo odłamanych gałązek z niedawno opadłymi liśćmi. Wskazał gestem reszcie, żeby chwilę poczekali, a sam zwrócił się do pana George'a:

– Pana sąsiadka też jest miłośniczką broni palnej?

– Aurora? Nie. Chyba nawet nie ma jej w domu. Jedno z jej dzieci zjawiło się niedawno i zabrało ją do Portlandu. Aurora nie ma w domu klimatyzacji, a źle znosi upały.

– Więc jej dom może być całkiem pusty?

– Tak.

Cal zerknął na Antonia.

– O której godzinie widział pan podejrzanego? – Antonio zapytał pana George'a.

– Pomyślmy. Oglądałem wtedy poranne wiadomości. Czyli tak z pięć, sześć godzin temu.

Cal skinął głową. Skoro strzelanina na stacji benzynowej miała miejsce o ósmej rano, a teraz była prawie druga, to wiedzieli przynajmniej, że Telly Ray Nash ma nad nimi znaczną przewagę. Ale sądząc po śladach, chłopak musiał po drodze podejmować decyzje. Jak ta, by skręcić w prawo w stronę zabudowań, a potem podkraść się do pierwszego domu i zorientować się, co jest w stodole, zanim został zmuszony, by opuścić to miejsce.

Telly poruszał się szybciej od nich, ale musiał przystawać, żeby pomyśleć. A pusty dom tuż obok stanowił kuszącą kryjówkę. Może nawet miejsce na dłuższy odpoczynek...

– Jeśli dopisze nam szczęście – powiedział Cal do Antonia – to chłopak włamał się do domu obok. Żeby zdobyć wodę, jedzenie, inne zasoby. To może być nasza pierwsza szansa, żeby go dogonić.

Antonio zwrócił się do pana George'a:

– Czy z okien na górze widzi pan dom sąsiadki?

– Chwileczkę, co mi pan tutaj sugeruje...

– Rekonesans. Chciałbym móc rzucić okiem na dom pana sąsiadki, sprawdzić, czy coś się tam dzieje, zanim podejdziemy pod
jej drzwi.

– Och, cóż. Tak. Skoro już pan pyta, to tak, z okna w łazience...

Antonio ruszył za panem George'em do jego domu. Cal wrócił
do badania żywopłotu. Nie zmieszczą się, zniszczyliby dowody.
Muszą go obejść i podjąć trop z drugiej strony. Razem z Nonie po-
ustawiali kolejne pomarańczowe chorągiewki dla podążających za
nimi techników kryminalnych.

Dziesięć minut później Antonio wyszedł z domu.

– Żadnego ruchu. Nadałem przez radio naszą pozycję. Helikopter jest w drodze. Rozejrzą się po okolicy.

– Doskonale.

Ustawili się w rządku, opuszczając posesję pana George'a,
i zawrócili w stronę zacienionej gruntowej drogi, żeby obejść żywopłot.

Dom sąsiadki Aurory okazał się uroczym domkiem w stylu ru-
stykalnym, położonym z dala od drogi. Cal zrobił pierwszy krok.

Huk broni.

Ale nie od strony domu pana George'a po lewej. Ani uroczego
domku po prawej.

Tylko z tyłu. Z drugiej strony drogi.

Cal obrócił się, uświadamiając sobie nagle rozmiar swojego
błędu, to, jak sprytnie został ograny.

Antonio leżał w kałuży krwi. A Nonie krzyczała.

Padały kolejne strzały. Huk rozbrzmiewał raz po raz.

Rozdział 17

Rainie i Quincy rozmawiają w kuchni. Mówią ściszonymi głosami, nie chcą, żebym słyszała. To nie jest rozmowa „odpowiednia dla dzieci". Ale owszem, dotyczy mnie.

Quincy przyjechał do domu przed kwadransem. Miał taki wyraz twarzy, że... Nie potrafię tego wytłumaczyć. Miałam ochotę jednocześnie uciec i podbiec do niego, przytulić się. Więc, jak to ja, po prostu stałam jak słup soli. A Rainie stanęła przy mnie, nie spuszczając oczu z twarzy Quincy'ego.

– Sharlah – powiedziała cicho. – Idź, proszę, do swojego pokoju.

I poszłam. Bez słowa. A to nie jest do mnie podobne.

Teraz trzęsą mi się nogi. Nie jestem w stanie siedzieć. Trudno mi się uspokoić. Ale staram się, leżę na brzuchu z uchem przyciśniętym do szpary pod drzwiami. Możliwe, że rozmawiają o rzeczach, które są dla mnie nieodpowiednie, które mnie przerażą, lecz tym bardziej powinnam je usłyszeć.

– Dwoje – mówi właśnie Quincy. – Jeden ze SWAT został trafiony w ramię. A tropicielka Norinne Manley w rękę. Oboje zostaną przetransportowani do Portlandu. Ten ze SWAT jest w stanie krytycznym.

– Jesteś pewien, że to Telly Nash?

– Oczywiście, że to on! Szli jego śladem aż do jakiejś farmy na odludziu, gdzie włamał się do szopy. Ale właściciel zauważył go i oddał parę strzałów ostrzegawczych. Dzieciak zwiał i wydawało się, że schronił się w sąsiednim domu. Tyle że... on tego nie zrobił. Albo zrobił, ale potem wrócił. Główny tropiciel Cal Noonan stara się to ustalić. W każdym razie Telly znalazł się tuż za nimi. I gdy podchodzili do tego sąsiedniego domu, on otworzył ogień z drugiej strony drogi. Dwoje z czworga członków zespołu tropiącego zostało wyeliminowanych.

Cisza. Słyszę przytłumiony dźwięk kroków. Może to Rainie podchodzi do Quincy'ego, kładzie mu kojącym gestem dłoń na ramieniu, tak jak to już widziałam wiele razy.

– Wiedzą, dokąd się udał? – pyta cichym głosem.

– Opuścił farmę, ale tam jest cały labirynt tropów. Ukradł quada sąsiadów, dzięki czemu jest szybszy i bardziej elastyczny. Mają helikopter, który skanuje teren, ale nie wiem, jak w takich temperaturach ma zadziałać system na podczerwień.

Westchnienie. Pełne frustracji. Ciężkie. Głębokie. To pewnie Quincy, domyślam się, że jest na skraju wytrzymałości, choć przecież tak szczyci się tym, że nigdy nie poddaje się emocjom. Może to mój brat ma taki wpływ na ludzi. Ja z trudem walczę z nieodpartą chęcią pocierania blizny na ramieniu.

– Jak myślisz, czego on chce? – pyta dalej Rainie.

– Nie mam pojęcia.

– Jeśli jest zabójcą w amoku – mówi Rainie, spokojniejszym głosem niż jej mąż – to ten amok doprowadzi go do śmierci. Będzie niszczyć, aż zniszczy sam siebie.

Brak odpowiedzi. Bo Quincy to milczek? A może dlatego, że psycholog kryminalny FBI zna już odpowiedzi na te pytania, ale woli nic nie mówić?

– Wiemy, że zabójcy w amoku czują się niezrozumiani i skrzywdzeni przez świat – stwierdza Quincy. – A to pasuje do opisu Telly'ego.

Przyciskam bok głowy do szpary pod drzwiami. Kimś takim stał się mój brat? I to właśnie czuje?

Znowu widzę cheeriosy. Wesołe żółte pudełko płatków śniadaniowych pośrodku brudnego stołu. I ogarnia mnie smutek, którego nie potrafię wytłumaczyć. Z powodu chłopca, który przynosił mi te płatki. A może ze względu na to, jak się przez niego czuję. Jakbym mogła go mieć, na zawsze.

Tylko że to się tak nie skończyło, prawda?

– Zdaniem kuratorki sądowej – mówi Quincy – Telly to dobry chłopak, gdy się stara. Ale w stresie jest skłonny do impulsywnych, brutalnych zachowań. Chwycenia za kij bejsbolowy przeciwko własnej rodzinie. Niszczenia szafek w szkole gołymi rękami. Pod presją Telly wybucha. Potem często nawet nie pamięta, co zrobił.

– A co teraz wywołało wybuch?

– Jak na moje oko to presja czasu. Za rok skończy szkołę, a nie ma pojęcia, co ze sobą zrobić. Wyrośnie też z systemu opieki zastępczej, zupełnie bez planu i pomysłu na siebie. Wszystko wskazuje na to, że jego rodzice zastępczy, Frank i Sandra Duvallowie, to byli dobrzy ludzie. Prosili o nastolatka, bo chcieli sprawdzić się jako mentorzy. To wszystko bardzo ładnie brzmi, ale zmiana, nawet ta pozytywna, to zawsze jest stres. Możliwe, że twarda miłość Franka i Sandry nie odpowiadała Telly'emu. Za mocno naciskali i doprowadzili do eksplozji.

– Nie kupuję tego. To wszystko, o czym mówisz: lęk nastolatka, strach przed dorosłością, to jest stres długotrwały. A zabójców w amoku zawsze uruchamia jakieś konkretne zdarzenie. W takim razie, skoro Telly jest teraz w amoku, to co go wywołało?

Zapadła cisza, gdy oboje rozważali różne możliwości. Quincy zawsze marszczy brwi, kiedy myśli. Wyobrażam sobie teraz, jak to robi, i czuję kolejne ukłucie w sercu.

Jest zestresowany. To zapewne stały element jego pracy. Ale jest też pełen obaw. Słyszę to. Martwi się. Przeze mnie.

Wszystko w tej sprawie jest trudniejsze właśnie przeze mnie.

– W tej chwili wiadomo mi tylko o jednym nowym elemencie w życiu Telly'ego – mruczy w końcu Quincy. – Czyli Sharlah. Według kuratorki Frank Duvall był zdania, że Telly powinien zamknąć tamten rozdział swojego życia. To Frank dążył do spotkania między Tellym a Sharlah. Nie wiem, na czym stanęło, bo przecież z nami się nie kontaktowali...

– Musielibyśmy zwrócić się do osoby zajmującej się sprawą Sharlah, do Brendy Leavitt – mówi Rainie. – Rozmawiałam już z nią. Nie wspomniała o prośbie o kontakt ze strony Telly'ego czy Duvallów.

– Więc może Frank nie skorzystał z oficjalnych kanałów. Ale najwyraźniej miał taki pomysł, żeby Sharlah znów znalazła się w życiu Telly'ego. I wtedy, pięć dni temu... Telly napotkał siostrę?

Przypadkiem wypatrzył ją, gdy przechodziłyście przez parking pod biblioteką? Nie wiem. Ale zrobił te zdjęcia swoją komórką. A potem poczekał i śledził Sharlah aż tutaj.

Cisza, żadne z nich się nie odzywa.

Rainie powiedziała mi wcześniej o tych zdjęciach. Wciąż jestem wstrząśnięta i uważam, że to nie w porządku. Mój brat mógł chociaż podejść do mnie przed biblioteką i się przywitać. Ale z drugiej strony, gdybym to ja go zauważyła, to czy miałabym odwagę podejść? Wątpię. Mogłabym pstryknąć fotkę. A to chyba znaczy, że mimo upływu tylu lat ja i mój brat nadal jesteśmy pokrewnymi duszami.

Tylko że ja nie spędziłam całego dnia, strzelając do niewinnych ludzi.

– Sharlah? Nową zmienną miałaby być Sharlah? – W głosie Rainie słychać zdenerwowanie.

– Ona jest nową zmienną w życiu Telly'ego. Ale czy to ona wywołała amok? Tego jeszcze nie wiemy, Rainie. Wciąż za mało wiemy o tym chłopaku.

– On jej nie dostanie. Nie obchodzi mnie, ile ma sztuk broni ani ile quadów ukradł. Ona jest nasza, Quincy. Telly, czy jest zabójcą w amoku, czy nie, nie odzyska jej.

Mówi to takim tonem, że jej wierzę.

– Oczywiście – potwierdza Quincy. – I dlatego powtórzę kolejny raz: powinnyście z Sharlah wyjechać. Jedźcie do Seattle. A jeszcze lepiej polećcie do Atlanty i złóżcie wizytę Kimberly. Wszystko jedno. Ale biorąc pod uwagę zainteresowanie Telly'ego, nie chcę, żeby Sharlah znajdowała się w pobliżu. Ten chłopak strzelił do sześciorga ludzi i czworo z nich zabił. Na pewno nie dostanie Sharlah.

Rainie nie waha się ani chwili.

– Sprawdziłam różne opcje. Jest nocny lot do Atlanty, o jedenastej wieczorem. A do tej pory?

– Jedno z nas będzie z nią przez cały czas – oznajmia Quincy.

Z bronią. Widziałam już wypukłość na plecach Rainie. To dwudziestkadwójka, którą ukryła pod cienką bluzą.

Będą mnie pilnować z bronią, a potem wywiozą z miasta.

Żeby mój bardzo zły starszy brat się do mnie nie dostał.

Boli mnie ramię. Tym razem przetaczam się na plecy i ulegam potrzebie roztarcia go. Chciałabym zrozumieć te wszystkie emocje, które mną targają. Wdzięczność dla Rainie i Quincy'ego, którzy wyraźnie bardzo się angażują. Ale też strach. Bo wywiezienie mnie wcale nie oznacza, że powstrzymają Telly'ego. Zabójca w amoku, który strzela do niewinnych kasjerek i atakuje tropiących go funkcjonariuszy, nie pojawi się bez broni, żeby sobie pogadać. Jeśli takim mordercom chodzi o to, że są wkurzeni na świat, to moja nieobecność w żadnym razie Telly'ego nie uspokoi.

Może i nie będzie miał okazji, żeby do mnie strzelić.

Ale to nie znaczy, że nie zdoła mnie zranić.

Pudełka z cheeriosami. *Clifford, wielki czerwony pies.* „Idź spać, Sharlah, ja się wszystkim zajmę...”

Ten sam chłopiec patrzy na mnie z czerwoną twarzą i wytrzeszczonymi oczami i unosi kij wysoko, wysoko...

„Telly, nie!”

Ostatnie słowa, jakie wypowiedziałam do brata.

Telly, nie.

Przynajmniej tak mi się wydaje.

Ale nie ma już czasu na myślenie, dobiega mnie jakiś inny dźwięk. Zbliżające się kroki na korytarzu. Zrywam się z podłogi i staram się jak najlepiej przygotować na to, co nastąpi.

Luka leży wyciągnięty na moim łóżku. Gdy Rainie wchodzi do pokoju, unosi łeb i ziewa. Ja też. Siedzę obok niego i drapię go po grzbiecie. Rainie nie daje się nabrać.

Podchodzi do biurka, przyciąga do siebie krzesło i siada. Siedzi sztywno wyprostowana z powodu dwudziestkidwójki za pasem. Śledzi mój wzrok, uśmiecha się lekko.

– Więc jak – mówi – słyszałaś połowę naszej rozmowy czy całą?

– Większość – przyznaję.

– Wszystko w porządku, Sharlah? – pyta łagodnie.

W odpowiedzi wzruszam ramionami. Nie mam pojęcia.

– Nie masz powodów do obaw. Wiesz, że Quincy i ja jesteśmy wyszkolonymi funkcjonariuszami służb bezpieczeństwa. Nie pozwolimy, żeby cokolwiek stało się naszej córce.

– Dlaczego chcecie mnie adoptować? – To pytanie pada, zanim zdołam się powstrzymać.

Nie wiem, która z nas jest bardziej zaskoczona. Nigdy dotąd o to nie pytałam. Nawet w tamto popołudnie, gdy kazali mi usiąść i powiedzieli, że chcą zostać moją rodziną na zawsze. „Co o tym myślisz?" – zapytali. „Pewnie" – odpowiedziałam. Bo to było najlepsze słowo, żeby wyrazić mieszaninę uczuć, które mnie ogarnęły. Bo jest bezpieczniejsze niż mnóstwo innych słów, a taka dziewczyna jak ja musi postępować ostrożnie. Dlatego nie mam przyjaciół. A moi nowi rodzice nigdy nie usłyszeli ode mnie, że ich kocham.

Pudełka z cheeriosami, myślę znowu, i czuję, że szczypią mnie oczy, chociaż nie wiem dlaczego.

Jestem na granicy utraty czegoś. Nie widzę tego, tylko czuję. I wiem, że ból tej straty będzie głęboki i długotrwały. To naprawdę będzie bolało.

– Kochamy cię, Sharlah – mówi teraz Rainie. Wstaje z krzesła, przenosi się na łóżko tuż obok mnie. W otwartych drzwiach przystaje Quincy. Waha się, a ja wiem, że powstrzymują go jego własne emocje. Słowa, które najlepiej by je wyraziły, to słowa, które przychodzą mu z największym trudem. Pod tym względem jesteśmy tacy sami, a z Rainie łączą mnie nieprzespane noce i miłość do filmów o superbohaterach.

Rainie, Quincy, Luka i ja. Jesteśmy rodziną.

Odwracam się nieco, przykładam głowę do ramienia Rainie. Tak wygląda moje przytulanie, i myślę, że Rainie, która nagle znieruchomiała, zdaje sobie z tego sprawę.

– Przepraszam – słyszę swoje słowa.

– Nie masz za co przepraszać – brzmi od drzwi niski głos Quincy'ego. – To Telly odpowiada za to, co robi.

– To mój brat.

– Tęsknisz za nim? – Czuły głos Rainie tuż nad moją głową.

– Ledwo go pamiętam.

– Jeśli istnieje jakiś sposób, żeby mu pomóc – stwierdza Quincy – to wiesz, że to zrobię.

– Zabił ludzi. Wielu ludzi.

– Nie wszyscy zabójcy są źli, Sharlah – mówi Rainie, a ja czuję jej oddech na swoich włosach. – Niektórzy są chorzy. Telly może nawet nie wiedzieć, co robi. Może wpada w jakiś odmienny stan świadomości i po prostu nie jest sobą.

Jak w tamtą noc, gdy zabił naszych rodziców? I zranił mnie? Te pytania nie padają. Ile można mieć takich epizodów „niebycia sobą", zanim ludzie zrozumieją, że taki właśnie jesteś?

Powinnam podnieść się, zapytać o tę nagłą wycieczkę do Atlanty, o to, co spakować. Ale nie robię tego. Zostaję tam, gdzie jestem, z głową na ramieniu Rainie. I czuję przyjemną bliskość Luki, który przylgnął do mojego biodra, oraz ciężar spojrzenia Quincy'ego.

Rodzina.

Coś, co można znaleźć. Coś, co można stworzyć. Opiekunka społeczna powtarzała mi to przez lata. Ale nigdy jej tak naprawdę nie wierzyłam. Nawet gdy tamtego popołudnia Rainie i Quincy kazali mi usiąść, pozostałam sceptyczna. Może, myślałam, kiedy już staniemy wszyscy w listopadzie przed sędzią i dokumenty zostaną oficjalnie podpisane, to wtedy coś w sobie poczuję. Zrozumienie. Akceptację.

Ale czuję je już teraz. Rodzina. Moja rodzina. Ludzie, którzy mnie chcą mimo moich koślawych kolan i rozczochranych włosów. Ludzie, którzy mnie akceptują, nawet jeśli nie umiem podnieść ręki na lekcji, odezwać się przy obcych i w ogóle robić tego, co powinnam. Ludzie, którzy mnie kochają, kochają na tyle mocno, żeby spiskować w mojej obronie, bo jestem ich i nikomu nie oddadzą mnie bez walki.

Rodzina. Moja rodzina.

Prostuję się. Ocieram oczy, bo nagle policzki zrobiły mi się mokre.

– Pojadę z Rainie – mówię miękko.

– Daj mi godzinę – odpowiada. – Porozmawiam z Kimberly, ustalę szczegóły.

Patrzy nad moją głową na Quincy'ego, a ja czuję łączność między nimi. Te spędzone razem lata, które pozwalają im komunikować się bez potrzeby wypowiedzenia choćby jednego słowa.

– Spakuj wszystkiego po trochu – mówi mi Rainie.

I już wstaje. Przytula mnie. Dla odmiany oddaję uścisk. Zamykam oczy i zastanawiam się, czy kiedykolwiek przytuliłam w ten sposób prawdziwą mamę.

Na ułamek sekundy ogarnia mnie wspomnienie. Zapach papierosów. Bardzo mocne perfumy.

Widzę siebie z moją mamą, jak obejmuję rękami jej kolana. Kochałam ją, myślę. A przynajmniej chciałam. Zanim ojciec zadźgał ją nożem. A potem... zapanował chaos.

Czuję ciężar na sercu. Smutek, poczucie winy, wstyd. Po tych wszystkich latach ta jedna noc, to jedno wspomnienie, ten jeden łańcuch zdarzeń, przed którym ani Telly, ani ja nie możemy uciec.

„Mój brat mnie nienawidzi". Pamiętam, że powiedziałam to pracownicy opieki społecznej, która stała przy moim szpitalnym łóżku. „Mój brat mnie nienawidzi" – szepnęłam i choć nie mogę o tym porozmawiać ani z Rainie, ani z Quincym, choć nigdy z nikim o tym nie rozmawiałam, to wiem dlaczego. Czy o to właśnie w tym wszystkim chodzi? Osiem lat później mój brat uznał, że powinnam spłacić dług?

Rainie wychodzi za Quincym z mojego pokoju. Ja zostaję na łóżku z Luką, który uważnie mi się przygląda oczami pełnymi troski.

– Kocham cię – mówię do niego, bo przy Luce jakoś potrafię się wysłowić.

Opiera łeb na moich kolanach. Gładzę go po uszach.

Woda, myślę. Będziemy potrzebować bardzo dużo wody. Ale też psiej karmy, jedzenia i latarki.

Rainie i Quincy mają swój plan.

A ja mam teraz swój.

Rozdział 18

Szeryf Shelly Atkins i sierżant Roy Peterson spotkali się z Calem Noonanem przed domem, który Telly Ray Nash wykorzystał w ostatniej strzelaninie. Cal zniknął gdzieś na dobrą godzinę po tym, jak helikopter pogotowia ratunkowego zabrał członków jego zespołu.

– Zaraz wracam – powiedział, Shelly zaś nie miała wątpliwości, że tropiciel chce sprawdzić coś konkretnego. Wskazywał na to wyraz jego twarzy: ponury i zdeterminowany.

A teraz przedstawiał im swoje odkrycia.

– Sąsiad, Jack George, miał rację: po przeszukaniu jego szopy Nash ruszył do sąsiadów, tam znalazł schowany klucz i rozgościł się. Właścicielka, Aurora, wyjechała ponoć do rodziny. Zostawiła pełną lodówkę i Nash z niej skorzystał. Na stole walają się półlitrowe puszki po gazowanych napojach i resztki lazanii. Mnóstwo plam po rozpuszczonych lodach. To znaczy, że nasz podejrzany najadł się i napił, choć nie powinien był wybierać słodzonych napojów. W takich warunkach wkrótce znowu się odwodni.

– Ukradł coś? – zapytała Shelly.

– Poza kuchnią nie zauważyłem, żeby czegoś brakowało. My zostaliśmy poinformowani, że Aurora wyjechała na dłużej, Nash nie mógł o tym wiedzieć, więc prawdopodobnie skupił się na konkretnym celu. Dorwał jedzenie, zjadł prosto z opakowania i ruszył dalej. Ale trochę czasu mu to zajęło. Musiał najpierw sprawdzić, czy dom jest pusty, znaleźć klucz i tak dalej. Po posiłku wyszedł z domu Aurory i przeszedł na drugą stronę drogi, na kolejną farmę, bo zapewne skusił go budynek gospodarczy, taki jak ten u George'a. I tu robi się ciekawie. W tym budynku był quad, który jak wiemy, Nash ukradnie i wykorzysta do ucieczki. Ale nie wziął go od razu. Najpierw zbadał następny dom. Stwierdził, że jest pusty, i dopiero wtedy włamał się przez uchylone okno. Wcześniej już zjadł i napił się. Można by się spodziewać, że od razu ruszy dalej. Ale nie, jak na siedemnastolatka, który działa w amoku, pod wpływem impulsu, ten chłopak to prawdziwy myśliciel. Dom A zapewnił mu pożywienie. Dom B zapasy. Jego właścicielami jest małżeństwo...

– Joanne i Gabe Nelsonowie – podsunął Roy. – Oboje byli dzisiaj w pracy.

– Wygląda na to, że Nash wziął sobie trochę ubrań Gabe'a. Zmienił koszulkę, przywłaszczył sobie czapkę bejsbolową... Pudło z czapkami zostało wyciągnięte z garderoby, a przepocony T-shirt leży na podłodze. Znalazłem też otwarte puszki czarnej i brązowej pasty do butów obok umywalki. Więc albo Gabe Nelson ma zwyczaj pastowania butów w łazience, albo, i ku tej opcji się skłaniam, Nash pomalował sobie twarz. Mógł zrobić podstawowy kamuflaż do lasu lub przypadkowe mazy brudu na twarzy, żeby trudniej go było rozpoznać, gdy pojawi się wśród ludzi.

Shelly popatrzyła na tropiciela i swojego sierżanta. Nie podobało jej się to, co słyszy.

– Znaczy się: chłopak wraca do miasta?

– Znaczy się: chłopak umie planować. Nie jestem ekspertem, ale kiedy ostatni raz jakiś zabójca w amoku tracił czas na uzupełnienie zapasów i przemyślenie strategii? Czy taki amok nie oznacza raczej długotrwałego ataku szału? Bo Nash najwyraźniej do czegoś się szykuje i stara się naprawdę dobrze przygotować.

Shelly zdecydowanie nie podobało się to, co słyszy.

– Zjadł, zrobił sobie kamuflaż, do diabła, może nawet się zdrzemnął, biorąc pod uwagę, ile czasu minęło, a później ruszył wreszcie do budynku gospodarczego Nelsonów. Tam znalazł quada. Niestety, zorientował się też, że się zbliżamy. Mógł wziąć quada i zwiać. Ale on wszedł z powrotem do domu, usadowił się w oknie na piętrze i zaczął strzelać.

Cal zacisnął wargi i wbił wzrok w ziemię.

– Co się potem stało, to już wiecie.

Shelly pokiwała głową. Wszyscy wiedzieli. Zwróciła się do Roya:

– Mówiłeś, że mamy świadka. Sąsiada, który widział, jak Telly przechodzi przez jego podwórze.

– Jack George. Ekipę tropicieli też postraszył ołowiem. Ale jak już wie, co nawyprawiał Telly, jest chętny do pomocy.

– Okej, pogadajmy z nim.

Ona i Roy przeszli przez drogę. Cal ruszył za nimi. Shelly nie miała nic przeciwko. Zwykle przesłuchiwanie świadków nie leżało w gestii tropicieli, ale domyślała się, że po tym, co się wydarzyło, Cal traktuje tę sprawę osobiście. Doskonale rozumiała, że chce wiedzieć o poszukiwanym wszystko, co możliwe.

Sąsiad Jack George stał przed swoim domem i obserwował, jak policja przeczesuje las, szukając śladów Telly'ego Raya Nasha. Choć Shelly już wcześniej miała wsparcie innych jednostek, to teraz do jej hrabstwa napływali niemal wszyscy śledczy z okolicy, ponieważ ranni zostali policjant i wolontariuszka tropicielka. A przyda się każda para rąk. Z drugiej strony nadzorowanie takiej liczby ludzi, nie wspominając o wielu miejscach przestępstw i wielu ofiarach w tak krótkim czasie, zaczynało stanowić prawdziwe wyzwanie. Musiała przypominać sobie, żeby wziąć spokojny oddech i postępować metodycznie. Wszystko da się zrobić i się zrobi. Przysięgła to sobie.

Na ich widok George wsunął dłonie pod czerwone szelki. Był starszym panem, pod siedemdziesiątkę, a może już ją nawet przekroczył. Ale była w nim jakaś czujność, którą Shelly ceniła u świadków. Od razu przeszła do rzeczy.

Wyjęła zdjęcie Telly'ego Raya Nasha z monitoringu na stacji benzynowej.

– Panie George, jestem szeryf Shelly Atkins. Dziękuję za chęć współpracy. Rozumiem, że ktoś dziś rano wszedł na pański teren. Czy to był ten chłopak?

George spojrzał na zdjęcie.

– Tak, psze pani.

– O której to było?

– Powiedziałbym, że między ósmą trzydzieści a dziewiątą rano.

– Był sam?

– Tak, psze pani.

– Jak by go pan opisał?

– Cóż, właściwie wyglądał dokładnie tak jak na tym zdjęciu. Tyle że nie miał na sobie czarnej bluzy, a podkoszulek z krótkim rękawem. Chyba niebieski. Ale widziałem chłopaka od tyłu. Na pewno miał plecak. I ten plecak głównie widziałem.

– Duży? – zapytała Shelly.

George wskazał głową na Cala.

– Mniej więcej taki, jak ma ten gość.

– To lekki plecak – wyjaśnił Shelly i Royowi Cal. – Zmieszczą się w nim podstawowe zapasy i ręczna broń. Ale karabin już nie.

Shelly odwróciła się z powrotem do George'a.

– Zauważył pan może, jaką miał broń? Niósł karabin?

– Nic takiego nie zauważyłem. Ale jak już mówiłem, głównie widziałem go od tyłu. Gdybym wiedział, że ma karabin, może pomyślałbym dwa razy, zanim do niego strzeliłem. – Mężczyzna zawahał się. – Albo lepiej bym mierzył.

Shelly żałowała, że tak się nie stało.

– A widział go pan tutaj kiedykolwiek wcześniej?

– Pewnie. Na stacji EZ Gas. Czy Erin naprawdę nie żyje?

– Niestety, tak. Zastrzelono ją i klienta sklepu, podejrzewamy, że zrobił to nasz poszukiwany, dzisiaj rano. Mówi pan, że widział już Telly'ego Raya Nasha na tej stacji?

– Tak, psze pani. O tej porze roku, jak jest tu tylu turystów, szkoda czasu na jazdę do miasta. Więc po poranną gazetę, mleko, chleb i tak dalej jadę na EZ Gas. Widziałem dziś rano Erin. – Starszemu panu zaczęła drżeć dolna warga. – Powiedziałem jej jak zwykle, że jest za ładna, żeby tkwić w takiej dziurze. I że powinna stąd ze mną uciec. Śmiała się. Taka to była dziewczyna. Miła dla starszego człowieka. Czy o to chodzi? Czy ona tego chłopaka rzuciła, czy coś?

– Nie wiemy. Ile razy widział go pan na tej stacji?

– Raz czy dwa.

– Rozmawiał z Erin?

– Nie, ostatni raz to było po południu. Jej już wtedy nie ma.

– A pamięta pan, kiedy to było dokładnie?

141

– Nie jestem pewien. – George podrapał się po przerzedzonych siwych włosach. – Ze dwa tygodnie temu?

– Był sam? – odezwał się Roy.

– Nie, z jakimś kolegą. Też takim młodym. Może po dwudziestce. Weszli razem. Stali przy napojach, jak wychodziłem.

– Mógłby pan opisać tego drugiego? – zapytała Shelly, bo pierwszy raz usłyszeli, że Telly miał jakiegoś towarzysza.

– Hm... Biały. Krótkie ciemne włosy. Sam nie wiem. Zwykły dzieciak. W T-shircie, szortach i butach do wędrówek. Pamiętam, że pomyślałem, że musi mu być w nich gorąco w stopy. Mógł mieć brązowe oczy, ale nie zwracałem specjalnie uwagi.

– Rozmawiali ze sobą? – odezwał się po raz pierwszy Cal. – Może jeden zawołał drugiego po imieniu?

– Hm... – George mocno się zastanawiał. – Nie przypominam sobie. Przepraszam. Wpadłem tam tylko po mleko.

Roy szybko robił notatki.

Jack George zwrócił się do Cala:

– Pańscy przyjaciele, czy oni z tego wyjdą?

– Dwoje oberwało, jeden jest w stanie krytycznym – odparł Cal.

– Przykro mi. Wiem, że sam do was strzelałem, ale przysięgam, że celowałem nad waszymi głowami. Bardzo, bardzo przepraszam. Gdybym wiedział... Przepraszam. Naprawdę mi przykro.

– W porządku – odrzekł Cal. Tropiciel nadal wpatrywał się w ziemię. Wciąż był zdenerwowany. Shelly to nie dziwiło, to był bardzo ciężki dzień. Ale doceniała, że dalej pracuje. Widać było, że jest jedną z tych osób, które w obliczu przeciwności jeszcze bardziej się mobilizują. Mimo całego swojego przemyślanego zachowania dziś po południu Telly Ray Nash popełnił poważny błąd, otwierając ogień do ścigających go funkcjonariuszy. Żaden policjant w tym stanie mu już nie odpuści. A co dopiero taki tropiciel jak Cal, który miał teraz podwójną motywację, żeby dokończyć robotę.

Wręczyła Jackowi George'owi swoją wizytówkę.

– Jeśli pan coś zauważy albo coś się panu przypomni, proszę zadzwonić. A gdyby Telly Ray Nash tu wrócił, niech pan natychmiast nas zawiadomi. Wiem, że umie się pan posługiwać bronią –

powiedziała, uznając, że najlepiej nie owijać w bawełnę – ale jak pan widział, to jest uzbrojony i niebezpieczny człowiek. Chcemy go dopaść. I to nasze zadanie, nie pana.

– Tak, psze pani – odpowiedział George. Wziął wizytówkę, a potem podał rękę Shelly. Miał mocny uścisk dłoni. To nie był trzęsący się staruszek. Cieszyła się, że mają go po swojej stronie.

Roy spisał jego dane kontaktowe. A potem opuścili farmę George'a i po raz kolejny przeszli przez drogę do domu Nelsonów, teraz ogrodzonego dokoła taśmą policyjną.

– Musimy poznać nazwisko tego drugiego, który był na stacji z Tellym. – Shelly mruknęła sama do siebie. – Kimkolwiek jest.

– Opis typu biały młody mężczyzna z ciemnymi włosami i ciemnymi oczami jest zbyt ogólny – stwierdził Roy. – Moglibyśmy wrócić na tę stację. Sprawdzić nagrania z monitoringu z poprzednich dwóch tygodni.

– Wyznacz kogoś do tego. Może Mitchella. Dowiedział się czegoś w Walmarcie?

– Przesłuchał kasjerów z porannej zmiany – zrelacjonował Roy. – Nie pamiętają nikogo, kto odpowiadałby opisowi Telly'ego i pojawił się w sklepie dziś rano. A pomiędzy siódmą a ósmą był bardzo mały ruch. Są pewni, że ktoś z nich by go zapamiętał, gdyby tam był.

– A kamery w centrum? Udało się prześledzić trasę Telly'ego?

– Kamera w bankomacie złapała pick-upa Duvalla, jak przejeżdżał tam około siódmej trzydzieści. Obraz nie jest na tyle wyraźny, żeby można było rozpoznać twarz kierowcy albo zobaczyć, czy ma pasażera, ale wygląda na to, że na pace pick-upa coś jest. Być może czarna torba z uszami.

– Broń? – zapytał Cal. Tropiciel wciąż stał obok nich. Jakby nie wiedział, co ma ze sobą zrobić. Skoro Telly przemieszczał się teraz quadem, to Cal właściwie skończył już swoją robotę. A mimo to najwyraźniej uważał, że nie.

– Możliwe – odparł Roy. – Nadal żadnej nie znaleźliśmy, a skoro Telly ma przy sobie tylko lekki plecak...

– To z pewnością nie ma trzech sztuk broni długiej – dokończył za niego Cal. Spojrzał na Shelly. – Może ma jakąś skrytkę.

Biorąc pod uwagę sposób działania tego chłopaka, nic w tych strzelaninach nie jest tak przypadkowe, jak się z początku wydawało, zwłaszcza jeśli Jack George ma rację i Telly był już wcześniej na EZ Gas. Może rodzice zastępczy i sklep na stacji to były ustalone z góry cele. Właściwie jedynym niezaplanowanym elementem dzisiejszego dnia było to, że przegrzał mu się silnik w samochodzie. To popsuło mu szyki, zmusiło do improwizacji. A jeśli teraz znowu ma środek transportu, ten skradziony quad, to może wrócić do pierwotnego planu.

Shelly pokiwała głową.

– Możliwe. Ale jaki to plan? Kim jest ten kolega Telly'ego ze stacji i co ten chłopak w ogóle zamierza?

– Coś w związku ze swoją siostrą? – zasugerował Roy. – Te zdjęcia w jego telefonie muszą coś znaczyć.

– Rainie i Quincy upierają się, że Sharlah nie miała żadnego kontaktu z bratem, nie wiedziała też, że zrobiono jej te zdjęcia. Więc jeśli jest elementem jego planu, to jest to jego pomysł, nie jej.

– Mogę coś zasugerować? – zapytał z wahaniem Cal.

– Pewnie. – Shelly rozłożyła ręce. – Bardzo proszę.

– Nie jestem detektywem, ale moja praca polega na tym, żeby myśleć jak poszukiwany. Zwykle robię to, rozglądając się za śladami, zastanawiając się nad logistyką podczas ucieczki, podążając tropem poszukiwanego. Ale w tym przypadku... Może gdybym mógł zobaczyć jego dom, jego pokój... Jestem dobrym obserwatorem. Mogę coś dostrzec, zwrócić na coś uwagę. Sam nie wiem. – Tropiciel westchnął i potrząsnął głową. – Nie chciałbym się narzucać, wiem, że robicie co w waszej mocy. Ale to byli moi ludzie. To, co się stało... Nie mogę tak po prostu pójść do domu i czekać na telefon. Więc gdybym mógł się do czegoś przydać, do czegokolwiek, byłbym bardzo wdzięczny.

Shelly uważnie mu się przyjrzała. Wolontariusze SAR nie oglądają domów podejrzanych. Ale Cal miał rację. Był uważnym obserwatorem. I rozumiała, o co mu chodzi.

– Nie stworzyliśmy jeszcze pełnych profili ofiar – powiedziała do Roya. – Ani nie mieliśmy czasu, żeby dokładnie przeszukać pokój Telly'ego. Przez te ciągłe strzelaniny tylko i wyłącznie reagujemy na to, co on robi. Natomiast Cal sugeruje, żeby się cofnąć, spróbować wejść do głowy tego chłopaka...

– Jestem za – rzucił Roy.

– A skoro wiemy, że naszego samotnika widziano w towarzystwie kolegi, to mamy jakiś konkret – kontynuowała, myśląc na głos. Zwróciła się do Cala: – Okej. Wchodzę w to. Zabiorę cię tam. Sama chętnie jeszcze raz się rozejrzę.

– A zadania dla nas? – zapytał Roy.

– Uzupełnijcie opis poszukiwanego o informację o quadzie. Sprawdźcie, czy pan Nelson będzie w stanie określić, której koszulki i której czapki mu brakuje. I niech helikoptery robią swoje. Prędzej czy później obserwatorzy z powietrza, patrol albo jakiś przypadkowy cywil coś zauważą. Nikt nie może ukrywać się wiecznie. Nawet Telly Ray Nash.

Rozdział 19

– Najlepszym sposobem na przygotowanie dowolnego mięsa jest przysmażenie go z zewnątrz, żeby zatrzymać w środku soki, a potem upieczenie w piekarniku. W przypadku bardzo taniego mięsa można zamarynować je na noc w dressingu do sałatki, żeby je zmiękczyć, albo rozbić wałkiem do ciasta. Do pieczenia najlepsza jest temperatura sto osiemdziesiąt stopni. W takiej trudno coś zepsuć.

Sandra podeszła do zlewu. Posłusznie ruszyłem za nią. Frank wyjechał na ten weekend. Miał jakieś szkolne zobowiązania. Nie był mężem, który tłumaczyłby się ze swoich planów, a ona nie była żoną, która by je kwestionowała. Oznajmił rano, że wróci w niedzielę wieczorem, więc Sandra postanowiła, że poświęcimy ten dzień na naukę gotowania. Kolejna życiowa umiejętność, która przyda mi się w przyszłości.

Prawie nie spędzałem czasu z Sandrą. Nadal nie wiedziałem, jaka ona jest. Po kuchni poruszała się ze zręcznością, ale nie patrzyła mi w oczy. A teraz, gdy podeszła do zafoliowanego kurczaka, który leżał obok zlewu, zauważyłem, że trzęsą jej się ręce.

Denerwowała się. Przeze mnie? Myślała o tym, że jest sama z dzieckiem, które zabiło własnych rodziców?

Była niska. Właściwie dotąd tego nie zauważyłem. Nie miała nawet metra sześćdziesięciu. Dosłownie nad nią górowałem. A moje dłonie w porównaniu z jej wydawały się masywne. Idealne do wymachiwania kijem bejsbolowym.

Sandra wzięła do ręki rzeźnicki nóż.

– Podstawowe rzeczy, które powinieneś wiedzieć o kurczakach – zaczęła, nadal na mnie nie patrząc. – Najtaniej jest kupić całego kurczaka do upieczenia. Ale to babranina, bo trzeba pozbyć się wnętrzności. Niemniej koszty są istotne. Frank i ja niemal przez cały pierwszy rok małżeństwa żywiliśmy się przecenionym kurczakiem i bliską terminu przydatności wołowiną z kością. I oczywiście ryżem. Pokażę ci, jak przygotować ryż z fasolą. To tanie i łatwe danie, a może zastąpić cały posiłek.

Nic nie powiedziałem. Obserwowałem, jak bierze nóż i rozrywa nim folię, w którą zapakowany był kurczak. Dłonie nadal jej się trzęsły.

– Trzeba zachować szczególną ostrożność w przypadku surowego kurczaka. Mogą w nim być niebezpieczne bakterie, więc należy go dobrze wypiec. Nie wolno też wkładać surowego kurczaka bezpośrednio do zlewu. Kładziemy go na durszlaku, durszlak wkładamy do zlewu i dopiero opłukujemy. Potem trzeba wyszorować durszlak silnym środkiem czyszczącym, żeby go wydezynfekować. W przeciwnym razie można zanieczyścić zlew, a wtedy, jeśli włoży się do niego na przykład owoce, to wyląduje na nich salmonella. Przy kurczaku nie wolno także używać drewnianych desek do krojenia. Korzystamy z plastikowej, którą można wyszorować silnym środkiem. Albo wyparzyć w zmywarce, zakładając, że ma się zmywarkę. Ja się jej nie doczekałam nawet po dwudziestu pięciu latach małżeństwa.

Uśmiechnęła się. Przepraszająco, ze skrępowaniem? Trudno powiedzieć. Ale to jej zdenerwowanie sprawiało, że i ja zacząłem się denerwować. Nie wiedziałem, co zrobić z rękoma, gdzie patrzeć. Nie chciałem już być w tej kuchni. Sandra była za drobna, za delikatna. Wolałbym być na zewnątrz, w lesie, strzelać razem z Frankiem.

Zabrał mnie na strzelanie jeszcze dwa razy. Polubiłem karabin. Coraz bardziej naturalnie leżał mi w rękach.

– Ty to powinieneś zrobić – powiedziała Sandra. Wskazała na mnie nożem. Wytrzeszczyłem oczy.

– Co?

– Przygotować kurczaka. Musisz sięgnąć głęboko do środka. Wszystkie wnętrzności są w torebce. Wyjmij ją. A potem połóż kurczaka na durszlaku, a durszlak włóż do zlewu. Opłucz mięso i delikatnie osusz je papierowymi ręcznikami.

Cały czas wskazywała na mnie nożem. Czy miała świadomość, że to robi? Często myślałem o niej i o Franku. Sandra wydawała się w porównaniu z nim bardzo cicha. Uległa. Frank miał pomysły. Wiedział, co mamy zjeść na obiad, co będziemy robić w weekend. A ona się zgadzała. Gotowała mężowi ulubione dania, patrzyła z dumą na tarczę strzelniczą, gdy Frank po raz setny opowiadał, jak nam poszło strzelanie.

Zastanawiałem się, czy Sandra w ogóle chciała mieć podopiecznego, kolejnego syna. Może to też był kolejny wspaniały pomysł Franka. A ona jak zwykle się zgodziła, przystała na dzielenie domu z siedemnastolatkiem z problemami i wybuchowym charakterem.

Może miała rację, że się denerwowała. Ale biorąc pod uwagę, ile miesięcy już minęło, a ja nadal jej nie znałem, to może ja też powinienem być zdenerwowany?

– Frank mówił, że lubisz biblioteki.

Spojrzałem na nią. Na drżący w jej dłoni nóż.

– Słucham?

– Powiedział, że lubisz biblioteki. Może chciałbyś zostać bibliotekarzem?

– Nie wiem – odpowiedziałem. W końcu sięgnąłem ręką i wziąłem od niej nóż. Wzdrygnęła się, gdy dotknąłem jej palców, ale szybko się opanowała.

– Ja też lubię biblioteki – oznajmiła, przesuwając się na bok.

Zbliżyłem się do kurczaka. Spojrzałem na dziurę prowadzącą do jego wnętrza. Włożyłem tam ostrożnie lewą dłoń. W środku było oślizgle. Wiedziałem, że się krzywię. Nie mogłem się powstrzymać. Faktycznie, trafiłem na coś palcami. Wyciągnąłem torebkę i trzymałem ją niepewnie.

– Yyy...

Sandra znowu się uśmiechnęła. Tym razem szczerze. Miała ładny uśmiech. Rozjaśniał jej twarz.

– Można to wykorzystać do zrobienia farszu, jeśli chcesz.

Tylko na nią zerknąłem.

– Może innym razem – zgodziła się. Otworzyła pokrywę kosza na śmieci. Wrzuciłem tam te kurze bebechy, wnętrzności czy jak to nazywają.

– A waszemu synowi podoba się na studiach?

– Henry'emu? Uwielbia uniwersytet w Ohio. Studiuje informatykę. Mają tam świetny wydział.

Kiedy Sandra mówiła o synu, jej twarz jeszcze bardziej promieniała. Generalnie była kobietą o przeciętnej urodzie, nierzucającą się w oczy. Ale gdy była szczęśliwa, gdy mówiła o Henrym... Dostrzegałem wtedy to, co Frank musiał widzieć w niej przed laty.

– Pewnie dobrze się uczy – stwierdziłem raczej, niż zapytałem.

– Tak. Ma to po ojcu. Dla mnie to czarna magia. Okej, zanim obsmażymy kurczaka, musimy, to znaczy ty musisz natrzeć go ziołami. W spożywczym można kupić różne mieszanki. Frank najbardziej lubi tę z syropem klonowym i pieprzem cayenne, więc właśnie takiej użyjemy.

Uniosła plastikowy pojemnik z przyprawą. Zrozumiałem sugestię i umyłem ręce w zlewie. Obsypała kurczaka ziołami. Znowu się krzywiąc, zacząłem je w niego wmasowywać. Dotykanie surowego kurczaka nie jest przyjemne, ma taką szorstką skórę, jakieś dziwne kropki, no i widać krew.

Nie lubię martwych rzeczy. Chyba że wpadam w szał. Może tak naprawdę jestem Hulkiem. Delikatny, dopóki coś mnie nie włączy, a wtedy...

Pamiętam krzyk mojej małej siostry.

Zawsze będę pamiętać krzyk Sharlah.

– Hm, kurczak jest już chyba gotowy – rzuciła Sandra.

Spojrzałem w dół. Tarłem tak mocno, że miejscami zdarłem mu skórę.

– A teraz obsmażanie – podjęła po chwili. – Wolę żelazne patelnie. Może uda nam się kupić taką dla ciebie na jakiejś garażówce. Najlepiej starą, używaną od lat. Nigdy nie myj żelaznej patelni. Najważniejsze, żeby wchłonęła tłuszcz. Jak skończysz smażenie, to usuń resztki plastikowym drapakiem, a potem powycieraj ją wilgotną ściereczką. Och, i taka patelnia musi być naprawdę gorąca. Na tym polega trik z obsmażaniem. Nalej dwie łyżki oliwy z oliwek i ustaw średni płomień. Można sprawdzić *temperaturę, kropiąc odrobinę wody na patelnię. Jeśli kropelki zaczną syczeć, to znaczy, że gotowe.*

– Dlaczego to robisz?

Sandra znieruchomiała z mokrą dłonią nad patelnią. Z jej ręki kapała woda. Słychać było syczenie.

– Co robię?

– To. Uczysz mnie gotowania. Dajesz mi dom. I wszystko. Przecież masz już idealnego syna, który poszedł na studia. Więc o co chodzi? Bawisz się teraz w przyjmowanie odrzutów?

Sandra nie odpowiedziała od razu. Z plastikowej deski do krojenia wzięła natartego ziołami kurczaka i położyła go na patelni, która natychmiast zaczęła trzaskać i syczeć.

– Zawsze go podsmażam piersią do dołu – powiedziała. – I tak samo piekę. To sprawia, że soki spływają do piersi i mięso nie jest suche. A potem przewracam na drugą stronę, żeby zbrązowiał grzbiet. Proszę, ty go przewróć.

Odsunęła się i wręczyła mi metalowe szczypce. Kurczak syczał na patelni. Gorąca oliwa kapnęła mi na dłoń. Nawet nie drgnąłem.

Czułem się dziwnie, obco. Zadałem pytanie, a brak odpowiedzi z jej strony był dla mnie dokładnie tym, czego się spodziewałem. Sandra mnie nie chciała. Robiła to, żeby zadowolić Franka. Równie dobrze mógłbym być jednym z jego ulubionych dań, które mu szykowała.

– Wiem, co to samotność – stwierdziła nagle.

Odwróciłem kurczaka, zerknąłem na nią kątem oka.

– Mój ojciec... To nie był dobry człowiek. I nie chodzi mi o to, że mnie za mało kochał. Pracował dla złych ludzi i robił złe rzeczy. Lubił to. Tak bardzo, że awansował. Było go stać na większy dom, lepsze auta. A to oznaczało, że musiał robić coraz gorsze rzeczy, żeby dalej mieć pieniądze. Taki człowiek, ciągle zanurzony w przemocy... nie był w stanie wrócić do domu, nacisnąć pstryczka i wyłączyć się. Mogę, lepiej niż myślisz, Telly, zrozumieć to, przez co przeszedłeś, gdy byłeś dzieckiem. Możemy być do siebie bardziej podobni, niż ci się wydaje.

Nic nie odpowiedziałem. Miała rację. Nie przyszło mi do

150

głowy, że kobieta taka jak ona mogłaby zrozumieć cokolwiek z mojego życia. Myślę, że nas oboje czekały tego dnia niespodzianki.

– Gdy miałam szesnaście lat – mówiła dalej – uciekłam z domu. Uważałam, że każde miejsce będzie lepsze niż mój dom. – Sandra spojrzała na mnie. – Nie do końca miałam rację, ale też nie do końca się myliłam. Przez jakiś czas... dryfowałam. Jeśli można było podjąć złą decyzję, podejmowałam ją. Jeśli można było znaleźć się w nieciekawej sytuacji, znajdowałam się w niej. Ale potem poznałam Franka. I on... On mnie kochał. Akceptował. Nawet niektóre opowieści o moim ojcu... niezbyt wiele, wiadomo, ale parę szczegółów... nawet je zaakceptował. Po raz pierwszy w życiu patrzyłam na siebie oczami dobrego człowieka. I odnalazłam nadzieję.

Kurczak zaczął czernieć. Nie znałem się na tym, ale doszedłem do wniosku, że to dobry moment, żeby wyłączyć palnik. Sandra wzięła brytfannę i postawiła ją na blacie obok piekarnika. Ja włożyłem kurczaka do środka, piersią do dołu, tak jak mówiła.

Piekarnik był już nagrzany. Sandra otworzyła drzwiczki. Wstawiłem brytfannę do środka.

– Mój ojciec to zły człowiek – powiedziała obojętnym tonem. – Nie rozmawiam z nim. Od dnia, w którym opuściłam dom, zerwałam wszelkie kontakty i nigdy się za siebie nie obejrzałam.

– Pozwolił ci odejść? – zapytałem, bo wydawało mi się, że taki zły człowiek nie pogodziłby się tak po prostu ze zniknięciem córki.

– Powiedzmy, że przedsięwzięłam pewne kroki, żeby go do tego zmotywować.

– Okej – stwierdziłem, gdy zorientowałem się, że nic więcej nie doda.

– Chodzi mi o to – podjęła po chwili – że on jest wyjątkiem, nie regułą. Bo można robić złe rzeczy i nadal być dobrym człowiekiem. – Sandra wytarła ręce w ściereczkę i podała mi ją.

– Zabiłem swoich rodziców. Zniszczyłem własność szkoły. Widnieję w policyjnej kartotece. Myślę, że to za dużo złych rzeczy jak na materiał na dobrą osobę.

– Ale ty nie jesteś z tego zadowolony. Masz wyrzuty sumienia. Bardzo się starasz.

Nie wiedziałem, co odpowiedzieć. Czułem się z tym źle. Próbowałem robić to, co zalecała pani kurator. Tylko że... Wciąż wdawałem się w bójki. I wciąż traciłem nad sobą panowanie.

– Jeśli jest we mnie dobro – powiedziałem w końcu – to dlaczego mam wrażenie, że zło ciągle zwycięża?

– Może potrzeba ci tylko tego, żeby ktoś na ciebie postawił.

– Ty i Frank mnie uratujecie?

W brązowych oczach Sandry widać było powagę.

– Możemy pomóc, ale uratować musisz się sam. Tak działa prawdziwe życie, Telly.

– Wyrzucicie mnie? – Musiałem zadać to pytanie, dręczyło mnie od miesięcy. – Skończę osiemnaście lat i co? Koniec nauki? Tak po prostu... wypchniecie pisklaka, mając nadzieję, że potrafi latać?

– Boisz się?

– Nie!

– Ale nie ma nic złego w lęku. Przyszłość może się wydawać straszna. Samotność jest straszna.

– Nie przeszkadza mi samotność. Samotność jest dobra. Samotność to bezpieczeństwo. Dla wszystkich.

– Frank znalazł twoją siostrę.

– Co?

– Szukał jej i znalazł jej rodziców zastępczych. Nie jesteś sam, Telly. Masz rodzinę. Mnie, Franka i siostrę.

– Czy ona wie? Czy rozmawiał z Sharlah o mnie? – zapytałem szorstkim głosem. Nie chciałem tego, ale tak wyszło. Sandra cofnęła się o krok.

– Nie zrobiłby tego – odparła łagodnie. – Ten pierwszy kontakt zależy od ciebie.

– Ja nie mam żadnej przyszłości.

– Oczywiście, że masz. Każdy...

– Ja nie. „Lubię biblioteki". Co to ma w ogóle być? Najgorszy tekst, jaki może paść na randce? Zawalam szkołę, a to znaczy, że nigdy nie dostanę się na studia. Nie będę inżynierem. Nikim nie

będę. Skończę osiemnaście lat i po prostu... dołączę do przegra-
nych. Może będę pić jak moja matka albo ćpać jak ojciec.

– Nie bierzesz narkotyków, Telly. Pewnie dlatego, że wi-
działeś, co zrobiły z twoimi rodzicami. Czytaliśmy twoje akta.

– Nic o mnie nie wiesz.

– Wiem wystarczająco dużo.

– Właśnie że...

Wyszła. Obróciła się na pięcie i wyszła z kuchni. Patrzyłem
za nią, z zaciśniętymi pięściami przy bokach, czując coraz większe
zmieszanie. I złość. Wielką, wielką złość. Na... wszystko i wszystkich.

Bo zawaliłem sprawę, spieprzyłem, i po tylu latach wciąż
słyszę krzyk mojej małej siostry, i bez względu na to, co mówią
Frank i Sandra, nie mam pojęcia, co robić. Wcale nie dostrzegam
tej przyszłości, której wszyscy są tacy pewni. Widzę tylko prze-
szłość. Otwieranie puszek z zimnym spaghetti na obiad. Modlenie
się, żeby matka nie była zbyt nawalona, a ojciec zbyt agresywny.
Nadzieja, że chociaż Sharlah nic się nie stanie.

Dopóki pewnej nocy sam jej nie skrzywdziłem.

Niektórych rzeczy nie wynagrodzą nawet wszystkie chee-
riosy świata. Spytajcie Bruce'a Bannera.

Sandra wróciła. Trzymała w rękach kij bejsbolowy.

Oczy mi się rozszerzyły. Rzuciła mi go prosto w dłonie.

– Proszę. Jesteś złym człowiekiem? Tak uważasz? No to
dalej. Spójrz mi w oczy i zrób duży zamach. Franka nie ma. Nie
obroni mnie. Jesteśmy tylko ty i ja. Zrób to.

– Co?

– Mam trochę biżuterii. Niewiele. Obrączkę, wiadomo, na-
szyjnik od Franka z okazji dziesiątej rocznicy ślubu. Och, i w za-
mrażarce jest trochę kasy. Srebrny pakiecik pod mrożonym
groszkiem. Jak już zatłuczesz mnie na śmierć, to weź sobie bi-
żuterię, pieniądze, no i oczywiście broń. Jest sporo warta. Czy
Frank podał ci już szyfr do sejfu? Nie? To ja ci podam.

Wyrecytowała ciąg liczb. Cały czas trzymałem kij i pa-
trzyłem na nią.

– Okej. Na co czekasz? Pora wziąć się do roboty.

Nie ruszyłem się.

– Nie jesteś jeszcze wystarczająco zły? O to chodzi? Musisz być wściekły? Mogę pomóc ci wpaść w szał. Masz mnóstwo powodów do złości. Ojca, który cię nie kochał. Matkę, która cię nie chroniła. Musiałeś być głową domu, gdy miałeś... ile? Pięć lat? Musiałeś sam wstawać co rano, ubierać się, robić śniadanie. A do tego twoja mała siostra. Ona też musiała cię wkurzać. Ciągłe płacze, krzyki, jęki. Nie widziała, że robisz wszystko, co możesz? Nie zdawała sobie sprawy, że ma dwadzieścia razy lepiej od ciebie? Bo przecież o ciebie nikt nigdy nie dbał. Nikt nie zaprowadzał cię do biblioteki, nikt nie dawał ci śniadania, nikt nie prał twoich ulubionych ubrań.

– Kochałem ją.

– Była marudą. I w ogóle nie dostrzegała, jak bardzo się starasz i jak bardzo jest źle. Cały ten ciężar spoczywał na tobie. Miałeś pięć, sześć, siedem lat i już byłeś na świecie zupełnie sam.

– Uśmiechała się do mnie, nawet jak była niemowlęciem. Patrzyła na mnie i uśmiechała się.

– Byłeś sam! Odpowiedzialny za wszystko. Przerażony. Cały czas. Co ojciec znowu zrobi? Jak bardzo będzie bolało?

Nie byłem w stanie się odezwać, nie mogłem wykrztusić słowa.

– Świat nie jest twoim przyjacielem. Nic ci nie dał, a wszystko zabrał. Nawet twoją siostrę. Po tym, co dla niej zrobiłeś, gdzie ona jest?

– Złamałem jej rękę.

– Uratowałeś jej życie! A ona nawet nie odwiedziła cię w szpitalu. Nawet nie zadzwoniła, żeby podziękować. „Hej, bracie, co u ciebie?" Co to za siostra, żeby tak traktować własnego brata? Jest jedyną rodziną, jaka ci została, i tyle z tego masz.

Dłonie na kiju zaczęły mi drżeć. Nagle poczułem złość. Wściekłość. Bo tęskniłem za siostrą. Zrobiłem, co mogłem. A potem... Było tak, jakbym nigdy nie istniał. Odeszła, tak po prostu. Tyle lat, a nawet się nie obejrzała.

A ja ją kochałem.

Tyle że to za mało.

– Zrób to – szepnęła Sandra. Jej oczy błyszczały niemal gorączkowo. Ledwo ją poznawałem. – Jestem twoją siostrą. Jestem twoją matką. Jestem każdą osobą, która cię zawiodła. Unieś ten kij i zrób to wreszcie!

Ale nie zrobiłem tego, nie mogłem. Po prostu stałem i patrzyłem na nią. Nieprzerwanie.

Minęła minuta. I kolejna.

W kuchni panowała cisza. Przerażająca cisza.

I wtedy...

Sandra uśmiechnęła się. Opuściła ramiona i bardzo delikatnie wyjęła kij z moich drżących dłoni.

– Byłam pewna, że byś tego nie zrobił – powiedziała łagodnie. – Wiem, co to zło, a ty nie jesteś złym człowiekiem, Telly. Wiem, nawet jeśli ty tego nie wiesz, że nigdy nie skrzywdziłbyś ani Franka, ani mnie. Mam tylko nadzieję, że sam sobie to uświadomisz. Zanim dla nas wszystkich będzie za późno.

Rozdział 20

Nie mam czasu myśleć. Nie mogę czekać. Muszę działać.

Quincy i Rainie znowu prowadzą ożywioną rozmowę, tym razem w jego biurze. Słyszę ich ściszone głosy, gdy pochylają się, wpatrzeni w ekran komputera.

– Wypuszczę Lukę – wołam przez ramię. – Wiem, wiem, będziemy tylko na podwórku.

I tak robię. Luka załatwia swoje sprawy, a ja wchodzę przez boczne drzwi do garażu, biorę rower i wyprowadzam go. Zostawiam go poza widokiem. Zajmuje mi to mniej niż dwie minuty. Luka jest obok mnie przez cały czas, cichutko skomle.

Wracam z nim do domu, ignorując fakt, że serce łomocze mi w piersi, a T-shirt klei się do ciała. Jest mi jednocześnie zimno i gorąco. Czuję, jakbym miała zwymiotować albo wyskoczyć z własnej skóry.

Nie mogę spotkać Rainie i Quincy'ego, gdy wejdę do domu. Wystarczyłoby jedno spojrzenie, a od razu by się domyślili.

Zatrzymuję się na ganku. A potem obejmuję psa. Przytulam go tak mocno jak nigdy nikogo. Nie płaczę, bo mam zbyt ściśnięte gardło, a ogrom uczuć... Łzy to byłoby zbyt mało, nie powiedziałyby Luce nawet połowy tego, co czuję.

A potem wstaję.

Mam w tym praktykę, przypominam sobie. Tyle już straciłam, tyle zostawiłam za sobą. Jeśli ktokolwiek może to zrobić, to ja.

Stoję i rozglądam się. Próbuję wyczuć na sobie spojrzenie brata, jego obecność. Gdyby to był film, mogłabym użyć jakiejś specjalnej mocy. Ale nic nie czuję. Powietrze jest zbyt gorące, zbyt nieruchome. Luka nawet nie patrzy na las.

Biorę to za wskazówkę i wprowadzam psa z powrotem w błogosławiony chłód domu.

***

W kuchni nalewam sobie szklankę lemoniady, robiąc przy tym mnóstwo hałasu. Ale to nie ma znaczenia. Znam już Quincy'ego i Rainie wystarczająco dobrze. Mogą być zaczytani w książce, zatopieni w myślach przed telewizorem, wpatrzeni w siebie nawzajem, ale jeśli mnie choćby przemknie przez głowę jakaś zła myśl, od razu będą wiedzieć.

Profilerzy, czyli psycholodzy kryminalni. Nic dziwnego, że państwo powierzyło mnie akurat im.

A więc żadnych złych myśli. Tylko świeża woda dla Luki. Gigantyczna micha. Z kostkami lodu. Uwielbia to.

Nawodnienie jest bardzo ważne przy takich temperaturach. Wypijam lemoniadę i napycham sobie kieszenie batonikami energetycznymi i migdałami. Na szczęście w takim upale wcale nie chce się jeść. Wypijam jeszcze szklankę wody i czuję, jak chlupocze mi w pełnym brzuchu, ale wiem, że będę sobie potem dziękować. Łapię jabłko dla siebie i kość do żucia dla Luki i idę do swojego pokoju.

Zwyczajna nastolatka, która zabrała właśnie przekąski dla siebie i dla psa.

Rainie i Quincy cały czas tkwią przy komputerze. Przez ułamek sekundy, gdy ich mijam, wydaje mi się, że dostrzegam zdjęcie leżącego na ziemi mężczyzny w kamuflażu. Na jego mundurze widać krew. Ale wtedy Rainie lekko się przesuwa i zasłania przede mną monitor.

– Jak będziecie mówić tak cicho – wołam przez ramię – to jak dam radę podsłuchiwać ze swojego pokoju?

Nie odpowiadają, lecz domyślam się, że oboje przewracają oczami.

W pokoju podłączam iPoda do głośników, wybieram przypadkową playlistę i pogłaśniam. Często znikam w swojej sypialni, zwłaszcza gdy jest coś, o czym nie chcę rozmawiać. Na jakiś czas dadzą mi spokój – mają swoje własne sprawy do rozważenia, takie „tylko dla dorosłych". Jak miejsca zbrodni. Albo szczegóły podróży.

Ale Rainie raczej prędzej niż później zapuka do moich drzwi. Nie lubi, gdy zamykam się na zbyt długo. No i jest jeszcze kwestia

naszego wieczornego lotu, projekt „Zapewnić Sharlah bezpieczeństwo".

Nie mam czasu myśleć. Nie mogę czekać. Muszę działać.

Przekąski do plecaka. W torbie na basen mam dwie zapasowe wody
do picia. O wiele za mało, biorąc pod uwagę prawie czterdziestostop-
niowy upał, ale akurat tyle, ile dam radę unieść. Wpełzam pod biurko.
W kopercie przyklejonej taśmą do spodu szuflady trzymam odłożony
zapas gotówki. Bo dzieci pod opieką zastępczą tak właśnie robią. Cho-
mikują. Chowają ukradkiem. Nie potrafimy się powstrzymać. Zastanawiam się, co mój brat sobie chował, zanim to wszystko się zaczęło.

Zrobił mi zdjęcia.

Zauważył mnie. Śledził.

Nie odezwał się ani słowem.

Poczekał pięć dni, a potem wyładował swoją wściekłość na
otoczeniu.

Czy ja w ogóle znam tego chłopaka? Czy kiedy spojrzał na
mnie po ośmiu latach, to zobaczył pudełka z płatkami śniadanio-
wymi i drogę do biblioteki? Czy może pamiętał tylko ostatnią noc?
I naszego ojca, który gonił nas po domu z czerwoną twarzą, wytrzeszczonymi oczami i nożem ociekającym krwią?

I mnie wręczającą bratu kij bejsbolowy.

Nas oboje wpatrzonych w matkę, która jęczała na podłodze,
odzyskując przytomność.

I odważam się, na ułamek sekundy, pomyśleć to, co przeraża
mnie najbardziej: że to wszystko moja wina.

Że jeśli mój brat jest potworem, to ja jestem tym, kto go wy-
puścił.

Pieniądze. Dwieście czterdzieści dwa dolary. Dzielę je na
kupki. Jedną wkładam do plecaka. Inną do kieszeni szortów. Część
do skarpetki. Nigdy nie wiadomo.

A potem, tak po prostu, nadchodzi ten moment. Nie będę już
bardziej gotowa na najgłupszy plan w historii ludzkości.

Luka mnie obserwuje. Zawsze mnie obserwuje. Mój pies.

Pójdzie ze mną, bo nie ma sposobu, żeby został, nie wszczy-
nając alarmu. Bo to jest najdzielniejszy, najlepszy i najwierniejszy
pies na świecie. A ja...

Znowu ściska mnie w gardle. Nie przytulam go. Nie mogę. Załamałabym się. Kocham go. Kocham go bardziej, niż kiedykolwiek kochałam cokolwiek i kogokolwiek. Ale w tym momencie cała moja rodzina jest zagrożona.

Logika podpowiada mi, że lepiej ograniczyć zakres tego zagrożenia. A jeśli ja i Luka znikniemy, to przynajmniej Rainie i Quincy przestaną być celem. I zostanie nas tylko dwoje.

Luka i ja znajdziemy Telly'ego. Nie wiem, dlaczego myślę, że to takie ważne, ale tak właśnie jest. Telly to nie tylko mój starszy brat, który kiedyś uratował mi życie, który kiedyś złamał mi rękę – on jest tym, który teraz mnie szuka.

I choć rozumiem, dlaczego moi rodzice profilerzy chcą, żebym wyjechała z miasta, to prawda jest taka, że mnie to nie przekonuje. Bo wtedy co? Telly'ego w końcu zastrzelą, a ja będę mogła wrócić do domu? Ilu ludzi jeszcze do tego momentu zginie? Ile pytań bez odpowiedzi powstanie w mojej głowie? Nie mogę na to pozwolić.

Muszę zobaczyć się z bratem.

Po prostu muszę wiedzieć. Czy Telly przeobraził się w naszego ojca? Czy potem przyjdzie kolej na mnie?

Ostatnie rodzinne spotkanie.

Coś stracę. Jeszcze nie wiem co. Wiem tylko, że będzie bolało.

Okno mojej sypialni znajduje się od frontu. Przez manię bezpieczeństwa Quincy'ego przed naszym domem nie ma żadnych ozdobnych krzewów. Bo one są nie tylko roślinami, lecz stanowią także potencjalne kryjówki dla złowrogich intruzów. Teren wokół domu jest więc porośnięty niskimi paprociami i dzikimi kwiatami. Nocą system alarmowy powiadamia o każdym uchylonym oknie czy otwartych drzwiach. Nie wspominając o reagujących na ruch lampach, które zapalają się nagle, by przyłapać rabusiów na próbie włamania. Albo głupią nastolatkę, która próbuje wymknąć się z domu.

Ale o trzeciej po południu w upalny sierpniowy dzień światła nie mają żadnego znaczenia. Ostrożnie uchylam okno.

– *Rustig* – rozkazuję Luce. To po niderlandzku „cicho".

Natychmiast przybiera czujną postawę, uszy do przodu, wyprostowany ogon. Emerytowany pies policyjny wraca do pracy.

Muszę zdjąć stojącą obok łóżka lampę, żebyśmy oboje mieli miejsce, by wydostać się przez okno. To najtrudniejsza część, czuję, że znowu się trzęsę, a twarz dosłownie ocieka mi potem. Rainie i Quincy w każdej chwili mogą skończyć rozmowę. Albo stwierdzić, że muszą zapytać mnie o coś w związku z podróżą. Albo mają dość tego „piekielnego łomotu", który nazywam muzyką (to określenie Quincy'ego, nie moje).

Na pewno mi się nie uda. Przyłapią mnie, jak będę siedzieć na parapecie. Albo jak będę wsiadać na rower. Albo choćby piętnaście minut później, bo jak trzynastolatka z psem mogłaby uciec dwójce wyszkolonych funkcjonariuszy służb bezpieczeństwa?

To głupie. Ja jestem głupia.

Lampa jest już na podłodze. Sięgam najpierw po Lukę i popycham go. Jego pazury skrobią w poszukiwaniu oparcia na nocnym stoliku. Zostawimy mnóstwo śladów, ale jakie to ma znaczenie? Luka zręcznie wyskakuje przez okno.

Zrzucam plecak, zgniatając nim paprocie. Tak, mnóstwo śladów ucieczki. Teraz moja kolej, żeby wyskoczyć. Nie jestem tak zręczna jak Luka. To tylko ja. Kościste łokcie, sterczące kolana i tak zawilgotniałe oczy, że ledwo co widzę.

I już jestem na dole. Nie dam rady dosięgnąć lampy, żeby odstawić ją z powrotem na nocny stolik. Czy to ważne? Czy Quincy'emu i Rainie nie wystarczą dwie sekundy, żeby domyślić się, co zrobiła ich impulsywna córka?

Quincy zaciśnie wargi. A Rainie...

Nie jestem w stanie wyobrazić sobie jej reakcji.

Muszę działać.

Zakładam plecak. Biegnę, a Luka podąża tuż za mną.

I już jesteśmy za garażem, wsiadam na rower. W lesie za domem jest pełno ścieżek udeptanych przez zwierzęta. Często z nich korzystamy. Nawet gdy jestem na rowerze, Luka nigdy nie ma problemu z utrzymaniem tempa.

Kieruję się na lewo, po prostej od domu, bo zjechanie podjazdem wysypanym żwirem zwróciłoby uwagę. Przetniemy las i wyjedziemy trochę niżej. Drogą w lewo i w dół do głównej szosy, a potem...

Droga czy las, to nie ma znaczenia. W chwili gdy Rainie i Quincy zorientują się, że zniknęłam, rozpoczną polowanie. To będzie tylko kwestią czasu, aż mnie znajdą.

Mam najwyżej godzinę. W najgorszym wypadku trzydzieści minut.

Żeby znaleźć brata zabójcę, którego ledwo pamiętam.

– *Rennen* – mówię Luce.

I pędzimy.

Gdy wydostajemy się z lasu, skręcam w lewo w małą boczną drogę i zjeżdżam w dół. Rodzice mówili, że Telly'ego widziano ostatnio prawie dwadzieścia kilometrów stąd. Ale teraz, skoro ukradł quada, to może być dosłownie wszędzie.

W takim razie dokąd?

Mogłabym zajrzeć do domu jego rodziców zastępczych, lecz zabił tych ludzi, więc raczej tam nie wróci. A nasz rodzinny dom? Nie mam pojęcia, gdzie mieszkaliśmy. Byłam malutkim dzieckiem. Pamiętam nieco wnętrze – jak wyglądała kuchnia i mój pokój. Ale adres? Nie ma mowy. Poza tym po co Telly miałby tam jechać? Naszych rodziców już nie ma, bo... no, tak... ich też zabił.

Co ja wyprawiam?

Nie okłamałam Rainie. Nie miałam żadnego kontaktu z Tellym. Nie znam jego numeru telefonu, nie mam awaryjnego namiaru na starszego brata, tak żeby wystarczyło tylko kliknąć i powiedzieć: „Hej, musimy pogadać". A poza tym wyłączyłam już komórkę – w przeciwnym razie rodzice od razu użyliby jej, żeby mnie wyśledzić.

Próbuję głęboko odetchnąć, pedałując równomiernie, by Luka nie miał problemów z utrzymaniem tempa, i myślę o moich rodzicach profilerach. Nie mam zbyt wiele czasu. Ale gdy oni pracują nad jakąś sprawą, zawsze jest tak samo. Trzeba działać szybko. Trzeba znaleźć uciekiniera. Ciągle o tym gadają przy kolacji. Co zrobiliby w pierwszej kolejności?

Odwiedziliby znane adresy. Quincy i Rainie zaczęliby od znanych lokalizacji uciekiniera. Tylko że ja już przejrzałam tę listę i nic mi to nie dało.

Następny krok: rodzina i przyjaciele. Dobre pytanie. Nie znam żadnych przyjaciół Telly'ego, a członków rodziny, poza mną, pozabijał.

Docieram do krzyżówki, gdzie boczna droga dochodzi do szerszej prowadzącej do miasta. Luka czeka obok mnie z wywieszonym jęzorem. Przyglądam mu się. Na razie mój pies wydaje się zadowolony z tej niespodziewanej wycieczki. Wkrótce będziemy musieli się gdzieś zatrzymać, żeby się napić, ale na razie...

Nie mamy konkretnego celu, więc kieruję się do miasta. Zwyczajna dziewczyna z psem, która jedzie sobie na rowerze w koszmarnym sierpniowym upale.

Próbuję przypomnieć sobie jakieś szczegóły z dzieciństwa, coś, co pomogłoby mi odnaleźć brata. Ale pamiętam tylko Telly'ego i siebie. Telly'ego, który dawał mi płatki na śniadanie, pomagał mi się ubrać i zabierał do autobusu do szkoły. A po szkole do biblioteki.

Trzymałam go za rękę. To pamiętam. Moja dłoń w mocno zaciśniętej dłoni starszego brata.

I przez chwilę waham się, mój rower z dziesięcioma przerzutkami chwieje się niepewnie.

Dlaczego nigdy nie zadzwoniłam do niego, dlaczego się z nim nie spotkałam? Bo mnie skrzywdził? Złamał mi rękę? Bałam się. Krzyczałam. Płakałam. A potem?

W mojej sali w szpitalu była pani z opieki społecznej. Byłam bardzo zdenerwowana. „Telly mnie nienawidzi", powiedziałam jej. Wiem, że w tamtym momencie, z palącym bólem ramienia, to właśnie czułam.

No i...

Tak.

O to chodzi, oczywiście. O to, o czym nigdy nie mówiliśmy.

Mój brat prawdopodobnie rzeczywiście mnie nienawidzi. A ja nie miałabym o to grama pretensji. I dlatego gdy trafiłam do pierwszej rodziny zastępczej i Telly'ego tam nie było...

Uznałam to za karę. Mój brat odciął się ode mnie. Nigdy nie przyszło mi do głowy, że on mógł to widzieć inaczej: że to ja odrzuciłam jego.

Moje oczy wypełniają się łzami. Mimo że całą twarz mam zlaną potem, rozpoznaję słony smak łez.

Zaciskam usta i pedałuję dalej.

Praca. Uciekinierzy czasem wracają do miejsca pracy, często po to, żeby zdobyć zasoby. Ale jeśli Telly miał pracę, to mnie nic o tym nie wiadomo.

Czyli pozostają ulubione miejsca. Powiedzmy bar po sąsiedzku albo park w okolicy. Ja i Luka mamy nasze ulubione drzewo w lesie za domem. Jest grube i stare, a jego pień pokrywa tyle rodzajów mchu, że wygląda niczym żywy dywan. Czasem siedzimy u jego stóp godzinami, znajdując nowe wzory we mchu, wdychając wilgotne, gliniaste powietrze. I potem zawsze czuję się lepiej.

Wiem, jakie jest ulubione miejsce Telly'ego. Zawsze kochał biblioteki. On i ja po szkole. Pani bibliotekarka. Słabo ją pamiętam. Nie tyle rysy jej twarzy, co intensywny smak soku jabłkowego na języku.

Biblioteka Hrabstwa Bakersville znajduje się zaledwie osiem kilometrów stąd. Odległość w sam raz na rowerową przejażdżkę dla mnie i dla Luki. Tam właśnie Telly mnie zauważył i zrobił mi zdjęcia w zeszłym tygodniu, czyli był tam już i wie, że ja też odwiedzam ten gmach. Niezłe miejsce na spotkanie rodzeństwa, które nie widziało się od lat.

Tylko że to jest jednocześnie centrum miasteczka. Na skrzyżowaniach są kamery, wiadomo, a na dodatek większość policji stanowej przeczesuje teraz ulice. Nie dam rady dotrzeć do biblioteki tak, żeby nikt mnie nie zauważył, zwłaszcza z Luką u boku.

Skąd Telly miałby wiedzieć, że tam będę? On nie ma pojęcia, że ja też teraz uciekam. Robi swoje, ja robię swoje, a na tak wielkim otwartym terenie...

Przemieszczam się, ale nie wiem, jak znaleźć mój cel. Ani jak pozwolić jemu znaleźć mnie. To zaś znaczy, że się nie przygotowałam, że tego nie przemyślałam.

Jedynie sprawiłam, że Rainie i Quincy będą na mnie bardzo źli.

Powinnam zawrócić. I to od razu. Mogłabym powiedzieć, że chciałam się tylko przewietrzyć. Że przygnębiła mnie ta cała sytuacja. Uwierzą? Oczywiście, że nie. Ale jeśli wrócę sama, nie będą mi mogli nic zarzucić.

Ja jednak nie mogę tego zrobić. Powinnam. Jestem głupia, lekkomyślna i impulsywna. A z tymi wszystkimi złymi cechami miałam przecież walczyć.

Lecz może w tym rzecz. Ja taka właśnie jestem. I Telly też. Dlatego muszę go znaleźć. Bo tak naprawdę ja nie szukam Telly'ego mordercy. Szukam Telly'ego mojego brata. Jedyną rodzinę, jaka mi została.

Gdybym tylko mogła z nim porozmawiać...

Czy udałoby mi się na niego wpłynąć? Sprawić, żeby żałował? Uratować go?

Naprawdę jestem głupia.

I wtedy to sobie uświadamiam. Kiedy Rainie i Quincy zorientują się, że mnie nie ma, policja natychmiast zacznie mnie szukać. Może nawet ogłoszą alarm, jak przy porwaniu dziecka. Chociaż nie jestem pewna, czy to działa w przypadku nastolatków na gigancie. W każdym razie zgłoszą moje zniknięcie, nawet jeśli będą mnie szukać na własną rękę. W końcu w hrabstwie aż roi się teraz od funkcjonariuszy. Czemu nie skorzystać z tylu par oczu, skoro są na miejscu?

A Telly? Gdybym była nim, gdybym uciekała, polowała, cokolwiek, miałabym ze sobą radio ustawione na tej samej częstotliwości co policja. Kiedy zaczną mnie szukać, on się o tym dowie. Usłyszy oficjalne zgłoszenie, że jego siostra zniknęła.

I wtedy nie będę już musiała szukać Telly'ego.

Zakładając, że zdołam ukrywać się na tyle długo, żeby mój brat, najbardziej poszukiwany morderca w stanie, sam mnie znalazł.

Rozdział 21

– Nie ma jej. – Rainie stanęła w drzwiach i wpatrywała się w Quincy'ego, który nadal pochylał się nad komputerem.

– A Luka?

Przewróciła oczami. Nie było mowy, żeby Sharlah poszła gdziekolwiek bez psa, i oboje doskonale zdawali sobie z tego sprawę. Quincy odsunął się od komputera, jakby włączył automatyczny tryb działania. Nie tylko dlatego, że był kiedyś agentem FBI, ale także dlatego, że to nie był pierwszy raz, gdy Sharlah im zniknęła.

Rainie zajęła się domem, a Quincy podwórkiem.

Spotkali się po obu stronach otwartego okna w sypialni Sharlah.

– Przestawiła lampę i otworzyła okno od środka – stwierdziła Rainie.

Quincy pokiwał głową. Rainie wiedziała, że na pewno się tego domyślił. Nikt nie mógłby włamać się do ich domu i porwać ich córki, bo Luka wszcząłby alarm. A poza tym Sharlah dzielnie by walczyła.

Jednak myśl o tym, że zagrożenie mogło pochodzić ze strony dawno utraconego brata ich córki, bardzo Rainie niepokoiła. Czy to Telly stał tam, gdzie teraz stoi Quincy, i delikatnie zapukał w szybę? Luka zacząłby warczeć, ale jeśli Sharlah kazałaby mu być cicho, to pies by jej posłuchał. I wyskoczyłby za nią przez okno, by ruszyć śladem jej brata, jeśli tak by postanowiła.

Rainie widziała po wyrazie twarzy Quincy'ego, że on martwi się tym samym.

– Paprocie są pogniecione – oznajmił. – Ale nie jestem w stanie określić, ile osób je zdeptało.

Cofnął się o krok, lecz tam zarośla przechodziły w pokryty żwirem podjazd, z którego jeszcze trudniej było odczytać ślady.

– Nie ma jej plecaka – zawołała Rainie, która odeszła od okna, żeby sprawdzić pokój Sharlah.

– A ta koperta przyklejona pod szufladą?

Rainie zajrzała pod biurko.

– Gotówki też nie ma.

Tak, nadal przeszukiwali pokój córki, naruszając jej prywatność, gdy Sharlah nie było w domu. Na początku Rainie się to nie podobało – tyle czekali na tę dziewczynkę, a teraz traktowali ją jak przestępcę. Ale Sharlah przyszła do nich z konkretną przeszłością. Terapeutka była w tej kwestii bardzo zdecydowana. Zaufanie to coś, na co Sharlah musi sobie zasłużyć. Inne podejście byłoby z ich strony naiwnością.

Choć minęło dobre dziewięć miesięcy, odkąd przyłapali Sharlah na kłamstwie, to Rainie wiedziała, że dziewczyna nadal jest dzieckiem, które lubi mieć sekrety. Szczerze mówiąc, wszyscy troje tacy byli.

– Inne zasoby? – zapytał Quincy.

– Sprawdzam. Co z rowerem?

Rainie przeszukiwała pokój Sharlah jeszcze przez pięć minut, a potem wyszła przez kuchnię. Zbiegła po schodkach ganku, akurat gdy Quincy wyszedł z garażu.

– Zabrała rower – potwierdził.

– Oraz batoniki proteinowe i przekąski ze spiżarki – dodała Rainie.

Oboje głęboko zaczerpnęli powietrza.

– Pojechała go szukać, prawda? – Rainie pierwsza to powiedziała, ubierając ich wspólny lęk w słowa.

– Gdybyśmy my mieli starsze rodzeństwo o morderczych skłonnościach, też byśmy to zrobili.

– Dlaczego trafiła nam się adoptowana córka tak podobna do nas?

Quincy przyjrzał się żonie.

– Pewnie za karę – rzucił.

Rainie zawahała się. Lubiła czuć się silna, wiedzieć, że ma kontrolę. Ale nic nie było w stanie przygotować ją na całkowitą bezradność, która dotyka czasami rodziców. Kochać dziecko tak bardzo, a jednocześnie nie umieć ochronić go przed jego własnymi błędami.

– Jej się wydaje, że nas ratuje – mruknęła. – Na wypadek gdyby jej brat tu dotarł... Nie chce, żeby nas skrzywdził.

– Wyśledzimy jej telefon.

– Nie jest głupia, na pewno go wyłączyła. A baterię wyjęła.

– W takim razie nie może się z nim skontaktować.

– Nie sądzę, żeby w ogóle mogła. Nie wierzę, że mnie okłamała, Quincy. Myślę, że przez lata nie widziała się z bratem, a nawet o nim nie myślała.

– A jednak...

– Tak – zgodziła się Rainie.

– Nawet jeśli o nim nie myślała – podjął po chwili Quincy – to z całą pewnością on myślał o niej. Stąd te zdjęcia. Może ona wcale nie musi go szukać.

– Jeśli ją obserwuje, to ją znajdzie. Quincy, czego on chce?

– Nie mam pojęcia. To może już być nieistotne. Ten chłopak wpadł w amok. A jego relacja z siostrą... To tylko kolejna porażka w jego życiu.

Rainie nic nie odpowiedziała. Chciała zaprotestować, że to wina Telly'ego, że to on tamtej nocy złamał Sharlah rękę. Sharlah była malutką dziewczynką. Czego Telly się potem spodziewał? Powitania z otwartymi ramionami?

Tyle że jako wyszkolony funkcjonariusz służb bezpieczeństwa Rainie doskonale zdawała sobie sprawę, że jej opinia nie ma żadnego znaczenia. Wszystko sprowadzało się do tego, w co wierzy Telly. Ten, który trzyma broń.

– Powiadomię szeryf Atkins – rzuciła. – Poproszę, żeby rozesłała jej opis. Trzynastolatka na rowerze z owczarkiem niemieckim? Daleko nie ujadą.

– Właśnie. Idę po samochód.

Rainie chciała się rozdzielić, żeby sprawdzili większy teren, ale Quincy się nie zgodził. Tropić dziecko autem w pojedynkę i może jeszcze trafić na zabójcę w amoku? Podstawowe zasady bezpieczeństwa nadal obowiązywały. Poza tym wiedzieli więcej, niż im się wydawało: skoro Sharlah szukała Telly'ego, to powinna zmierzać do ostatniego miejsca, w którym go widziano, czyli na północ. Quincy kierował autem. Rainie siedziała obok niego ze wzrokiem wbitym w szybę.

– Gdyby wyjechała podjazdem, usłyszelibyśmy ją – powiedziała, kiedy Quincy wyprowadzał samochód z podwórza.

– Pewnie ruszyła ścieżkami na tyłach.

– Bezpieczniej dla łap Luki. Asfalt jest bardzo rozgrzany.

– A ona wie, że będziemy jej szukać, więc będzie unikać głównych tras. – Quincy skręcił w lewo na końcu podjazdu i ruszył w dół w kierunku miasta.

– Może powinniśmy byli więcej z nią rozmawiać – zastanawiała się Rainie, uważnie przyglądając się okolicy. – Może gdybyśmy bardziej zaangażowali ją w tę sprawę...

– Mieliśmy jej pokazać zdjęcia z miejsca zabójstwa? – odparł sucho Quincy. Bo to właśnie robili. Analizowali zdjęcia z domu Duvallów, ze sklepu na stacji EZ Gas i z zasadzki na tropicieli. Szukali podobieństw, jakiejś wskazówki, którą mogliby przekazać szeryf Atkins, żeby pomóc jej przewidzieć, co w następnej kolejności zrobi Telly Ray Nash.

– Wiem – westchnęła ciężko Rainie. – Wiem.

Jechali w milczeniu. Quincy prowadził na tyle wolno, że dwa inne samochody nadjechały z tyłu i przekroczyły podwójną żółtą linię, żeby ich wyprzedzić. Każde z nich miało przy sobie swoją komórkę. Gdyby Sharlah zmieniła zdanie i postanowiła zadzwonić albo gdyby szeryf Atkins miała jakiś odzew na zgłoszenie o zaginięciu...

Na dole wzgórza Quincy dojechał do krzyżówki. Popatrzyli w obie strony, a potem, znów kierując się przypuszczeniem, że Sharlah będzie zmierzać tam, gdzie ostatnio widziano jej brata, ruszyli na północ.

– Jak myślisz, jak dawno temu wyruszyła? – zapytał Quincy.

– Nie wiem. Pół godziny?

Widziała, że coś w myślach oblicza.

– Technicznie rzecz biorąc – oznajmił – owczarek niemiecki osiąga prędkość ponad czterdziestu pięciu kilometrów na godzinę... dlatego jest taki atrakcyjny dla służb. Ale Sharlah bierze pod uwagę spory dystans, a poza tym musi pamiętać o upale. W związku z tym zakładam, że będą się przemieszczać z prędkością kilkunastu kilometrów na godzinę. Oczywiście skrót przez las trochę im pomógł. Więc powiedzmy, że są jakieś osiem kilometrów na północ od domu. A to znaczy...

Rainie oderwała wzrok od okna, żeby zerknąć na licznik. Przejechali już pięć kilometrów. Wyprostowała się, skupiła wzrok na drodze, na szukaniu jakichkolwiek śladów Sharlah pedałującej na rowerze, z Luką u boku. Ale...

Nic.

Pola rozciągające się po prawej i kończące gwałtownie zarysem gór na horyzoncie. Po lewej Rainie widziała rów melioracyjny, wysoką trawę, a dalej pastwiska z kropkami pasących się krów. Dostrzegała zagajniki, stare stodoły, mnóstwo miejsc, w których można się zatrzymać i ukryć. O ile Sharlah już się zatrzymała. I o ile chciała się ukryć.

Quincy jechał dalej. Po dłuższej chwili Rainie wzięła go za rękę.

Nadal nie natrafili na żaden ślad córki.

– Liczymy na odzew na zgłoszenie – oznajmił Quincy w domu godzinę później. Zawrócili przez centrum, a potem ruszyli na południe, gdyby ich założenie o kierunku północnym okazało się błędne. Ale i tak niczego nie znaleźli. – Będzie potrzebować wody, cienia, odpoczynku dla Luki. W okolicy jest tyle patroli, że ktoś coś w końcu zobaczy.

Rainie pokiwała głową. Kręciła się niespokojnie po kuchni, wrzucając lód do szklanek. Słońce tak prażyło, że nawet przejażdżka samochodem wywołała u obojga silne pragnienie.

– Jesteśmy psychologami kryminalnymi – powiedziała nagle. – Musimy przestać gonić, a zacząć myśleć.

– Okej. – Quincy wziął szklankę z wodą i przyjrzał się żonie, gdy ta piła ze swojej.

– Niedokończona sprawa – stwierdziła. – O to tutaj chodzi. Sharlah i Telly mają jakąś niedokończoną sprawę.

Quincy skinął głową.

– Dawno temu Telly opiekował się swoją małą siostrą. Wiemy, że łączyła ich silna więź, ale z rodzicami już nie.

– Jednak potem nadeszła tamta noc – dokończyła Rainie – i w szale walki chłopak złamał siostrze rękę.

– Sharlah odeszła. Nigdy już jej nie zobaczył.

– Myślę, że rozsądnie będzie przyjąć, że oboje się obwiniają – powiedziała Rainie. – Wydaje mi się wręcz, że łączy ich właśnie poczucie winy. – Quincy spojrzał na nią. – Pomyśl o złych domach. Co jest wspólnym mianownikiem, jaki obserwujemy wśród dzieci? Zakładają, że to, co się im przydarzyło, to ich wina. Więc możemy przypuszczać, że za to, co stało się osiem lat temu, Sharlah obwinia siebie, a Telly siebie. I żadne z nich o tym nie mówi. Oboje godzą się z tym, że zostali rozdzieleni. Może każde z nich myślało, że to jest ich kara, zasłużona kara.

– Ale Telly zaczął zastanawiać się nad przeszłością – stwierdził Quincy. – Zachęcał go do tego Frank Duvall.

Rainie wzruszyła ramionami.

– Może zmęczyło go poczucie winy.

– Albo zaczęła w nim wzbierać złość. Zrobił, co tylko mógł, to nie była jego wina. W każdym razie namierzył Sharlah. Te zdjęcia...

– A Sharlah, zamiast wsiąść ze mną dziś wieczorem do samolotu – dokończyła Rainie – pojechała spotkać się z bratem. Mówię ci, osiem lat temu wydarzyło się coś więcej. I to teraz nimi obojgiem kieruje. Jeśli uda nam się to rozgryźć, to może wreszcie rozgryziemy Telly'ego. I zatrzymamy ten jego amok.

Quincy pokiwał głową.

– Okej. Wtedy i z Sharlah, i z Tellym rozmawiała doktor Bérénice Dudkowiak. Prawdopodobnie to ona wie najwięcej na temat śmierci ich rodziców. Mam jej dane kontaktowe z biura Tima Egana. Powinna już była dostać wezwanie, masz ochotę do niej zadzwonić?

Rainie pokiwała głową. Ale nie dała się oszukać.

– A ty?

– Ja pojadę do domu Duvallów. Musimy więcej się o nich dowiedzieć. Miałaś rację. Zabójców w amoku zawsze coś uruchamia. Wiemy, że Telly był pod ciągłą presją. Ale co przepaliło bezpiecznik? Wydaje mi się, że tamte cztery ściany znają ten sekret.

– Popracuję nad zagadką przeszłości Telly'ego – mruknęła Rainie.

– A ja nad zagadką jego teraźniejszości.

– A potem?

– Tak czy siak, sprowadzimy Sharlah bezpiecznie do domu. Obiecuję ci to, Rainie. Obiecuję.

Rozdział 22

Shelly zawiozła Cala do domu Duvallów. Tropiciel niewiele mówił po drodze, patrzył tylko na migoczący za szybą krajobraz. Stwierdziła, że lubi go choćby za to. Pogaduszki nigdy nie były jej mocną stroną.

Zaskoczyła ją srebrna toyota RAV4 zaparkowana przed domem i jakiś człowiek kręcący się przy oklejonych policyjną taśmą drzwiach. Młody. Po dwudziestce. Swobodnie ubrany. Znoszone krótkie bojówki, przepocony T-shirt i rozpięta koszula w kratkę. Zakurzone buty do wędrówek.

Shelly wysiadła z SUV-a, trzymając dłoń na kaburze. Właśnie otwierała usta, żeby zapytać młodego mężczyznę, kim jest, gdy ten odezwał się pierwszy.

– To pani jest szeryfem? – zapytał. – Bo ja chciałbym porozmawiać z szeryfem. Chciałbym porozmawiać z kimś, kto mi wytłumaczy... – Głos mu się załamał. – ...kto mi powie, co się tutaj stało.

– Henry Duvall? – odgadła Shelly, podchodząc do drzwi.

Pokiwał głową, drżącą dłonią przeczesał ciemnobrązowe włosy.

– Kiedy do mnie zadzwonili, to nie wiedziałem, dokąd jechać. No bo dokąd, jak nie do domu? Więc przyjechałem do domu. I zobaczyłem taśmę. – Zamknął oczy, jakby ciągle był w szoku. – Nie wiedziałem, dokąd jechać – powtórzył.

Shelly pokiwała głową. Jeden z jej podwładnych miał skontaktować się z synem Duvallów, ale ponieważ ciągle tyle się działo, nie miała czasu porozmawiać ani z policjantem, ani z Henrym Duvallem. Ani z rodzicami Erin Hill czy tego młodego człowieka zastrzelonego w sklepie na stacji. Uderzyło ją, ile już jest ofiar, i poczuła, że przeszedł ją dreszcz. Czworo zabitych, dwoje rannych, a nie było jeszcze nawet trzeciej.

Cal Noonan obszedł SUV-a i stanął obok niej. Uznała to za wskazówkę, by wziąć się do roboty.

– Bardzo mi przykro z powodu twojej straty – powiedziała do młodego człowieka. Odwróciła się lekko w prawo. – To Cal Noonan, jeden z najlepszych tropicieli w okolicy. Pomaga nam znaleźć osobę, która zastrzeliła twoich rodziców.

– To znaczy Telly'ego, tak? – Henry podszedł do nich, w jego głosie zabrzmiała gorycz. – Nowy projekt moich rodziców. Wspaniały projekt.

– Znasz Telly'ego?

– Nie bardzo. Spotkałem go kilka razy. Podczas ferii świątecznych. I wiosennych. Przy takich okazjach. Byłem już na studiach, gdy rodzice zdecydowali się na opiekę zastępczą.

– Czy Telly dogadywał się z twoimi rodzicami?

– Z tatą wszyscy się dogadywali. A mama nic skrzywdziłaby muchy. – Henry potrząsnął głową, wyraźnie zdenerwowany. Znów zaczął krążyć po podwórku. Stojący obok Shelly Cal skrzyżował ręce na piersi, nic nie mówiąc.

– Dlaczego zostali rodzicami zastępczymi? – zapytała Shelly.

Henry wzruszył ramionami.

– Tata zawsze uważał, że może zbawić świat. Jako nauczyciel ciągle zgłaszał się do dodatkowych zajęć, żeby pomóc nieudacznikowi albo uczniowi z problemami. Szaleństwo? – Spojrzał na nich. – Był w tym świetny. Dzieciaki go lubiły. Dorośli też. Wszyscy go lubili. Moi rodzice to dobrzy ludzie. Spytajcie, kogo chcecie. To nie jest przypadek okropnych rodziców zastępczych, którzy krzywdzą samotnego nastolatka. Rodzice kierowali się troską. I bardzo się starali. Cokolwiek się tutaj stało, winny jest Telly. Nie oni.

Shelly pomyślała, że mówi o tym z wielką pasją. Aż zbyt wielką.

– Czy rodzice rozmawiali z tobą o Tellym? Opieka zastępcza to spore wyzwanie.

– Moja mama sama miała kłopoty, gdy była nastolatką. Nie lubiła o tym mówić, ale wiem, że uciekła z domu. Miała zaledwie szesnaście lat i była zdana tylko na siebie... Mówiła, że nie wie, co by się z nią stało, gdyby nie spotkała taty. Opieka zastępcza to był jej pomysł. Wydaje mi się, że chyba nie wiedziała, co ze sobą zrobić, kiedy ja opuściłem już dom. Za dużo wolnego czasu, za dużo pustej przestrzeni. Myślę, że gdyby mogła, miałaby z tuzin dzieci. Ale los był innego zdania i mieli tylko mnie. Nazywała mnie swoim cudem. Henry załkał. Głęboko odetchnął i jakoś nad sobą zapanował.

– Ostatnim razem, gdy byłem w domu – podjął – mama uczyła Telly'ego domowego budżetu, jak zarządzać rachunkami, jak robić zakupy spożywcze czy pranie. Uczyła go też gotowania... kurczak z parmezanem. Ej, ja sam nie umiem zrobić takiego kurczaka jak ona.

– Twoi rodzice przygotowywali Telly'ego do samodzielnego życia – stwierdziła Shelly.

Henry spojrzał na nią.

– Cóż, do college'u to on się raczej nie wybierał.

Pewnie, taki przybłęda – pomyślała Shelly. To Henry wciąż dzierżył tytuł odnoszącego sukcesy syna, podczas gdy Telly... Telly był tylko „projektem".

– Mówiłeś, że twoja mama uciekła z domu, kiedy miała szesnaście lat. A jej rodzina?

– Nigdy ich nie poznałem – odpowiedział Henry.

– Żyją? Zerwała kontakty z rodzicami?

Henry wzruszył ramionami, lecz nie patrzył Shelly w oczy.

– A rodzina twojego ojca? – zapytała.

– Dziadkowie umarli, jak byłem dzieckiem. Ojciec nie miał rodzeństwa.

– Bliscy przyjaciele, znajomi?

– Mamy? Nie wiem. Była wolontariuszką. Ale nie sądzę, żeby miała najlepszą przyjaciółkę albo kogoś takiego. Takim kimś był dla niej tata. Zwykle wystarczali sobie nawzajem.

Ciekawe – pomyślała Shelly.

– Z tego co wiem, pracujesz dla jakiejś firmy w Beaverton – powiedziała.

– Wziąłem parę dni wolnego. Byłem w Astorii, na kempingu z kolegami. Miałem nadzieję, że pod koniec wycieczki zajrzę do domu. Zrobię rodzicom niespodziankę.

Twarz Henry'ego wykrzywiła się. Wychodził z szoku. Ogarniała go rozpacz.

– Kiedy ostatni raz widziałeś rodziców? – zapytała Shelly, przyglądając się jego ciemnym włosom i ciemnym oczom.

– Nie wiem. Z miesiąc temu, na czwartego lipca? Za długo, powiedziałaby mama, i dlatego pomyślałem, że wpadnę. – Henry podrapał się po policzku.

– A kiedy ostatni raz się kontaktowaliście?

– Parę tygodni temu, na początku sierpnia.

– Rodzice wspomnieli wtedy o czymś szczególnym?

Chwila wahania. Henry pokręcił głową.

– Żadnych problemów z Tellym? – nalegała Shelly.

Znów cisza, a potem potrząśnięcie głową.

Shelly nic już nie mówiła. Czekała.

– Nie mogę... nie mogę wejść do środka?

– Nie. Wciąż tam pracujemy.

– Znaleźliście Telly'ego? Są jakieś tropy?

– Powiadomię cię natychmiast, gdy się czegoś dowiemy.

Henry nadal stał na podwórku, z rękoma w kieszeniach i wzrokiem wbitym w oklejone taśmą drzwi.

– Pewnie będziecie mieć jakieś pytania, prawda? Mogę jakoś pomóc? – W jego głosie słychać było prośbę.

– Gdybyś mógł zostać na miejscu chociaż przez kilka najbliższych dni, bardzo by nam to pomogło.

– Okej, znajdę jakiś hotel, kemping, cokolwiek. Dam pani mój numer. – Podyktował cyfry. Shelly wpisała je do swojej służbowej komórki, a potem podała numer do siebie.

Mężczyzna znów z trudem wciągnął powietrze.

– A... a ciała moich rodziców?

– Ze względu na okoliczności koroner będzie musiał przeprowadzić pełną autopsję. Niestety, jesteśmy teraz wszyscy... mocno zajęci.

– Druga strzelanina. Słyszałem. Dlaczego on to robi?! – Nagły wybuch wściekłości. – Przecież moi rodzice starali się mu pomóc. A on tak po prostu ich zastrzelił? A potem pojechał sobie i zabił kolejnych ludzi? Kto robi coś takiego? Co to za człowiek...

Shelly nie potrafiła odpowiedzieć. Henry Duvall ucichł, jakby uświadomił sobie daremność swoich pytań.

– Moi rodzice to dobrzy ludzie – powtórzył. – Nie zasłużyli na to.

– Bardzo mi przykro.

– Sprawdźcie zamrażarkę – rzucił, gdy ich mijał, zmierzając do swojego RAV4. – Mama trzymała pieniądze w takich torebkach zamykanych na klips. Pod mrożonym groszkiem, za indykiem i tak dalej. To była jej autorska wersja oszczędności na czarną godzinę. Telly zajrzałby tam, gdyby chciał ukraść gotówkę.

– Ile?

– Myślę, że parę setek. No i oczywiście sejf z bronią. Tata miał sześć sztuk broni, trzy pistolety i trzy karabiny. Powinny być w sejfie w piwnicy. Chyba że... – Henry nagle zrozumiał, co się stało z bronią. To jej Telly użył, żeby zamordować jego rodziców.

– Dam znać, gdy się czegoś dowiemy – powiedziała łagodnym tonem Shelly.

Henry nic już nie odpowiedział. Wsiadł do samochodu, a dłonie na kierownicy wyraźnie mu się trzęsły. Ostatni członek rodziny Duvallów odjechał.

Shelly i Cal nadal stali na podwórku, obserwując go.

– Ciemne włosy, ciemne oczy – mruknęła szeryf pod nosem.

– Buty do wędrówek – zawtórował jej Cal, odnosząc się do opisu młodego mężczyzny, którego Jack George widział z Tellym na stacji EZ Gas.

– I nie do końca szczere odpowiedzi. Henry Duvall coś ukrywa.

– Rodzony syn i nastolatek przyjęty pod opiekę zawiązują spisek, żeby zamordować rodziców? – zapytał Cal z powątpiewaniem.

Shelly zmarszczyła brwi i podrapała się po bliznach na szyi.

– Żadnego wielkiego spadku do podziału. A mimo to...

Więcej pytań niż odpowiedzi. Jak cała ta sprawa.

Po raz kolejny potrząsnęła głową, a potem wprowadziła Cala na miejsce zbrodni.

Upał zrobił swoje, jeśli chodzi o zapach. Nie wspominając o muchach. Skąd one się w ogóle biorą? – pomyślała Shelly. Gdy tylko pojawi się najmniejszy ślad krwi... Muchy przecinały powietrze przed nimi.

Całe ich chmary. Ciała Duvallów zostały zabrane, a pościel schowana do worków i oznaczona, więc owadom pozostało osuszanie kałuż krwi obok łóżka, a to najwyraźniej nie zaspokajało ich potrzeb.

Shelly zamknęła drzwi do głównej sypialni. Miała wrażenie, że tego dnia widziała już zbyt wiele krwi. Będzie jej się potem śnić, o ile w ogóle uda jej się położyć do łóżka.

Cal był już w kuchni. Dała mu parę rękawiczek, gdy tylko weszli do domu. Spojrzał teraz na nią, z ręką w rękawiczce na otwartych drzwiczkach zamrażarki, i pokręcił głową.

A więc jeśli były tu jakieś zapasy gotówki na czarną godzinę, to Telly z nich skorzystał.

Parę godzin temu Shelly stała w tej kuchni z Quincym. Przyjrzała się jej drugi raz, pragnąc, by zdradziła coś więcej.

Technicy kryminalni wykonali wstępne badania. Widziała czarny proszek do zbierania odcisków, świeże ubytki w linoleum, które wycięto i zabrano do analizy. Być może były tam krople krwi. Kto to wie?

Próbowała objąć ten dom świeżym spojrzeniem. Nie jako szeryf, która patrzy na miejsce koszmarnej zbrodni, ale jak siedemnastolatek, który potrzebuje domu.

W kuchni było czysto. To pierwsza rzecz, jaką zauważyła. Czy nastolatek zwróciłby na to uwagę? W skromnym salonie również panował porządek. Kolejny dowód na to, że Sandra Duvall dbała o dom. Wielka kanapa wydawała się wygodna, a przykrywająca ją kolorowa wełniana narzuta była równiutko ułożona.

Może było tu zbyt porządnie? Może to było takie miejsce, w którym patykowaty chłopak bał się nawet odstawić gdzieś torbę, a co dopiero położyć stopy, żeby nie narobić sobie kłopotów? À propos stóp...

Shelly podeszła do szafy przy drzwiach wejściowych. Otworzyła ją i zobaczyła kolekcję płaszczy i kurtek, ułożonych w następującej kolejności: jej, jego, niewielka przerwa i dwie sztuki osobno. Kurtka przeciwdeszczowa i znoszona męska. Pewnie Telly'ego.

Na dole w szafie stały buty. Głównie sportowe, gumiaki i takie, które szybko się wsuwa, żeby wyjść na podwórze. I znów, pod kurtkami Telly'ego, dwie pary tenisówek, zwykła i modna markowa. Codzienne i na wyjścia? Ale w takim razie, co ma na nogach teraz? Buty do wędrówek czy jakieś sportowe sandały? Wolałaby coś niewygodnego, co by go spowalniało, ale wątpiła, by mieli tyle szczęścia.

Wróciła do Cala, który nadal przyglądał się lodówce.

– Nie ma plecaka – oznajmiła, co miało sens, bo Jack George powiedział, że widział Telly'ego z plecakiem.

– W lodówce jest mnóstwo jedzenia – stwierdził Cal. – Dobrego jedzenia: domowa zapiekanka, świeże owoce i warzywa. Na pewno jest lepiej wyposażona niż moja.

– Ty masz pewnie dużo sera – zauważyła Shelly, odnosząc się do jego pracy.

– Żeby!

– Ja mam w lodówce jogurt – powiedziała.

– Szczyt marzeń.

Okej, odczucie – pomyślała Shelly. Jakie to było odczucie mieszkać tutaj? Pierwszy rzut oka to nieco podniszczona, ale zadbana otwarta przestrzeń. Z mnóstwem osobistych detali. Zdjęcia na kominku w salonie z balu maturalnego Henry'ego i zakończenia liceum. Ładna grafika z kwiatami, z takich kupionych na wyprzedaży garażowej, ale najwyraźniej pani Duvall pasowała kolorystyka albo przypominała jej własny ogród, bo zdecydowała się ją powiesić na ścianie.

Dbałość – to właśnie Shelly widziała, rozglądając się dokoła. To nie była zamożna rodzina. Żadnych nowych samochodów czy markowych elementów wyposażenia. A mimo to mieli uroczy dom. Biorąc pod uwagę poprzednie domy zastępcze Telly'ego – czy choćby perspektywę przebywania w ośrodku młodzieżowym – to był zdecydowanie krok naprzód. Gdy przekraczał ten próg po raz pierwszy, powinien był pomyśleć, że ma bardzo dużo szczęścia.

– Komputer? – zapytał Cal z salonu.

– Stacjonarny. Był na tym małym stoliku w rogu. Odesłaliśmy go technikom do analizy.

– Okej.

– Czego szukasz? – zapytała Shelly, przechodząc z kuchni do salonu.

– Telly'ego. Szukam Telly'ego. Bo na razie to wszystko... – Cal wskazał ręką. – To wszystko to matka. To jej dom. Jej strefa. Nie mam nic przeciwko, ale gdy jest się nastoletnim chłopcem...

– To nie jest jego przestrzeń.

– Nie. Może posiedzieć przy stole, żeby zjeść, może poleżeć na kanapie i pooglądać telewizję. Ale to nie jest on. A wspólny rodzinny komputer... Na pewno nic na nim swojego nie zostawił, poza tym nastolatki używają dzisiaj komórek, a nie komputerów.

– Telefon Telly'ego znaleźliśmy w porzuconym pick-upie, przynajmniej tę komórkę z abonamentem rodzinnym Duvallów. Być może ma drugą, na kartę. Nastolatki lubią mieć taką możliwość, do aktywności, o których rodzice mają nie wiedzieć...

Cal spojrzał na nią.

– Gadka morderców, tak? Nie znam się na tym, ale w tego rodzaju sytuacjach... Zabójcy często wrzucają do sieci wiadomości, piszą pełne pasji pamiętniki. „Świat ich zawiódł. Świat jest im coś winien". Ale gdzie to jest? Gdzie jest jakiś znak świadczący o problemach tego dzieciaka?

Shelly zrozumiała. Im dłużej oglądała ten dom, tym wyraźniej widziała to, co Cal, jako mężczyzna, zauważył od razu. To była strefa kobiety. Czyli gdy Telly chciał uciec, zniknąć...

– Jego pokój – powiedziała.

Za pierwszym razem prowadził Quincy, szedł wąskim korytarzem, szukając ciał w sypialniach. Teraz Shelly ruszyła przodem. Pierwsza sypialnia należała do Duvallów, pozostałe dwie miały otwarte drzwi.

Pierwszy pokój. Urządzony po spartańsku. Ciemna boazeria na ścianach, podwójne łóżko, małe drewniane biurko ze stosem papierów. Zauważyła ładowarkę, chyba do iPoda albo komórki, ale bez urządzenia.

– Nie zabrał ładowarki – mruknęła, choć nie była pewna, czy to ma jakiekolwiek znaczenie.

– W lesie i tak by się nie przydała. – Cal przyglądał się książkom, które wydawały się jedynymi przedmiotami o charakterze osobistym w tym pomieszczeniu. Shelly zerknęła na grzbiety. Lee Child, Brad Taylor oraz... *Przygody Hucka Finna*. Może szkolna lektura. Ale nic niepokojącego. – Sfotografowano ten pokój?

– Tak.

– Przeszukano?

– Wstępnie. Byliśmy nieco... zajęci.

– Mogę? – zapytał, wskazując dłonią pomieszczenie, a Shelly skinęła.

Właściwie nie wiedziała, co tropiciel zamierza w pierwszej kolejności. Wyciągnie szuflady? Ostuka ściany? Zerwie panele w podłodze? Ale Cal podszedł prosto do łóżka. Położył się na nim, wsunął dłonie pod głowę i wbił wzrok w sufit.

Naśladował siedemnastolatka zatopionego we własnym świecie. Starał się myśleć jak poszukiwany.

Wczuwając się w rolę, Shelly usiadła przy biurku. Niewiele tam było do zobaczenia. Ciemne ściany, ciasno, a przecież nie była szczególnie wysoka. Telly siedział tutaj, zgarbiony nad lekcjami. Z informacji szkolnych wynikało, że nie był orłem, lecz trudno powiedzieć, czy brakowało mu zdolności, czy też się nie starał. Jego ostatnie działania nie świadczyły jej zdaniem o braku inteligencji.

Przesunęła palcami po drewnianym blacie. Wyczuła wgniecenia i zadrapania po mnóstwie słów pisanych przez tyle lat, dekad, pokoleń. Wysunęła rozchwierutaną szufladę. Kartki, karteczki samoprzylepne, mnóstwo długopisów. Ale pamiętnika brak.

Może pisał coś w internecie. Miała wrażenie, że dzisiejsze nastolatki żyją bardziej w mediach społecznościowych niż w prawdziwym świecie. Technicy komputerowi sprawdzą to prędzej czy później. Poza tym podwładni Shelly starali się właśnie o nakaz ujawnienia zapisów od operatora komórkowego Duvallów. Ale próbując myśleć jak Telly...

Nie wyobrażała go sobie online. Nie wiedziała dlaczego. Po prostu nie. On był konkretny. Nie chciał tylko widzieć świata, chciał go czuć własnymi dłońmi. Stąd wybór lektur, wytarmoszonych papierowych wydań, a nie e-booków, które czytają teraz wszyscy.

– Na suficie coś jest – oznajmił Cal.

Shelly wyprostowała się. Tropiciel był tak cicho, że zupełnie o nim zapomniała.

– Co?

– Nie wiem. W zależności od tego, jak pada światło, widzę połyski. Kręgi. Wzór. Może rysunek, jakieś zawijasy?

– Czekaj. – Shelly pochyliła się z powrotem nad szufladą. Kolekcja długopisów. Neonowe kolory. Tylko że długopisy wydawały się w dłoniach jakieś takie nienaturalnie ciężkie. I miały masywne, okrągłe zakończenia... Są ciężkie przez baterie, stwierdziła, bo są w nich żaróweczki. Światło ultrafioletowe. I niewidzialny atrament. – Zasłoń zasłony – poleciła Calowi.

Zerwała się z krzesła, by zgasić światło przy drzwiach. Cal bez słowa wykonał polecenie. A potem, gdy pokój wypełniła przytłumiona szarość, a słońce przedzierało się tylko przez szpary w zasłonach...

Shelly wcisnęła przycisk długopisu. Wiązką światła UV trafiła Calowi prosto w oczy. Przeniosła ją na sufit i ukazał im się napis. Litera po literze. Słowo po słowie.

– Kim... – odczytał pierwsze ze słów Cal.

– Jestem... – Shelly udało się z drugim.

– Zerem...

– Bohaterem...

– Zerem czy bohaterem – przeczytali chórem.

– Kim jestem – powtórzyła Shelly. – Zerem czy bohaterem. – Oświetlając magicznym długopisem resztę sufitu i pokryte drewnem ściany, wszędzie zobaczyli te same słowa. Niekończącą się litanię: *Kim jestem, kim jestem, kim jestem, kim jestem?* Od czasu do czasu z wtrąceniem: *Zerem czy bohaterem.* Ale przede wszystkim: *Kim jestem, kim jestem, kim jestem?*

Telly Ray Nash jak najbardziej prowadził dziennik. Wypełniał całą jego sypialnię. Wyrażał dręczące go wątpliwości, presję i stres.

Kim jestem?

Zerem czy bohaterem.

Shelly bardzo chciała, żeby chłopak wybrał tę lepszą odpowiedź.

Rozdział 23

Quincy zauważył SUV-a Shelly zaparkowanego przed domem Du-vallów. Wszedł do środka i zastał ją w zaciemnionej sypialni Telly'ego. Jakaś postać leżała na łóżku chłopaka. Instynktownie sięgnął do kabury na łydce, gdy nagle zaświecił się trzymany przez Shelly długopis.

A na suficie... I ścianach... *Kim jestem, kim jestem, kim jestem, kim jestem?*

Zerem czy bohaterem.

Kim jestem?

Słowa te pokrywały cały sufit i obłożone drewnianą boazerią ściany. W niektórych miejscach pismo było duże, ale w rogach literki były niewiarygodnie ściśnięte. Różne dni, pomyślał Quincy. Różne nastroje. Ale to samo palące pytanie. Za każdym razem.

Co kuratorka Aly Sanchez mówiła o swoim podopiecznym? Że Telly to dzieciak na krawędzi.

Teraz i tutaj, w tym ultrafioletowym świetle, Quincy niemal czuł nieustanną presję, z jaką chłopak mierzył się w ścianach swojej własnej sypialni.

Kim jestem? W rzeczy samej. *Zerem czy bohaterem.* Dla Telly'ego Raya Nasha to pytanie było bardzo skomplikowane. I ryzykowne.

– Hipergrafia – powiedział cicho Quincy. Shelly obróciła się gwałtownie, przykładając dłoń do kabury. Quincy domyślił się, że nie usłyszała, jak wchodzi. Wypuściła głośno powietrze i skierowała ku podłodze świecący długopis, a jej towarzysz na łóżku usiadł. – Założę się, że gdybyśmy znaleźli jakiś zeszyt Telly'ego, też byłby calutki zapisany. Może nawet tym samym zdaniem. To rodzaj zaburzenia obsesyjno-kompulsywnego. Niektórzy muszą myć ręce raz po raz, żeby złagodzić niepokój. Telly musiał pisać.

– Nie widziałem żadnych zeszytów. – Tajemniczy człowiek wstał z łóżka. Miał na sobie terenowe ubranie, długie jasne spodnie turystyczne, zieloną koszulę i ciężkie buty. – Cześć, Cal Noonan. Tropiciel. Jestem też kierownikiem w fabryce serów.

Mężczyzna wyciągnął dłoń. Quincy ją uścisnął.

– Pierce Quincy. Konsultant służb bezpieczeństwa. Shelly poprosiła mnie o pomoc, bo znam się na umysłach szaleńców.

– Jesteś psychologiem kryminalnym?

– Trafiony, zatopiony. – Quincy nie spuszczał oka z Shelly.

Pokręciła głową, domyślając się, o co zamierza zapytać.

– Zgłoszenie o zaginięciu rozesłano, ale ani śladu Sharlah. – Odchrząknęła. – Przybrana córka Quincy'ego, Sharlah – wyjaśniła Calowi – to młodsza siostra Telly'ego.

Cal stał między nimi z rękami na biodrach.

– I zniknęła teraz? Z własnej woli?

– Najprawdopodobniej.

– Żeby spotkać się z bratem, tak?

– Moja córka ma trzynaście lat. Wiem już, że jak się ma w domu nastolatka, to trudno być czegokolwiek pewnym.

Cal pokiwał głową.

– Ja w tym momencie staram się myśleć jak siedemnastoletni chłopak. Bez oporów przyznam, że na razie jest od nas lepszy.

– Nie powinieneś być w lesie? Uważasz, że Telly będzie się kręcił tutaj?

– Chłopak ma quada. A to daje mu taką prędkość, która przekracza moje umiejętności. W tej chwili czekamy na wieści z helikoptera, z gorącej linii albo na łut szczęścia jakiegoś patrolu. A skoro tylko czekamy, to poprosiłem Shelly, żeby mnie tu przywiozła. Miałem nadzieję, że może coś zauważę... Bo mam szczególną perspektywę. – Cal z powagą popatrzył na Quincy'ego. – Ten chłopak postrzelił dwoje członków mojej drużyny. Ja mu nie odpuszczę.

– Przykro mi.

– To był ciężki dzień dla wielu ludzi – stwierdził Cal, i to wystarczyło.

– Co się udało znaleźć? Poza... tym?

– Czy oni zwykle nie piszą? – zapytał Cal. – Nie chodzi mi o ścibolenie atramentem po ścianach, ale o media społecznościowe, blogi, pamiętniki?

– Teoretycznie tak. Sądząc po tym, co tu mamy, obstawiałbym pamiętniki i posty w mediach.

– W pokoju nie ma żadnych pamiętników – wtrąciła Shelly.

– Zabrał je ze sobą? – zapytał Cal.

Quincy wzruszył ramionami.

– Możliwe. Ale...

– Ale co? – ponagliła Shelly.

– Większość morderców masowych chce, żeby o ich wściekłości dowiedział się cały świat. I dlatego piszą listy, zamieszczają ogólnodostępne posty. Jeśli Telly rzeczywiście prowadził pamiętnik, to powinien zostawić go tak, żeby łatwo go było znaleźć. Ukrywanie go byłoby dziwne. Ale nie jestem pewien, czy to ma jakieś znaczenie. Co z komputerem?

– Na razie nic. Szczerze mówiąc, atak na tropicieli... trochę nas zdenerwował. Z jednej strony z całego stanu zjeżdżają posiłki. Z drugiej...

– Zdecydowanie trudniej skupić się na zadaniu – dokończył Quincy.

Shelly pokiwała głową, a Quincy po wyrazie jej twarzy domyślił się, że to wyznanie sporo ją kosztowało.

– Dobrze zrobiliście, że tu przyjechaliście – pocieszył ją. – Gdy ma się wątpliwości, trzeba się przegrupować. I masz rację – zwrócił się do Cala – cokolwiek by się działo, wszystko sprowadza się do jednego, a dokładniej do jednej osoby. Do Telly'ego Raya Nasha. Im lepiej go zrozumiemy, tym większa szansa na postęp. Więc czego dowiedzieliśmy się do tej pory?

– To nastolatek z problemami – podsumowała Shelly. – Przed chwilą poznaliśmy starszego syna Duvallów, Henry'ego. Twierdzi, że jego rodzice to wspaniali ludzie, całkowicie oddani idei pomocy takiemu dzieciakowi jak Telly, żeby jakoś wyprowadzić go na ludzi. Ale to nie zmienia faktu, że Telly ma za sobą traumatyczną przeszłość i że pod presją ujawnia się jego wybuchowy charakter. A sądząc po ścianach jego sypialni, stres, który przeżywa, jest ogromny.

Quincy pokiwał głową.

– Innymi słowy, biologiczni rodzice Telly'ego mogli zasłużyć na to, co ich spotkało. Natomiast Duvallowie...

– Nie trafiliśmy na razie na nikogo, kto powiedziałby o nich złe słowo – uzupełniła Shelly. – Cokolwiek wywołało dzisiejszy wybuch agresji...

– Prawdopodobnie ma więcej wspólnego z Tellym niż z Duvallami.

Shelly przytaknęła.

– Chociaż sprawa robi się intrygująca, bo mamy świadka, który widział Telly'ego Raya Nasha na stacji benzynowej EZ Gas dwa tygodnie temu. Z młodym mężczyzną, którego opis pasuje do Henry'ego Duvalla.

Quincy uniósł brew.

– Prawdę mówiąc, ten opis pasuje do mniej więcej jednej trzeciej młodych mężczyzn. Ale raczej wyślę kogoś, żeby sprawdził, co Henry robił dwa tygodnie temu.

– Czy znamy jakiś powód, dla którego Henry mógłby chcieć skrzywdzić rodziców?

– Żadnego. Ale lista rzeczy, których nie wiemy, jest w tej chwili o wiele dłuższa od spisu tych, które wiemy. Henry twierdzi też, że jego rodzice nie mieli bliższych znajomych ani przyjaciół. Wystarczała im wzajemna miłość.

Quincy nie zareagował na suchy ton szeryf Atkins. Tak szczerze to samo można by powiedzieć o nim i o Rainie, choć na takie stwierdzenie jego żona tylko przewróciłaby oczami. Ale rzeczywiście mieli bardzo ograniczony krąg znajomych. Zwykle wieczory spędzali w domu we dwoje. No i z Sharlah.

– Ten chłopak myśli – odezwał się Cal. – Wybuchowy charakter zawsze oznaczał dla mnie kogoś impulsywnego, ale nie jestem już pewien. Z tego co widziałem dziś rano, Telly Ray Nash jest bystry. Przejście rowem melioracyjnym od stacji benzynowej było bardzo dobrym ruchem. A potem, w tym trzecim domu, poświęcił czas, żeby się przebrać...

– Co takiego? – wtrącił Quincy.

– Chłopak zmienił koszulkę, wziął sobie czapkę bejsbolową,

a nawet wysmarował twarz pastą do butów. Zakładam, że po to, żeby zmienić swój wygląd. No i ukradł tego quada. Jeśli robi to wszystko w stanie amoku, to jest najmądrzejszym szaleńcem, jakiego znam.

Quincy zmarszczył brwi. Nie podobało mu się to, co usłyszał.

– Aly Sanchez mówiła, że Telly'emu zdarzały się wybuchy przemocy – zwrócił się do Shelly. – Wpadał w taki szał, że potem nawet nie pamiętał, co zrobił. Lecz jeśli teraz dba o to, żeby zmienić swój wygląd, kradnie quada, żeby uciec przed policją... Cal ma rację: tu nie chodzi o wybuch wściekłości i impulsywne działanie. Telly wie, co robi. To nie jest jakaś bitewna gorączka, z której się wreszcie ocknie.

Shelly nic nie powiedziała, bo cóż mogła powiedzieć?

Quincy ponownie rozejrzał się po pokoju. Idąc śladem Shelly i Cala, postarał się wczuć w psychikę zestresowanego nastolatka. Chłopca, którego dom rodzinny był pełen przemocy prowadzącej do tragedii. Ale miał siostrę i był do niej przywiązany, z tego czego Rainie się dowiedziała. Może dla laików to nic szczególnego, lecz tego rodzaju wczesne więzi są niezwykle ważne. To powinno pomóc Telly'emu nawiązywać późniejsze relacje, na przykład z Duvallami, którzy zaoferowali mu dom.

Tylko że on ich też zabił. Według opisów to były dwa zupełnie inne domy. Ale w obu skończyło się tym samym.

Quincy'emu nie podobał się logiczny wniosek, jaki płynął z tej myśli. Szczególnie ze względu na Sharlah.

– Musimy go znaleźć – mruknął, bardziej do siebie niż do Shelly i Cala. – Telly być może zaczął od wybuchu złości i zastrzelił rodziców zastępczych z powodu jakiegoś rzekomego zagrożenia, a potem w ślepej furii zaatakował na stacji benzynowej. Ale teraz już nie zachowuje się impulsywnie. Możliwe, że ma jakiś plan. I nie zatrzyma się, dopóki go nie zrealizuje.

– A jaki to plan? – zapytała Shelly.

– Tego właśnie musimy się dowiedzieć.

Rozdzielili się. Cal chciał sprawdzić garaż. Wiadomo, że Frank lubił aktywność na świeżym powietrzu, więc na pewno miał namiot, śpiwór i inne podstawowe rzeczy. Ich nieobecność oznaczałaby, że Telly jest lepiej wyposażony, niż wszyscy zakładali.

Shelly przeniosła się do salonu, żeby skontaktować się z centrum dowodzenia.

A Quincy został sam w pokoju Telly'ego. Przypomniał mu się Cal leżący na łóżku nastolatka. Niezłe podejście. Myśleć jak nasz cel – jak to określił tropiciel. A przecież dokładnie tym zajmuje się psycholog kryminalny.

Quincy nie położył się na łóżku, ale usiadł przy biurku. Przez chwilę podnosił książki, przesuwał kciukiem po przetartych grzbietach. Thrillery wojskowe. Książki z wyraźnie określonym dobrem i złem, w których ci dobrzy zawsze na koniec wygrywają. Jesteś zerem albo bohaterem. Telly na pewno po części chciał być bohaterem. Bratem, który uratował siostrę. Nastolatkiem z problemami, który zdaniem kuratorki starał się lepiej sobie radzić. Jak to powiedziała Aly? Starający się Telly był dobrym dzieciakiem. Starający się Telly był swoim własnym bohaterem.

Więc co sprawiło, że znalazł się na krawędzi?

Duvallów określano jako rodziców mentorów. Co niewątpliwie oznacza, że wytyczali zasady, których Telly musiał przestrzegać, mieli oczekiwania, które powinien spełniać. Znowu była jakaś sprzeczka w szkole? Albo przyłapano go na kłamstwie? Na piciu lub zażywaniu narkotyków?

Quincy rozpoczął metodyczne przeszukiwanie szuflad. Biurko. Nocny stolik. Stara drewniana komoda. On i Rainie mieli za sobą obowiązkowy kurs na temat dzieci i narkotyków w ramach szkolenia dla rodziców zastępczych. Śmiali się, że dwoje ekspertów od psychiki przestępców będzie miało lekcję o uzależnieniach. Ale bardzo dużo się przez tę godzinę dowiedzieli. Jako psycholodzy kryminalni nie zajmowali się narkotykami. I nie pomyśleliby o chowaniu nasączonych papierków między kartkami książek ani o ukrywaniu igieł w długopisach czy wpychaniu torebeczek z proszkiem w obudowę głośnika. Młodzież teraz ciągle miała jakieś sprzęty przy sobie, co bardzo ułatwiało przekazywanie narkotyków bez zwracania na siebie uwagi.

Lecz Quincy nie dostrzegał żadnych dowodów, by Telly był uzależniony. A im dłużej się nad tym zastanawiał, tym mniej był przekonany. Według Aly Sanchez Telly widział, jak narkotyki i alkohol zniszczyły jego rodziców. Poznał takie życie i miał więcej powodów niż inni, żeby powiedzieć „nie".

Trudno oczywiście przewidzieć, co sprawi, że ktoś wpadnie w zabójczy amok. Telly mógł zrobić mnóstwo rzeczy, za które spotkała go kara. A to mogło wzbudzić w nim żal i gniew.

Jeśli jednak Duvallowie faktycznie byli celem, to dlaczego Telly zastrzelił ich podczas snu? W teorii powinien woleć, by byli przytomni i przerażeni. By uznali władzę, jaką ich podopieczny objął nad ich życiem.

Władza. Tego tak naprawdę pragnęli zabójcy w szale. Tej chwili, gdy w końcu to oni mają kontrolę.

Wymioty. Wróciło wspomnienie, szczegół, który dręczył Quincy'ego już wcześniej. Chłopak zwymiotował na stacji EZ Gas, ale nie tutaj, nie w domu Duvallów. Jeśli był tak wrażliwy na morderstwo, to czy pierwsza strzelanina nie powinna wywołać silniejszej reakcji niż kolejna?

Chyba że podczas tej pierwszej nie był sobą. To możliwe. Coś sprawiło, że wybuchł. Przełączył się na tryb impulsywny. Zadziałał. A potem pociągnął to dalej: ukradł broń, auto, zapasy. Kierowała nim najpewniej panika. Co ja zrobiłem? Muszę uciec.

Popędził pick-upem Franka, zmierzając... donikąd. Aż silnik się przegrzał i musiał dalej iść na piechotę. I po raz pierwszy uświadomił sobie, w jakich jest tarapatach.

Może wtedy się zmienił. Zabił Duvallów pod wpływem impulsu. Ale teraz, stojąc na poboczu drogi w nieznośnym skwarze, musiał uświadomić sobie konsekwencje swojego czynu. Koniec z wątpliwościami. W kwestii bycia zerem czy bohaterem Telly miał już odpowiedź. A rozstrzygnąwszy ten dylemat, robił teraz to, co zabójcy potrafią najlepiej.

Quincy podniósł materac. Szukał pod łóżkiem. Przesunął komodę, biurko, starał się wyczuć luźniejsze panele w podłodze. Nic, nic, nic.

I nagle delikatne pukanie we framugę drzwi.

Stał w nich Cal Noonan.

– Lepiej przyjdź to zobaczyć.

***

– Brakuje namiotu. Przypuszczam, że też śpiwora i dużego plecaka. W tym kącie Frank Duvall trzymał sprzęt wycieczkowy. Połowy rzeczy nie ma.

Quincy stał w garażu razem z Shelly i Calem. Tropiciel mówił, a oni kiwali głowami.

– Zszedłem również do piwnicy, żeby sprawdzić sejf na broń. I pomyślałem sobie, że do strzelania też potrzeba sprzętu. Rozkładany stolik, okulary ochronne, zatyczki do uszu, zestaw do czyszczenia broni i oczywiście torby, żeby przewieźć to wszystko na strzelnicę. Znalazłem stolik, okulary i zatyczki. Ale nie ma toreb ani zestawu do czyszczenia broni. Nigdzie ich nie widzę.

– Telly zabrał ze sobą sporo sprzętu – mruknęła Shelly. Zmarszczyła brwi. – Ale nic takiego nie znaleźliśmy w pick-upie Duvalla ani w pobliżu auta.

– Właśnie. A miał tego wszystkiego za dużo, żeby tak po prostu schować za krzakiem. Wydaje mi się, że on to musiał gdzieś złożyć, zanim przegrzał mu się silnik.

– W swojej bazie – powiedział Quincy.

Cal pokiwał głową.

– Zła wiadomość jest taka, że jest o wiele lepiej przygotowany, niż nam się wydawało.

– A dobra? – rzuciła trzeźwo Shelly.

– To musi być gdzieś w okolicy, prawda? A skoro ma bazę, to nie oddali się za bardzo. On nie ucieka, ma bazę. To może nam pomóc.

– Mamy nagranie z monitoringu, na którym widać, jak Telly przejeżdża przez centrum około siódmej trzydzieści – powiedziała Shelly. – Wydaje się, że z tyłu w pick-upie jest duża czarna torba z uszami.

– Czyli bazę ma gdzieś na północ od miasta – stwierdził Cal. – Kolejne pytanie brzmi: czy Telly ma jakieś swoje ulubione miejsce? Może jakiś biwak, z którego już korzystał? Albo strzelnica?

– Większość miejscowych strzela na dużej polanie – zasugerowała Shelly. – Ale to nie jest miejsce na biwak.

– Rainie sprawdziła pobieżnie Duvallów – odezwał się Quincy. – Sandra regularnie zamieszczała posty na Facebooku, w tym zdjęcia Franka i Telly'ego wybierających się w plener. Na jej profilu są wzmianki o biwakach i łowiskach. I wystarczająca liczba zdjęć, żeby te miejsca zidentyfikować.

– Skorzystałby z jakiegoś miejsca, które kojarzy mu się z Frankiem? – zapytała Shelly. – Przecież właśnie go zastrzelił.

– Pójdzie tam, gdzie czuje się dobrze – stwierdził Cal.

Quincy mu przytaknął.

– Telly już sobie uświadomił, co zrobił – powiedział. – A między atakami wściekłości i nienawiści do samego siebie czuje też pewnie strach. On już nie ma odwrotu. Będzie potrzebował czasu, żeby się zastanowić. A może to zrobić tylko w takim miejscu, w którym czuje się dobrze.

Nie musiał dodawać, że jeśli dopisze im szczęście, to chłopak wykorzysta jeden z takich momentów i raz na zawsze uciszy swoje lęki i nienawiść. Jedno pociągnięcie spustu i Telly Ray Nash już nigdy nie będzie się musiał zastanawiać, kim jest.

Teraz to samo pytanie będzie sobie zadawać Sharlah.

– Powinniśmy porozmawiać z ludźmi, którzy znali Duvallów – zasugerował Quincy. – A najlepiej z jakimś znajomym strzelcem albo myśliwym. Powinni być w stanie podać nam listę ulubionych miejsc Franka.

– Jego syn może je znać – rzuciła Shelly. – Jest szansa, że Frank zabierał Telly'ego na takie same wycieczki, jak kiedyś Henry'ego. Henry może też wiedzieć dokładnie, jakiego sprzętu brakuje.

Quincy pokiwał głową.

– A ty miałabyś pretekst, żeby go jeszcze raz przesłuchać, nie wzbudzając podejrzeń.

– Podoba mi się twój tok myślenia.

– Jeszcze jedno – wtrącił Cal. Przestąpił z nogi na nogę i pierwszy raz wydał się zakłopotany. – Po drugiej stronie jest stos kartonowych pudeł z wypisanym imieniem Telly'ego. Są w nich używane garnki, patelnie, sprzęty kuchenne. Znalazłem też metalowe zamykane pudełko. Zbyt nowe, żeby pochodziło z wyprzedaży. To mnie zaciekawiło.

Cal pokazał znalezisko. Odsunął zasuwkę. Pokrywka pudełka uniosła się, ukazując cztery niespodzianki.

To zdjęcia – uświadomił sobie Quincy. Podobne do tych, które widział wcześniej. Sharlah idąca z Luką u boku. Sharlah przed ich domem. Ale w innej koszulce, zauważył. Inne zdjęcia, zrobione innego dnia niż te, które znaleźli w komórce Telly'ego.

Telly Ray Nash z całą pewnością śledził swoją młodszą siostrę. Co więcej, na tych zdjęciach był dodatkowy element: na każdym z nich, dokładnie pośrodku twarzy Sharlah, dorysował snajperski celownik.

Zrobiwszy siostrze zdjęcia, Telly zamienił ją w cel.

Rozdział 24

Luka pluska się w rzece, próbując znaleźć patyk, który właśnie mu rzuciłam. Ja już się wykąpałam. Zostawiłam rower pod drzewem i wpadłam prosto do wody, jeszcze w ubraniu. Jest tak strasznie gorąco. Za to rzeka jest niczym płynący lód, który gulgocze na kamieniach i wokół przewróconych pni drzew. Najlepsze uczucie na świecie.

Nie dotarliśmy zbyt daleko. Kilka kilometrów? Ale ten upał... Luka zmęczył się niemal od razu, a ze mną było niewiele lepiej. Potem zaczęłam się martwić, że poparzy sobie opuszki łap od rozgrzanego asfaltu. Czyli musieliśmy zejść z drogi. Tylko że na miękkim trawiastym poboczu trudno się pedałuje. Pot dosłownie skapywał mi z twarzy.

W końcu skręciłam w las. Usłyszałam wodę i to mi wystarczyło. Zsiadłam z roweru i weszłam w zacienioną błogość.

No i teraz tu jesteśmy. Wielkie plany wzięły w łeb.

Luka jest szczęśliwy. A ja...

Sama nie wiem. Zmieszana. Głupia. Nieporadna.

Winna.

Rainie i Quincy najpewniej mnie szukają. Może jedno z nich przeczesuje las za domem, a drugie jeździ w kółko po mieście. Będą się martwić. Na twarzy Rainie będzie widać napięcie, ale ona nie przestanie działać, z pistoletem wetkniętym za pasek spodenek.

Quincy z surowym, zaciętym wyrazem twarzy. Będzie wyglądał, jakby był zły, bo tak właśnie wygląda, kiedy się martwi. Dobry rok zajęło mi, zanim to zrozumiałam.

Co sprawia, że powstaje rodzina?

W systemie opieki zastępczej bardzo dużo się o tym mówi. Zwłaszcza mówią o tym terapeuci rodzinni. Pracują z przyszłymi rodzicami, żeby ustalić oczekiwania (wiem, bo jedną z moich licznych słabości jest podsłuchiwanie), i uprzedzają, że dziecko przybędzie do nich jako kompletny wrak. Wy będziecie mu oferować kochający dom, ale pamiętajcie, że ono musiało wcześniej opuścić inny. Z tego powodu może być smutne, złe albo przestraszone. Lecz nie panikujcie. Bo rodzina nie powstaje w jeden dzień.

Oczywiście dla nas też mają gotowe teksty: Nie martwcie się, jeśli od razu nie polubicie swoich nowych rodziców. To naturalne, że możecie się czuć przy nich skrępowani, zestresowani, że może być niezręcznie. Potrzebujecie czasu, żeby się nawzajem poznać. Ale to ludzie, którym na was zależy i dlatego zdecydowali się was przyjąć. Tylko że rodzina nie powstaje w jeden dzień.

Kiedy Rainie, Quincy i ja staliśmy się rodziną? Rozmyślam nad tym od ponad godziny, ale nadal nie znam odpowiedzi.

Z pewnością nie była to miłość od pierwszego wejrzenia. Rainie przynajmniej próbowała się uśmiechnąć. Quincy miał kamienny wyraz twarzy i typowy dla siebie strój. Od razu było widać, że to były agent federalny. Moja pierwsza myśl była taka, że trafiłam do obozu dla rekrutów, ewentualnie do poprawczaka. Ale przynajmniej dom był ładny.

Zaczęli od oficjalnego oprowadzenia mnie po nim. Tu jest salon, tu kuchnia, a tutaj twój pokój. Pomogę ci się rozpakować. Cóż, szybko nam poszło. To może zjemy kolację?

Czy rozmawialiśmy tamtego pierwszego wieczoru? Nie pamiętam. Myślę, że byłam zła. A może przestraszona. Albo i to, i to. Zawaliłam sprawę w poprzednim domu. Tak właśnie było. Przyszła mi do głowy jakaś głupia, szalona myśl, i chociaż powinnam była wiedzieć lepiej, zrealizowałam ją. I stałam się dzieckiem problematycznym. Ale przynajmniej niewiele mówiłam. Nawet raz słyszałam, jak któryś rodzice zastępczy mówią: „Przynajmniej jest cicha".

W ten pierwszy wieczór to pewnie Rainie gadała za wszystkich. A ja nie mogłam się doczekać, kiedy znajdę się w moim nowym pokoju. Quincy bez wątpienia łamał sobie głowę, dlaczego zdecydował się wpakować w coś takiego.

To z całą pewnością nie była miłość od pierwszego wejrzenia.

Mówią, żeby na początku skupić się na rutynie. Ustalić co-dzienny plan, trzymać się go i wszystko stanie się bardziej natu-ralne i pozbawione napięcia. Wstać, iść do szkoły, wrócić, usiąść przy stole z Rainie, która przygotowała jakąś zdrową przekąskę. Nie odzywałam się. Pytała mnie o lekcje. Nadal się nie odzywałam.

A potem brała moją teczkę i czytała notatkę od nauczyciela podsumowującą mój dzień w szkole i pracę domową. Bo impul-sywnym, nieracjonalnym dzieciom nie można powierzyć samo-dzielnego odrabiania lekcji.

Nie mogłam odejść od stołu, dopóki ich nie odrobiłam. To też można było znienawidzić. Ale przynajmniej Rainie nie gadała. Czytała książkę, gdy ja się męczyłam. Kiedy udawało mi się do-brnąć do końca, sprawdzała moją pracę domową, zakreślała to, co powinnam poprawić, a potem wracała do swojej powieści.

Przy kolacji było bardzo cicho. W którymś momencie ona i Quincy dawali sobie ze mną spokój i rozmawiali już tylko między sobą. Coś o sprawie, którą się właśnie zajmowali, albo o jakimś dawnym wydarzeniu.

A to przyciągało moją uwagę. Zbrodnie i przestępcy – jak można się tym nie fascynować? Poza tym, jak wyjaśniłam im pew-nego wieczoru, wiem wszystko o psychopatach. Stanowią co naj-mniej połowę mojej klasy.

Kiedy powstaje rodzina?

Czy jest na to jakiś przepis? Odpowiednia liczba spędzonych razem dni, zjedzonych wspólnie kolacji, rzuconych przy stole dow-cipów? Czy to raczej jakaś szczególna chwila? To popołudnie, gdy Quincy przywiózł do domu Lukę, a ja po raz pierwszy uświadomiłam sobie, że ten mężczyzna wcale nie jest taki srogi? Był po prostu zde-nerwowany. Zdobył tego psa tylko dla mnie, a teraz martwił się, że wszystko na nic. Ja nie polubię Luki, a Luka nie polubi mnie.

Tylko że ze mną i z Luką to była miłość od pierwszego wej-rzenia. Natychmiast zarzuciłam mu ręce na pokrytą gęstym futrem szyję, a on polizał mnie po twarzy, i już go kochałam. Bardziej niż kogokolwiek i cokolwiek. A potem spojrzałam na Quincy'ego i uświadomiłam sobie, że część tej miłości obejmuje także jego, bo zrobił to dla mnie.

Oraz Rainie, która już się śmiała, przeglądając psie zabawki, i była prawie tak szczęśliwa jak ja.

To Luka zrobił z nas rodzinę.

Oczywiście było to drugie czy trzecie zebranie rodzicielskie w szkole, gdy mój nauczyciel po raz kolejny tłumaczył, co robię źle, jakie mam „trudności", a Quincy nagle oznajmił:

– Nie martwią mnie trudności Sharlah. To bystra, silna i zdolna dziewczynka. Natomiast jeśli chodzi o pana...

Rainie zrugała go za to, gdy wróciliśmy do domu. A potem mocno go uściskała.

Jak powstaje rodzina?

W ten dzień, gdy oznajmiają, że cię adoptują? Wiem, że spodziewali się żywszej reakcji. Może powinnam rozpłakać się z ulgi albo z wdzięczności rzucić im się na szyje. Ale ja tylko tam siedziałam, z dłońmi na kolanach.

Bo nie jestem gadatliwa, a w tamtym momencie miałam zbyt dużo do powiedzenia. Także o uldze, miłości i radości.

Lecz jest też strach.

Bo choć nadal próbuję zrozumieć, jak powstaje rodzina, to już wiem, jak się rodzinę traci. Wiem dokładnie, czego potrzeba, żeby rodzinę zniszczyć. Aż znikną oboje rodzice. A brat... nie wiem nawet, czy nadal jest moim bratem.

Terapeuta rodzinny ma rację: rodzina nie powstaje w jeden dzień.

Ale można ją zniszczyć w jednej chwili.

Luka wrócił, ocieka wodą. Upuszcza patyk u moich stóp i wpatruje się we mnie wyczekująco, a potem otrząsa się gwałtownie. Unoszę dłonie, żeby się osłonić, ale i tak pokrywa mnie psia sierść i woda.

– Naprawdę?! – pytam go. – Naprawdę?

Z powagą patrzy mi w oczy. Patyki to najpoważniejsza rzecz na świecie. Prawie tak poważna jak pluskanie się w rzece.

Unoszę gałąź, ale nie rzucam jej od razu. Najpierw patrzę na mojego psa, na najlepszego przyjaciela na całym świecie.

– Luka – mówię, a mój głos jest równie poważny, jak wyraz jego oczu. – Nie wiem, co robię.

Luka nie odpowiada. Zawsze był doskonałym słuchaczem.

– Bo wiesz, Rainie i Quincy będą źli. Gorzej nawet, będą się martwić. A ja nie chcę, żeby się martwili. Bo ja tylko...

Nie potrafię siedzieć i czekać, co się stanie najpierw: czy mój brat zaatakuje i skrzywdzi moich nowych rodziców, czy też mój brat zaatakuje, a moi nowi rodzice skrzywdzą jego.

– Wiesz, która godzina? – pytam Lukę. – Nawet tego nie wiem. Słaby plan, jak się dobrze zastanowić. Ale jesteśmy tutaj. W drodze. Tylko że ja nie wiem, ani dokąd zmierzamy, ani jak się tam dostać.

Mogłabym skorzystać z telefonu. Włączyć go na chwilkę, żeby sprawdzić godzinę. Może nawet zobaczyłabym nasze położenie na Google Maps. Najlepiej, jakbym wyświetliła mapę wszystkich ścieżek dla quadów i sprawdziła, jak się dostać do najbliższej. Wtedy zwiększyłabym chyba szanse spotkania mojego brata. On gdzieś tam jest, a siedzenie na brzegu rzeki parę kilometrów od domu niczemu nie posłuży.

Chyba że on już zmierza do mojego domu. W takim razie, gdyby nadchodził od północy, musiałby przemierzyć te lasy. Choć określenie „te lasy" obejmuje ogromny obszar. On może już dawno być w „tych lasach", a dopóki na siebie nie wpadniemy, nic z tego nie będzie. Jednak liczenie na to, że w jakiś magiczny sposób na siebie natrafimy, nie brzmi jak dobry plan.

Znów przyglądam się Luce, który leży teraz i obgryza patyk.

– Jeśli włączę telefon – mówię do psa – to namierzą mój GPS. Przynajmniej tak to wygląda w serialach policyjnych. Nie jestem pewna, jak to się dokładnie robi, ale w telewizji ten ktoś zawsze ląduje w kajdankach. – Co nasuwa mi kolejną refleksję: – Myślisz, że mnie zakują? Ja tylko uciekłam. Ale może Rainie i Quincy o coś mnie oskarżą. Żeby mnie nastraszyć i tak dalej.

Luka przekrzywia głowę i wraca do żucia patyka.

– Ale jaki mam wybór? Przesiedzimy tutaj cały dzień? Aż skończy nam się jedzenie i woda? A potem co? Powleczemy się do domu z podkulonymi ogonami?

Na hasło „dom" Luka natychmiast nadstawia uszu. To jego ulubione słowo. Po niderlandzku też. Ale ja już kręcę głową. Nie mogę tak zrobić. I nie chodzi mi tylko o to, że to byłoby okropne. Naprawdę nie mogę. Czuję w sobie wręcz fizyczny opór. Jest niczym odłamek szkła, którego nie da się wyjąć. To właśnie sprowadza na mnie kłopoty. To nieprzejednanie, które sprawia, że muszę coś zrobić, nawet jeśli mi tego zakazano.

Wcale nie chcę być uparta czy nieposłuszna. Ja tylko... po prostu czasem muszę coś zrobić. Albo czegoś zrobić nie mogę. Żadni z moich rodziców zastępczych tego nie rozumieli. Pewnie, czytali moje akta. Zaburzenia opozycyjno-buntownicze, lęki, bla, bla, bla. Ale nigdy nikt tak naprawdę nie rozumiał, jak to jest być mną.

Rainie i Quincy rozumieją. Widzę to w ich twarzach, wiedzą, tak jakby rozpoznawali objawy, gdy mnie to nachodzi. I wycofują się, dają mi szansę. Bo w takich momentach ja nic nie mogę zrobić, a to znaczy, że ktoś musi ustąpić.

Jak teraz. Gdy wiem, że powinnam wrócić do domu, ale nie mogę.

Po prostu... nie mogę.

Więc jestem tutaj, z psem, nie wiadomo gdzie. I jedyny wybór, jaki mam, to czy włączyć telefon, czy nie.

Robię to. Nie daję już sobie czasu na myślenie. Po prostu go włączam. A jeśli ktoś mnie namierzy, to może nie będę już musiała się martwić tym, co mogę, a czego nie mogę. I to przez dłuższy czas.

Otwieram wyszukiwarkę internetową, zanim coś mnie rozproszy. Na przykład SMS od Rainie albo od Quincy'ego. Albo nagrania na poczcie głosowej z błaganiem o powrót do domu.

Najpierw mapa ścieżek dla quadów w hrabstwie Bakersville. Mam szczęście, strona szybko się ładuje. Spora sieć dróżek. Trochę trwa, zanim orientuję się na małym ekranie mojej komórki, gdzie jestem na mapie w stosunku do najbliższego szlaku.

Okazuje się, że niedaleko. Może z kilometr w dół rzeki przez las. To, czy mój brat będzie akurat na tym szlaku, bo jest ich mnóstwo, to zupełnie odrębna kwestia. Ale zawsze to jakiś początek. Coś, co ja i Luka możemy zrobić.

Wychodzę z internetu, ręce trzęsą mi się, chociaż staram się uspokoić. A potem oczywiście je widzę: osiem nowych wiadomości. I trzy nagrania na poczcie głosowej.

Wiem, co w nich będzie. Nie muszę sprawdzać. Wyłączam telefon i kontynuuję wielką ucieczkę.

Tylko że odłamek szkła we mnie ma teraz nowy cel. Wiadomości od rodziców. Te, których nie powinnam sprawdzać, w żadnym wypadku, ale absolutnie, absolutnie muszę. Tak to właśnie działa. Taka właśnie jestem. Wzdycham ciężko, a potem włączam telefon i otwieram wiadomości. Pierwsze kilka jest takich, jak się spodziewałam. *Sharlah, gdzie jesteś? Sharlah, wróć, proszę, do domu, porozmawiamy. Sharlah, chcemy tylko wiedzieć, czy jesteś bezpieczna.*

Przedostatnia jest od Rainie. Jedno słowo, niczym cios w pierś: *Rozumiem.*

I nic więcej. Ani mniej. Taka właśnie jest Rainie.

W jednej chwili oczy zachodzą mi łzami.

Tyle że jest jeszcze jedna, ostatnia wiadomość. Od Quincy'ego. I jeśli wydawało mi się, że ta od Rainie zabolała, to ta dosłownie zapiera mi dech w piersiach.

Znaleźliśmy Twojego brata – napisał. *Wracaj do domu, Sharlah. On chce z Tobą porozmawiać.*

Rozdział 25

Nie lubił mnie.

Siedział przy stole, na krześle obok Franka, i udawał, że jest wyluzowanym, zadowolonym studentem na feriach wiosennych w domu. Ale jego spojrzenie ciągle się na mnie przesuwało, gdy tarłem ser do kurczaka z parmezanem.

Przyglądał się nowemu. Temu, który przejął jego dom i jego rodziców, podczas gdy on był w szkole.

Henry zdecydowanie mnie nie lubił.

Trzymałem spuszczoną głowę. Skoncentrowałem się na kawałku parmezanu i na tarce do sera. Sandra poprosiła, żebym pomógł jej z kolacją. Chciała popisać się tym, co umie nowy dzieciak? Nie miałem, cholera, pojęcia. Robiłem, co mi kazano, przechodziłem to już milion razy. Tyle domów zastępczych. Tyle rodzeństwa, zastępczego, rodzonego, adoptowanego. Bycie nienawidzonym jako rytuał przejścia. Już to znałem.

Sandra w kuchni zachowywała się jak energetyczna bomba. Nie widziałem jej takiej chyba od mojego pierwszego dnia w tym domu. Przygotowywała sałatkę. I chleb czosnkowy. Ulubione dania jej syna, to było oczywiste. I wszystko musiało być doskonałe. Znałem już Sandrę na tyle dobrze, żeby zauważyć presję, jaką sama sobie narzucała. Jej syn przyjechał do domu. Jej podopieczny też tam był. Rodzinna kolacja musiała być idealna. Po prostu idealna.

Od naszego pierwszego wspólnego gotowania bardziej szanowałem Sandrę. I teraz również bardzo się starałem z tym tarciem sera.

Frank był szczęśliwy. Siedział przy stole, miał przed sobą otwartą puszkę piwa. Rzadki widok. Henry cały czas opowiadał o zajęciach na uczelni. Same jakieś komputerowe cuda-wianki. Kompletnie nic nie rozumiałem. Ale Frank, spec od nauk ścisłych, przytakiwał. Pewnie syn ma to po nim, bo Frank nawet zadawał pytania. A potem rozpromieniał się, słysząc odpowiedzi. Dosłownie emanował ojcowską dumą.

Za mocno tarłem ser. Zahaczyłem kciukiem o tarkę. Przesunąłem się dyskretnie do zlewu, żeby spłukać krew, zanim Sandra zorientuje się, co właśnie dodałem do parmezanu.

– Telly, co ci się stało? Skaleczyłeś się? – Za późno. Już stała obok mnie, już łapała mnie za palec, już przyglądała się rance.

– Nic mi nie jest.

– Bzdura. Frank, potrzebny nam plaster. Poszukaj, proszę.

Frank posłusznie odsunął krzesło od stołu i wyszedł z kuchni.

– A mamy plastry? Gdzie? W szafce w łazience? – zawołał z korytarza.

Sandra ruszyła za nim, zostawiając mnie i Henry'ego samych. Cały czas, nie patrząc na niego, trzymałem kciuk pod wodą.

Siedzący przy stole Henry nie był tak subtelny.

– Szykujesz się do kariery w fast foodzie? – zapytał, przeciągając samogłoski.

Nic nie odpowiedziałem. Po co? Niedługo znowu wyjedzie. Wróci na studia. A zanim nadejdzie lato, kto wie, czy nadal tu będę? Ile można gotować i strzelać? Nie wspominając o tym, że już było jasne, że większość lata spędzę na nauce, szykując się do poprawek.

Henry odepchnął krzesło od stołu. Obszedł go, żeby zbliżyć się do mnie.

Stałem przy zlewie i czułem, że cały się spinam. Frank był potężnym mężczyzną, i Henry też. A przynajmniej był wysoki. Ale może nie był tak doświadczony w bójkach jak ja.

Więc tak to się potoczy. Będzie naciskał, dopóki nie wybuchnę. A wtedy Frank i Sandra wrócą i zastaną swoich dwóch „chłopców" kotłujących się pośrodku kuchni. I w tym momencie oczywiście opowiedzą się po stronie syna. Henry'ego, złotego dziecka.

Korzyść byłaby z tego taka, że nie musiałbym się już martwić letnią szkołą. Nie byłoby mnie tutaj w wakacje.

Zakręciłem kran. Sięgnąłem po papierowy ręcznik, żeby owinąć nim skaleczony kciuk. Nasłuchiwałem kroków Franka i Sandry wracających z korytarza.

– Co ty tutaj robisz? – Henry stanął za mną i mówił mi prosto do ucha.

– Gotuję kolację.

– Chcesz zdobyć ich zaufanie? O to chodzi? Być dobrą małpką, a potem okraść ich w pierwszej chwili, gdy odwrócą wzrok?

Moja kuratorka sądowa, Aly, opowiadała mi o technikach panowania nad gniewem. Gorączkowo próbowałem przypomnieć sobie którąkolwiek z nich. Ale nie miałem pod ręką iPoda, żeby odciąć się od szyderstw Henry'ego za pomocą słuchawek.

– No dalej. Rozejrzyj się. Moi rodzice to skromni i ciężko pracujący ludzie. Nawet komputer mają pięcioletni, nadaje się najwyżej na złom. Cokolwiek sobie umyśliłeś, to nie jest odpowiedni dom. To nie są odpowiedni ludzie.

– Twoi rodzice są mili – usłyszałem swój głos. Zaskoczył nas obu.

– Co?

– Twoi rodzice. Są mili.

Henry wbił we mnie wzrok. Zebrałem się na odwagę, żeby się odwrócić i spojrzeć mu w oczy.

– Nie mam przed sobą takiej przyszłości jak ty. Być może nie mam żadnej przyszłości i sam nadaję się tylko na złom. Ale twoi rodzice starają się pomóc mi jakoś się pozbierać i ja to szanuję.

Henry zmarszczył brwi. Wciąż starał się zdecydować, czy mówię poważnie, czy nie. Ja chyba też.

A potem, za jego plecami, ciche chrząknięcie.

Frank i Sandra byli już w kuchni i obserwowali nas.

– Cóż, skoro mamy to za sobą... – rzucił Frank.

Henry się zarumienił. Sandra zachichotała nerwowo i to chyba przełamało lody. Henry i Frank wrócili do stołu. Ja i Sandra zajęliśmy się z powrotem przygotowywaniem kolacji.

– *Nigdy nie umiałeś dzielić się zabawkami* – *powiedział Frank do syna.*

Henry nie zaprotestował.

Następnego dnia Frank uznał, że obaj chłopcy powinni pójść postrzelać. Ruszyliśmy na strzelnicę w lesie, wyposażeni w niewielki arsenał, tarcze, składany stolik oraz ochronne okulary i zatyczki do uszu. Po przybyciu na miejsce ja zająłem się rozkładaniem stolika. Frank i Henry przygotowywali broń.

Henry mówił coś do ojca ściszonym głosem, jakby nie chciał, żebym słyszał.

– Czy tata mamy jeszcze żyje?

– Dlaczego pytasz?

– Bo pytam. Żyje? Mam dziadka ze strony matki czy nie?

Frank zamarł, słysząc ostry ton syna. Przysunąłem się bliżej. Wyglądało na to, że Henry dąży do konfrontacji. Nie chciałem tego przegapić.

– Wydaje mi się, że żyje. W każdym razie matka nic nie mówiła.

– Nigdy go nie poznałeś?

– Wiesz, że mama miała powody, żeby zerwać z rodziną.

– To znaczy?

– Ona powinna ci o tym opowiedzieć, Henry. Ale skąd to twoje nagłe zainteresowanie?

Henry wyjął pistolet z futerału, przesunął zamek, żeby pokazać pustą komorę, i odłożył broń na stolik. Ja wziąłem pierwszą tarczę i powoli ruszyłem w stronę poobłupywanej drewnianej palety. Ale nie odszedłem daleko.

Wiedziałem, że ojciec Sandry żyje. A przynajmniej tak zakładałem. Podły człowiek. Z tego co zrozumiałem, zabijał ludzi dla pieniędzy. Był w tym tak dobry, że awansował, teraz może sam był mafiosem. Czy to możliwe, że wiedziałem coś, czego Henry nie wiedział? Sandra aż tak by mi ufała?

– Ten staruch mnie znalazł – powiedział właśnie Henry. – Kilka tygodni temu czekał na mnie po zajęciach. Stał tam tylko i się gapił. A ja od razu miałem uczucie déjà vu. Jakbym już go kiedyś widział.

Frank milczał.

– Oznajmił, że jest moim dziadkiem. Powiedział, że chciałby mnie poznać. Zaprosił mnie na kolację w przyszłym tygodniu.

– Co? – Teraz to Frank użył ostrego tonu. W drewnianej palecie tkwiło mnóstwo pinezek. Wyciągnąłem niebieską i użyłem jej, żeby zamocować papierową tarczę. Nie śmiałem się odwrócić. – Zgodziłeś się?

– Może. Posłuchaj... Ten staruch... on jest taki podobny do mamy. Jakby... był członkiem mojej rodziny. Myślisz, że ja nie mam pytań? Ty nie chciałbyś wiedzieć więcej o swoim własnym dziadku?

– Jak twoja mama się o tym dowie, dostanie zawału.

– Chyba nie do niej się z tym zwróciłem, co? Nie bez powodu rozmawiam z tobą.

– Henry... Nie rób tego. Odmów mu. Co będziesz z tego miał? Dodatkowy prezent na Gwiazdkę? Tyle czasu dawałeś sobie radę bez dziadka. Nie niszcz matki, nawiązując teraz tę relację.

– Dlaczego to by miało ją zniszczyć? Czy ktoś mógłby mi w końcu powiedzieć, co ten facet zrobił?

– Twoja mama uciekła z domu, mając szesnaście lat. Rzuciła wszystko, żeby zamieszkać na ulicy. Czy to ci nie wystarcza?

– A jeśli on się zmienił? Wygląda okropnie staro. Może jest chory? I szuka ostatniej szansy na pogodzenie się, zanim umrze.

– To kłamliwy drań...

– A więc go poznałeś?

– Twoja matka nie chce go w swoim życiu! Mnie to w zupełności wystarcza i tobie też powinno. Myślisz, że on nie zdaje sobie z tego sprawy? Myślisz, że bez powodu zjawił się u ciebie w kampusie zamiast na naszym ganku? Zastanów się przez chwilę. Skoro tak bardzo zależy mu na tym, żeby się pogodzić, to dlaczego nie skontaktował się z matką?

– Może dlatego, że ona strzela nawet lepiej od ciebie.

O tym nie miałem pojęcia. Cały czas trzymając tarczę, odwrócony plecami do Franka i Henry'ego, zamrugałem.

– Telly – warknął Frank.

Z opóźnieniem wcisnąłem drugą pinezkę na dole tarczy, a potem z udawanym luzem podbiegłem z powrotem do nich.

– Słyszałeś.

Nic nie odpowiedziałem, bo Frank nie zadał pytania. Westchnął. Przeczesał dłonią swoje siwiejące włosy. Nigdy nie widziałem, żeby był tak zdenerwowany.

– Oczywiście, że słyszałeś – mruknął. – Na twoim miejscu też czujnie nadstawiałbym uszu. Henry, opisz swojego dziadka. Opowiedz o nim wszystko. Teraz.

Henry otworzył usta i przez chwilę wyglądał tak, jakby miał zamiar dalej się sprzeczać.

– Metr siedemdziesiąt pięć – powiedział w końcu. – Stalowosiwe włosy, przerzedzone na czubku głowy. Oczy mamy. – Jakby się rozkoszował tym stwierdzeniem. – I porusza się też trochę jak ona. Beżowy płaszcz, brązowe poliestrowe spodnie, koszula z guzikami. Taki typowy starszy pan. Ale rozpoznasz go, jak go zobaczysz. Wygląda... – Henry wzruszył ramionami. – Wygląda jak starsza męska wersja mamy.

– Jak zobaczysz tego człowieka – poinstruował mnie surowym tonem Frank – gdziekolwiek na naszym terenie, od razu mnie wezwij. Natychmiast. Jeśli zbliży się do domu, jeśli zbliży się do Sandry, strzelaj, nie zadając żadnych pytań. Jego gwałtowna śmierć nikogo nie zaskoczy, możesz być spokojny.

– Kim on jest? – zapytał ponownie Henry.

Nic nie odpowiedziałem, ale przysunąłem się bliżej Henry'ego. W tym momencie ja też chciałem to wiedzieć.

– David – odparł Frank. – David Michael Martin. Jeśli chcesz wiedzieć więcej, poszukaj w Google. Ale nie zdziw się, gdy nic nie znajdziesz. Ludzie tacy jak on... Całe życie dbał o to, żeby nie istnieć. Nie istnieć na papierze, a tym bardziej w internecie.

– Co to znaczy „nie istnieć"? Jak można nie istnieć?

Frank zacisnął wargi.

– On oznacza kłopoty. To wszystko, co musisz wiedzieć. Tam, gdzie pojawia się ten człowiek, przychodzi śmierć.

Henry się skrzywił.

– To wiekowy dziadek. Widziałem go na własne oczy. Cokolwiek zrobił w przeszłości... teraz jest stary i chce się pogodzić. Czy to się nie liczy?

– Dobry z ciebie chłopak – rzekł Frank, patrząc na syna. I nie mówił tego tak sobie. Naprawdę tak myślał. – Inteligentny, zdolny student informatyki. Ale gdzie był twój dziadek piętnaście, dziesięć, pięć lat temu? Mogę odpowiedzieć na to pytanie. Nie było go. Bo wtedy nie byłeś dla niego użyteczny.

Henry spojrzał na ojca.

– Nie rozumiem, o co ci chodzi.

– Tacy ludzie jak David... On nie chce się z nikim pogodzić, Henry. On manipuluje. Jeśli się z tobą skontaktował, to dlatego, że masz coś, czego on chce.

– Wybaczenie.

– Nie bądź głupi. On cię nawet nie zna. Co miałoby znaczyć dla niego twoje wybaczenie? Z drugiej strony twoje wykształcenie, inteligencja, znajomość komputerów... No, to jest interesujące. Przyszłość przestępczości to internet. Taki dzieciak jak ty byłby dla niego bardzo użyteczny. A jeszcze lepiej, jeśli należy do rodziny.

– Myślisz, że chce mnie zwerbować? Jak do rodzinnej firmy?

– Czemu nie? I możesz być pewien, że wszystko zrobi jak trzeba. Użyje odpowiednich słów. Powie to, co będziesz chciał usłyszeć. Doskonale wie, jak udawać dobrego. Ale koniec końców, zło to zawsze zło. Prawie zniszczył twoją matkę. Jeśli wpuścisz go do swojego życia, z tobą uczyni to samo. I nie zawaha się. Skoro stracił córkę, to myślisz, że przejmie się wnukiem? To tego rodzaju człowiek, Henry.

Chłopak spojrzał na ojca.

– Chcesz, żebym odwołał tę kolację?

– Twoja mama nigdy nie wróciła. Przez trzydzieści lat nawet nie zadzwoniła do domu. Zrezygnowała z kontaktu z własną matką. Żeby się uratować. A potem, kiedy ty się urodziłeś, żeby uratować także ciebie. To ci naprawdę powinno wystarczyć.

Henry nic nie odpowiedział. Otworzył futerał na broń. Zaczął czyścić pistolet.

– On pozwolił jej odejść – powiedziałem nagle. Bo to mnie dręczyło już od jakiegoś czasu.

Obaj wbili we mnie wzrok.

– Mówisz, że to zły człowiek, najgorszy z najgorszych. Ale jego szesnastoletnia córka odeszła i on na to pozwolił.

Widziałem po twarzy Franka, że natychmiast pojął, o co mi chodzi. Za to Henry nadal marszczył brwi.

– Mój ojciec... – usłyszałem swój głos. – Gdybyś miał coś, czego on chce... Nie odpuściłby. Nigdy nie dałby sobie tego odebrać.

Henry tylko na mnie zerknął. Widziałem, że ledwo powstrzymuje się przed szyderstwem, przed przypomnieniem kija bejsbolowego.

Za to Frank uważnie mi się przyglądał.

– Są pytania – rzekł w końcu, zwracając się do mnie, nie do Henry'ego – których nie zadaję mojej żonie.

Pokiwałem głową.

– Nie twierdzę, że nie wiem, jakie padłyby odpowiedzi – kontynuował. – Ale rozumiem, że lepiej, jeśli nigdy nie będzie musiała ich udzielić.

Czyli Sandra coś zrobiła. Nie odeszła ot tak sobie, jak brzmiała ocenzurowana wersja, bajeczka dla Henry'ego. Ona na pewno coś zrobiła. Może coś tak okropnego jak zatłuczenie kogoś kijem bejsbolowym. I to dało jej wolność. Może nawet sprowokowało do tego, żeby przyjąć kogoś takiego jak ja.

Poczułem coś wtedy. Przypływ emocji. Coś więcej niż wdzięczność. Może miłość do mojej nowej matki, a przynajmniej do tej szesnastoletniej dziewczyny, którą kiedyś była.

– Och, na litość boską – rzucił Henry. – Niedługo mi powiecie, że mama jest jakimś sekretnym zabójcą.

Frank milczał wystarczająco długo, żeby oczy jego syna gwałtownie się rozszerzyły. Ale potem szeroko się uśmiechnął.

– Tak, twoja mama. Zabijałaby chyba dobrocią.

Henry głośno się roześmiał. Pozwoliłem im pochichotać. Lecz pomyślałem, że dowiedziałem się czegoś nowego o Sandrze. Okazało się, że jest świetnym strzelcem i że ma więcej wspólnego ze mną niż ze swoim własnym dzieckiem. A potem przyszła druga myśl, bardziej niepokojąca. Jeśli Sandra zrobiła kiedyś coś, żeby kupić swoją wolność, to co się zmieniło, skoro jej ojciec pojawił się teraz w college'u jej syna?

Nastrój chwili minął, Frank i Henry skoncentrowali się z powrotem na broni.

Frank wyjął amunicję, a Henry ustawiał się do pierwszego strzału z dwudziestkidwójki.

Henry był dobry, prawie tak dobry jak Frank. Potem nadeszła moja kolej i choć czułem się bardzo niekomfortowo, że Henry mnie obserwuje, poszło mi całkiem nieźle. Lubiłem pistolet. Ze strzelbą wciąż było mi niewygodnie. Ale ruger coraz lepiej leżał mi w dłoni.

Frank zakończył swoimi sztuczkami. Henry dołączył do niego. Strzelali do pudełek po amunicji. Ustawiali papierową tarczę bokiem. A nawet na zmianę starali się trafiać w szyszki na drzewach. Później ćwiczyli przesunięcie się o trzy kroki w lewo, wyciągnięcie broni i strzał. Trzy kroki w prawo i bum, bum, bum.

Rozluźnili się i przez moment miałem jakieś surrealistyczne odczucie. Więź ojcowsko-synowska. Ona istnieje. I tak właśnie wygląda.

Wtedy przypomniałem sobie, jak zabierałem siostrzyczkę do biblioteki. Jak czytałem jej Clifforda, wielkiego czerwonego psa. Więź siostrzano-braterska. Ona też istniała. I tak wyglądała.

Zastanawiałem się, co Sharlah w tym momencie robi. Gdzie mieszka? Czy lubi swoich rodziców zastępczych? Czy jest szczęśliwa?

Zamknąłem oczy, zupełnie się wyłączyłem. Musiałem to zrobić, bo inaczej zemdlałbym od bólu w piersi.

Pora posprzątać. Odłożyłem broń. Henry poskładał stolik. Frank zapakował wszystko do pick-upa. Nikt się nie odezwał.

W drodze do domu Frank przerwał milczenie. Wypowiedział jedno zdanie:

– Ani słowa matce.

Henry i ja pokiwaliśmy głowami.

Rozdział 26

Shelly dostała wskazówkę bezpośrednio od Henry'ego Duvalla. Miała zamiar złożyć mu wizytę, wypytać o jego życiorys oraz historię rodziny, ale ze względu na uciekający czas zdecydowała się na zwykły telefon. „Czy twój ojciec miał jakieś ulubione, tylko swoje miejsce do biwakowania?" I okazało się, że tak. I dokładnie w tamtym kierunku udał się Telly Ray Nash, jadąc na północ ku stacji EZ Gas.

Kolejny krok: rekonesans.

– Nie chcę już żadnych niespodzianek – oznajmiła Shelly. Wrócili do mobilnego centrum dowodzenia. Ona, Cal, Quincy i pozostali dowódcy zespołów poszukiwawczych. – Gdy ogłaszaliśmy, że ten podejrzany jest uzbrojony i niebezpieczny, wcale nie żartowaliśmy.

– Helikoptery – zasugerował Quincy. – Trzeba wysłać jeden nad to miejsce biwakowe i sprawdzić, czy znajdą coś w podczerwieni. Będziemy wiedzieć, czy ktoś tam jest.

Shelly ciężko westchnęła.

Cal ją wyręczył.

– Podczerwień nie działa – powiedział, zerkając na szeryf. – Czy też, mówiąc dokładniej, zbyt często wywołuje fałszywe alarmy.

– Jest bardzo gorąco – dodała Shelly.

Cal przetłumaczył to dla pozostałych zebranych:

– Jedną z wad technologii termowizyjnej jest to, że słońce nagrzewa wszystko: skały, wodę zgromadzoną w drzewach. Przy takich temperaturach cały krajobraz świeci na czerwono. Migocze jak Vegas.

Shelly to nie bawiło.

– Możliwe.

Cal wzruszył ramionami.

– Służby lubią te swoje zabawki, ale w sumie dla takich jak ja praca zawsze będzie.

Shelly nie protestowała. W świecie po jedenastym września siły porządkowe miały ułatwiony dostęp do takich sprzętów jak kamery termowizyjne, helikoptery, GPS-y. Ale i tak zawsze trzeba było sięgać do podstaw.

– Mam jednostkę z psami do pomocy – rzuciła.

– Uwielbiam Lassie – znowu odezwał się Cal – ale pomyślałaś o kamerach? Może nie tych z powietrza, lecz na poziomie ziemi, powiedzmy monitoring leśnych szlaków? To mogłoby pomóc.

Shelly spojrzała na tropiciela. Oczywiście. Nie mogła uwierzyć, że nie pomyślała o tym wcześniej. Teraz wszędzie są elektroniczne oczy, nawet w lesie. W parkach narodowych i stanowych instaluje się czułe na ruch kamery, by obserwować życie dzikich zwierząt, a Shelly i jej detektywi sami montowali kamerki, żeby przyłapać handlarzy narkotyków albo tych, którzy uprawiają marihuanę w terenie. Owszem, las jest wielki i tajemniczy, i pełen miejsc, w których podejrzany może się ukryć. Lecz jest też usiany kamerami.

– Cholera – mruknęła. – Czemu nie pomyśleliśmy o tym trzy godziny temu?

– Trzy godziny temu sytuacja była inna. Mieliśmy poszukiwanego, który przemieszcza się pieszo, nie wiadomo w jakim kierunku. Teraz mamy ten biwak. Znamy cel, jest położony poza szlakami. Ale kamery na okolicznych szlakach warto sprawdzić.

– Sama nie wiem, czy cię lubię, czy nienawidzę – stwierdziła znużonym tonem Shelly.

Cal się uśmiechnął. Widziała po wyrazie jego twarzy, że rozumie jej frustrację, że sam czuje to samo. Że wszyscy czują to samo.

– Tak już wpływam na ludzi – zapewnił ją Cal. – A potem karmię ich serem.

Shelly odwróciła się do swojego głównego detektywa, Roya Petersona.

– Kamery na szlakach – powiedziała. – Znajdź je i zaczniemy przeglądać nagrania.

Pokiwał głową.

– Jeszcze jakieś genialne pomysły, zanim ruszymy do miejsca, w którym biwakuje morderca? – Z tym pytaniem Shelly zwróciła się do wszystkich obecnych.

– Zabierzcie ze sobą kamerki – poradził Quincy. – Jeśli Telly'ego tam nie ma, nie będziecie musieli ryzykować, zostawiając ekipę, tylko zainstalujecie sprzęt, żeby obserwował to miejsce za was.

Shelly skinęła głową.

– Dobry pomysł.

I nietrudno było to zorganizować, bo reagujące na ruch kamerki stanowiły wyposażenie mobilnego centrum dowodzenia.

– To wszystko?

Chwila namysłu, a potem wszyscy członkowie zespołu pokiwali głowami.

– Okej. To do roboty.

Cal wziął na siebie rolę głównego tropiciela. Technicznie rzecz biorąc, nie był to wybór Shelly. Zespół poszukiwawczo-ratowniczy SAR miał swoje własne dowództwo, które decydowało o takich sprawach. Ale nie była zaskoczona, gdy dowiedziała się, że to znów Cal będzie prowadzić. Biorąc pod uwagę, co przytrafiło się jego drużynie, był osobiście zainteresowany. I choć prowadził już dzisiaj jedną akcję, nie wydawał się wcale bardziej zmęczony niż pozostali.

Quincy zgodził się poczekać w mobilnym centrum dowodzenia razem z nią. Jeśli Royowi uda się znaleźć jakieś kamery w odpowiednich miejscach na szlakach, Shelly i Quincy przejrzą nagrania tak szybko, jak to będzie możliwe.

Dotarła stanowa jednostka SWAT z psami. Shelly poznała już ich gwiazdę, Molly, podczas jakiegoś pokazu. Krępy czarno-biały kundel w niczym nie przypominał psa policyjnego. Toporny tułów boksera. Kwadratowy łeb pitbulla. Plama czarnej sierści wokół prawego oka niczym opaska pirata. A do tego dyszący, szeroki pysk i zamiatanie ogonem na prawo i lewo. W sumie Molly przypominała raczej jakąś poboczną postać ze slapstickowej komedii niż superbohaterkę filmów akcji.

I dzięki temu, zdaniem Debry Cameron, opiekunki Molly, tak idealnie spełniała swoje zadanie. Uratowana z rąk pary narkomanów, już jako szczeniak wykazywała się naturalnym talentem do pracy i jeszcze większym pragnieniem zadowolenia trenerów. W zeszłym roku Deb i Molly ścigały przez pięć kilometrów po ulicach Portlandu w Oregonie podejrzaną o morderstwo. Poszukiwana, wykończona narkotykami prostytutka, która zadźgała nożem koleżankę po fachu, przemykała przez opuszczone budynki, a nawet schowała się na chwilę w niezamkniętym samochodzie, aż w końcu zemdlała na szczycie schodów przeciwpożarowych opuszczonego magazynu. Molly na tropie była bezwzględna. W górę, w dół, naokoło. Podejrzana odzyskała świadomość, akurat gdy kapiący śliną pies pochylał nad nią pysk. Rzuciła się na Molly z zakrwawionym nożem. Komiczna z wyglądu suka natychmiast złapała ją zębami za rękę.

I na tym skończył się pościg za podejrzaną, a na Molly i jej opiekunkę spadł deszcz pochwał.

Shelly obserwowała teraz, jak Deb się szykuje. Suka miała swoją własną kamizelkę. Na oko Shelly – jakąś wojskową. Ciężki czarny materiał, który ściśle obejmował krępą sylwetkę psa, pozostawiając bez ochrony jedynie białe nogi, ogon i głowę z opaską pirata. Kamizelka miała kieszonki i pasy, może żeby Molly mogła nieść własny sprzęt. Na razie Deb pakowała do plecaka butelki z wodą, przekąski i składaną miskę dla psa.

Shelly widywała już psy na służbie w specjalnym obuwiu na łapach, ale biorąc pod uwagę warunki – miały przemierzać gęsty las latem – najwyraźniej nie było takiej potrzeby.

Cal podszedł do nich. Zerknął na Molly, która przekrzywiła czarno-biały łeb i uśmiechnęła się do niego po psiemu.

– Cal Noonan – przedstawił się tropiciel, wyciągając dłoń do Deb.

– Debra Cameron.

– Hm...

Opiekunka psa uśmiechnęła się, zarzuciła sobie plecak na ramiona i pozapinała paski.

– Proszę się nie martwić. Molly nadąży.

– Co to za rasa? – Cal wskazał na sukę, która nadal radośnie dyszała.

– Najprawdopodobniej mieszanka boksera z pitbullem.

– Nigdy nie spotkałem boksera, który by tropił.

– Cóż, ja i Molly nigdy nie spotkałyśmy serowara, który by tropił, więc chyba jesteśmy kwita.

Cal zamrugał kilka razy. Odwrócił się do Shelly, jakby szukał pomocy. Ale ona tylko się uśmiechnęła. Oczywiście podała informacje o nim jednostce z psami. Profesjonalna wymiana danych.

– Gorąco – stwierdził Cal.

– Owszem.

– Będzie potrzeba mnóstwo wody.

– Rozumiem.

– Poszukiwany postrzelił dziś rano dwoje ludzi z mojego zespołu.

– Przykro mi. Co z nimi?

– Kobieta jest stabilna, mężczyzna w stanie krytycznym.

– Poinformowano mnie o sytuacji. Jak rozumiem, liczymy na efekt zaskoczenia.

– A ta bestia ma tryb skradania?

– Ta bestia ma nie tylko tryb skradania, ale ma też tryb ślinienia. Więc uważaj, bo ją na ciebie napuszczę.

Cal w końcu zdobył się na uśmiech. Wyciągnął dłoń i podrapał Molly za uchem. Suka oparła się o jego rękę i westchnęła z rozkoszy. Cal uśmiechnął się szerzej.

– Tryb ślinienia – mruknął. Wyprostował się i postarał przybrać bardziej profesjonalny wyraz twarzy. – Dziesięć minut i ruszamy.

– Nie ma problemu.

Cal odszedł na bok. Shelly patrzyła, jak sprawdza swoją broń, a potem wlewa w siebie mnóstwo wody.

Szesnasta dwadzieścia pięć. Na termometrach blisko czterdzieści stopni. Mniej więcej cztery godziny do zachodu słońca.

W świecie służb bezpieczeństwa to niemal wieczność.

Quincy przystanął obok Shelly.

– Żałujesz, że nie bierzesz udziału w akcji? – zapytał.

– Może trochę. A ty?

– Nie zazdroszczę zadania, które ich czeka. – A potem, jedno uderzenie serca później, wyszeptał pytanie: – Jakieś wieści?

– Niestety. Ale jestem pewna, że nic jej się nie stało. Miej włączony telefon. Prędzej czy później Sharlah się odezwie. Zwłaszcza że skłamałeś i napisałeś, że znaleźliśmy jej brata.

– To będzie kłamstwem, tylko jeśli nie zlokalizujemy Telly'ego, zanim ona wróci.

– Rodzicielstwo zmieniło cię w mistrza makiawelizmu. Zdajesz sobie z tego sprawę?

– Jesteś pewna, że to rodzicielstwo?

Shelly potrząsnęła głową. Ona i Quincy znali się od dawna. O psychologu kryminalnym wiadomo było, że jest gotów zrobić wszystko, by dorwać poszukiwanego. Albo, jak widać, odzyskać zaginioną córkę.

Roy wysunął głowę z mobilnego centrum dowodzenia.

– Znalazłem kamerę. Tylko jedna, może nawet nie być na właściwym szlaku. Ale mimo wszystko...

Shelly i Quincy zrozumieli sugestię.

Oboje zabrali się do pracy.

Rozdział 27

Rainie nigdy nie lubiła czekać. Tak jak prosił Quincy, zadzwoniła do doktor Bérénice Dudkowiak, psychologa kryminalnego i psychiatry klinicznego. To ona dokonała wstępnej oceny psychologicznej Telly'ego Raya Nasha osiem lat temu. Okazało się, że u doktor jest właśnie pacjent. I można zostawić jej wiadomość. Tak zrobiła. A potem zaczęła krążyć. Z komórką w ręku obchodziła kuchenny stół i przemierzała korytarz. Rundka dokoła kanapy. I z powrotem. A w międzyczasie długie chwile, gdy stała na ganku i czekała, aż jej córka w jakiś magiczny sposób powróci.

Matka Rainie nie czytała jej bajek w dzieciństwie. A gdy Sharlah zjawiła się u nich, była zbyt duża, żeby czytać jej dziecięcą klasykę. A mimo to Rainie pomyślała o *Uciekającym króliczku*, bajce o małym króliku, który grozi, że ucieknie mamie, a mama obiecuje, że znajdzie go, dokądkolwiek się uda. Jeśli zamieni się w rybkę, mama zostanie rybakiem. Jeśli zamieni się w wysoką górę, mama zostanie alpinistą.

Rainie chciała być króliczą mamą. Chciała wiedzieć, gdzie jest w tej chwili Sharlah, żeby stać się drzewem, kamieniem albo kwiatem na łące, byle tylko znaleźć się u boku córki.

Ale nie była postacią z bajki dla dzieci. Była śledczym. Więc wydrukowała sobie zdjęcia z miejsc zbrodni. Krwawa scena w domu Duvallów. Zbliżenia z monitoringu na stacji EZ Gas. Ujęcia rannych członków zespołu poszukiwawczego na trawie. I wpatrywała się w samotności w ten kolaż śmierci i zniszczenia.

To była jej praca, jej spuścizna. Zasłużyła sobie na nią.

Zadzwonił telefon. Była tak zatopiona w myślach, a jej wzrok tak skupiony szczególnie na jednej fotografii, że dzwonek zdawał się dochodzić z bardzo daleka. Z trudem się otrząsnęła. Wyprostowała się i nerwowo poszukała komórki, mrugając oczami, bo wciąż zastanawiało ją to, co zobaczyła. Coś tu nie pasowało. Ale jak to możliwe?

Kolejny dzwonek. Zerknęła na ekran telefonu, a potem zebrała wreszcie myśli. Pora się skupić. W końcu oddzwaniają z gabinetu doktor Bérénice Dudkowiak.

– Jestem Rainie Conner. Pomagam jako zewnętrzny konsultant w śledztwach prowadzonych przez biuro szeryfa hrabstwa Bakersville. Być może słyszała pani, że miała tu dziś miejsce seria strzelanin.

– Telly Ray Nash – odpowiedziała bez wahania psychiatra. – Widziałam jego twarz w wiadomościach. Nie byłam zaskoczona, gdy kilka godzin temu dostałam wezwanie. – Choć wykonane na zlecenie sądu badania psychologiczne, jak to przeprowadzone przez doktor Dudkowiak osiem lat temu, nie podlegają tak surowym rygorom poufności jak prywatne sesje pacjentów, to mimo wszystko dostęp do nich jest ograniczony. I dlatego prokurator okręgowy hrabstwa Tim Egan po rozmowie z Quincym dziś rano wysłał odpowiedni wniosek.

Chcąc mieć kwestie formalne z głowy, Rainie oznajmiła:

– Powinnam poinformować panią, że oprócz tego, że współpracuję z policją, to razem z mężem sprawujemy też opiekę zastępczą nad młodszą siostrą Telly'ego, Sharlah. Sharlah mieszka z nami od trzech lat. W listopadzie mamy nadzieję zakończyć oficjalny proces adopcyjny.

– Gratuluję.

– Dziękuję. Bardzo ją kochamy.

– I tym bardziej martwicie się jej bratem. Zakładam, że mieliście okazję go poznać?

– Nie. Gdy przekazano nam Sharlah pod opiekę, wyraźnie nam powiedziano, że ma nie kontaktować się z Tellym. Uznaliśmy, że to dlatego, że zaatakował ją osiem lat temu. Wciąż ma bliznę na ramieniu.

Po drugiej stronie linii zapadła cisza. Doktor się zastanawiała.

– Szczerze mówiąc – kontynuowała powoli Rainie – Sharlah nigdy nie pytała o brata. Teraz oczywiście zaczyna mnie to zastanawiać.

Mamy powody sądzić, że Telly chce się zobaczyć z siostrą. Może jej wręcz aktywnie szukać.

– Boicie się – powiedziała łagodnie doktor Dudkowiak.

– Jesteśmy przerażeni.

Kolejna chwila ciszy. Psychiatra jakby przetrawiała to, co usłyszała.

– Jak rozumiem – podjęła Rainie – to pani przeprowadzała wywiad, zarówno z Tellym, jak i z Sharlah, na temat zdarzeń dotyczących śmierci ich rodziców?

– To prawda. I biorąc pod uwagę sytuację, z chęcią pomogę. Jednak powinna pani wiedzieć, że ja rozmawiałam na ten temat z Tellym i jego siostrą tylko raz. A później nigdy już ich nie widziałam. I ponieważ mieliśmy tak ograniczony kontakt, nie jestem pewna, czy na cokolwiek się przydam.

– Osiem lat temu Telly Ray Nash pobił swojego ojca na śmierć kijem bejsbolowym. Do pewnego stopnia usprawiedliwiały to okoliczności. Dziś rano zastrzelił oboje rodziców zastępczych. Na razie nie odkryliśmy żadnych okoliczności łagodzących. Duvallowie opisywani są jako bardzo wspierający rodzice zastępczy, mentorzy. A mimo to... Telly zamordował ich podczas snu. A potem ruszył do lokalnego sklepu, gdzie zastrzelił dwoje obcych ludzi, po czym otworzył ogień do ścigającego go zespołu tropiącego. Telly Ray Nash to zabójca w amoku. Nawet jeśli nie zna pani odpowiedzi na wszystkie pytania, to mnie wystarczą jakiekolwiek hipotezy, podejrzenia, wątpliwości. Liczy się czas.

– Wspomniała pani, że uważacie, że on szuka siostry.

– Miał w komórce jej zdjęcia zrobione w zeszłym tygodniu. Mój mąż właśnie do mnie dzwonił z informacją, że w domu Telly'ego znaleziono kolejne zdjęcia, zrobione innego dnia. Na nich na twarzy Sharlah dorysowano celownik snajperski.

– Ale oni przez ostatnie kilka lat ani się nie widzieli, ani ze sobą nie rozmawiali?

– Z tego co wiem, to nie.

Cisza. A potem:

– To zalecenie nie wynikało z mojego raportu.

– Słucham?

– Rozdzielenie dzieci. Nie wiem, kto podjął taką decyzję, ale ja byłabym przeciwna. Osiem lat temu Telly Ray Nash był dziewięciolatkiem z ogromnymi problemami. Lecz miał siostrę. Z tego co zaobserwowałam, naprawdę ją kochał i troszczył się o nią. A ona kochała jego. Dlaczego system zdecydował o zerwaniu tej relacji, nie mam pojęcia. Prawdopodobnie zniszczyło to jedyną prawdziwą więź w życiu Telly'ego. Potem pewnie stał się jeszcze bardziej zagubiony i zły.

– Telly złamał siostrze rękę. Według opiekunki społecznej, która przeprowadzała z Sharlah wywiad w szpitalu, córka twierdziła, że Telly jej nienawidzi. Opiekunka uznała, że Sharlah boi się, że brat może znowu zrobić jej krzywdę, i stąd decyzja o rozdzieleniu rodzeństwa.

– Najprawdopodobniej Sharlah była w tamtym momencie w szoku. Ale liczy się głębia jej relacji z bratem. Chciałabym o coś spytać. Jak Telly sprawował się przez te osiem lat od tamtej nocy? Czy dokonywał kolejnych aktów agresji?

– Opisano go jako nastolatka o wybuchowym charakterze, z zaburzeniami opozycyjno-buntowniczymi. Ma kuratora sądowego ze względu na pewien incydent w szkole. Zdaje się, że porozbijał szkolne szafki i został zawieszony. Wrócił jednak na teren szkoły i odmówił jego opuszczenia. Wówczas został oskarżony o wtargnięcie, a także o stawianie oporu przy aresztowaniu.

– A sytuacja w domach zastępczych? – zapytała doktor Dudkowiak. – Ile czasu przebywał u każdej rodziny?

– Wygląda na to, że krótko. Wiem, że... Sharlah miała tak samo, zanim trafiła do nas.

– Daleko jej do złości brata?

– Ma swoje własne problemy.

– Domyślam się.

– Duvallowie... Przedstawiono nam ich jako ostatnią szansę Telly'ego, ale też jego najlepszą szansę. Poleciła ich kuratorka sądowa. Frank Duvall to nauczyciel przedmiotów ścisłych z liceum, lubiany przez uczniów. Nie reprezentowali podejścia „będziemy rodziną już na zawsze", tylko raczej „prawdziwy świat czeka, a my jesteśmy tutaj po to, żeby cię na to przygotować".

– Jak Telly zachowywał się wobec nich?

– Pani Duvall uczyła go gotować, a pan Duvall, cóż, uczył Telly'ego strzelać.

Tym razem cisza trwała bardzo długo.

– Dobrze, przekażę pani moją oficjalną opinię. Z zaznaczeniem, że opierała się na bardzo skromnym kontakcie. Ale to wszystko, co mogę zaoferować.

– Okej.

– Już osiem lat temu Telly miał objawy reaktywnego za...

– Zaburzenia więzi. Wiem, co to jest.

– Oboje jego rodzice byli uzależnieni od narkotyków, żadne nie wykazywało instynktu rodzicielskiego. W połączeniu z nieustannym narażeniem na przemoc domową stworzyło to doskonały grunt, żeby chłopak czuł się zły, samotny, a nieraz na skraju wybuchu.

– Rozumiem.

– Jasnym punktem w życiu Telly'ego była jego siostra. Nauczyciele twierdzili, że dzieci były sobie bardzo bliskie. Telly przejął wobec Sharlah rolę rodzica. Opiekował się nią, a wcale nie musiało tak być. Biorąc pod uwagę, że miał cztery lata, gdy się urodziła... czyli od paru lat narażony był na zaniedbania i krzywdę... mógł być zły na dziewczynkę. Mieć do niej żal i chcieć ją skrzywdzić.

– Przekazywanie bólu – zasugerowała Rainie. – Rodzice krzywdzą pierwsze dziecko, pierwsze dziecko krzywdzi kolejne. Wyuczone działanie.

– Ale nie w przypadku Telly'ego.

– Nie w przypadku Telly'ego – powtórzyła Rainie i od razu złagodniała wobec czterolatka, który mógł uczynić z życia malutkiej Sharlah jeszcze większe piekło, lecz wolał otoczyć ją miłością.

– To ważne – kontynuowała doktor Dudkowiak. – Istnieje szerokie spektrum zdolności do tworzenia więzi. Od kompletnej niezdolności, czyli psychopatów, którym na nikim nie zależy, aż po nadmierną zdolność, czyli wszystkie matki Teresy tego świata, które na każdym kroku kogoś ratują. Telly znalazłby się bliżej tego psychopatycznego krańca. Gdyby nie relacja z siostrą. U małych dzieci wystarczy jedna więź. To naprawdę tak działa: jedna więź zmienia wszystko. Troszcząc się o siostrę, Telly zasiał w sobie zdolność do tworzenia innych bliskich relacji w późniejszym życiu.

– Takich jak ta z Duvallami? – zapytała Rainie. Quincy wcześniej zadał już to pytanie. Skoro Telly kochał kiedyś swoją siostrę, miał jakieś pojęcie o rodzinie, to czemu nie poczuł więzi z takimi zaangażowanymi i wspierającymi rodzicami zastępczymi?

– Możliwe. To oczywiście znów bardzo pobieżna ocena... nigdy nie rozmawiałam z Duvallami, nie wspominając o siedemnastoletnim Tellym. Musimy wziąć pod uwagę to, że chłopak został rozdzielony z siostrą, a był jeszcze w bardzo wrażliwym wieku i do tego po niezwykle traumatycznych przeżyciach. Myślę, że to miało na niego destrukcyjny wpływ. Kochał siostrę. Zabił własnego ojca, żeby ją chronić. A potem państwo ich rozdzieliło.

Rainie nie zastanawiała się nad tym, ale zaczynała rozumieć, do czego zmierza doktor Dudkowiak. *Kim jestem? Zerem czy bohaterem*, pisał Telly. To znaczy, że po ośmiu latach nadal starał się to przeanalizować? Co naprawdę zrobił tamtej nocy, gdy próbował uratować Sharlah, a przecież i tak ją stracił?

– Złamał siostrze rękę – powtórzyła Rainie. – To jasne, dlaczego państwu mogło się to nie podobać.

– Wspomniała pani, że charakter Telly'ego określano jako wybuchowy.

– Tak.

– To samo usłyszałam osiem lat temu. Sądzę więc, że Telly najprawdopodobniej cierpi na zaburzenie eksplozywne przerywane. Wie pani, co to jest, pani Conner?

– Rainie. Poza tym, że domyślam się, że to coś dotyczy bardzo wybuchowego charakteru, to nie.

– Dziecko czy nastolatek z zaburzeniem eksplozywnym przerywanym nie potrafi kontrolować swojej złości – wyjaśniła doktor Dudkowiak. – Coś, co ja czy pani uznałybyśmy za drobne niepowodzenie albo rozczarowanie, wywołuje w takiej osobie zupełnie nieproporcjonalny wybuch wściekłości. Czasem złość, adrenalina, szalejące emocje osiągają taki poziom, że człowiek doznaje krótkotrwałej utraty pamięci albo chwilowej utraty przytomności. Na przykład Telly przyznał, że zaatakował ojca kijem bejsbolowym, ale nie potrafił przypomnieć sobie szczegółów. Pamiętał, że ojciec dźgnął matkę nożem, a potem ich gonił. I pamiętał, że Sharlah podała mu kij...

– Sharlah podała mu kij?

– Telly ukrył siostrę w sypialni, a sam próbował odwrócić uwagę ojca. Najwyraźniej Sharlah pojawiła się z kijem i rzuciła mu go. A on użył go przeciwko ojcu. Proszę zrozumieć, Telly nie uderzył ojca raz. Zapewne wie pani, co to przesadne zastosowanie środka?

– Tak.

– Telly zatłukł ojca tym kijem. Najprawdopodobniej był pod takim wpływem adrenaliny, strachu i gniewu, że zupełnie przestał się kontrolować. W pewnym momencie Sharlah próbowała to przerwać. I wtedy zwrócił się przeciwko niej.

– I złamał jej rękę. – Rainie nie potrafiła powstrzymać dreszczu, który ją przeszedł.

Nie znała dziewięcioletniego Telly'ego, ale potrafiła sobie wyobrazić pięcioletnią Sharlah, która widziała, jak ojciec zabija nożem matkę i atakuje jej brata. A potem Telly, jej ukochany starszy brat, atakuje ją...

Jeśli Sharlah o czymś im nie mówiła, to Rainie ją teraz rozumiała. To, że ich córka w ogóle potrafiła ich pokochać, pomyślała, to był z jej strony ogromny akt odwagi.

– Tak więc osiem lat temu – kontynuowała doktor Dudkowiak – powiedziałabym, że Telly wykazuje objawy zaburzeń więzi, ma problemy z panowaniem nad gniewem i impulsami, a także zaburzenia opozycyjno-buntownicze. Ale jednym z powodów, dla których zalecałam odstąpienie od oskarżenia, było to, że dostrzegłam w nim cechy osobowości obrońcy. Przede wszystkim jego stosunek do siostry. To, że w wieku czterech lat automatycznie wszedł w rolę dorosłego. A tamtej nocy nie zabił ojca tylko z powodu gniewu czy strachu. On zabił, żeby ratować Sharlah. Przynajmniej według jego relacji.

– Dobrze – powiedziała Rainie. Chociaż wcale nie uważała, że jest dobrze. – Ale dlaczego z Telly'ego obrońcy zrobił się zabójca w amoku, z którym mamy teraz do czynienia?

– Jest kilka możliwości. Po pierwsze, zerwanie jedynej bliskiej relacji Telly'ego, tej łączącej go z siostrą, zmniejszyło zdolność chłopca do tworzenia więzi. Po drugie, wędrówka po systemie opieki zastępczej wzmogła jego nieufność, brak empatii oraz obojętność na przemoc i zanim trafił do Duvallów, było już za późno. A po trzecie, co chyba najciekawsze, Telly osiem lat temu mógł nas oszukać. Nigdy nie czuł więzi z siostrą. W rzeczywistości już wtedy był psychopatą, który zmanipulował sytuację tak, żeby doprowadzić dokładnie do tego, czego chciał, czyli do śmierci obojga rodziców.

– Skłamał w sprawie wydarzeń tamtej nocy?

– Nie musiałby kłamać, wystarczyło, by zmanipulował fakty. Na przykład mógł poczekać, aż rodzice się upiją, a potem, wiedząc, jak ich sprowokować, powiedział albo zrobił coś, co wystarczyło, żeby ojciec wpadł w szał. Od tego momentu kumulacja przemocy była nieunikniona, a Telly miał pretekst, żeby raz na zawsze rozprawić się z koszmarnym ojcem. Chciałabym móc powiedzieć, że przejrzałabym taki podstęp, ale rozmawiałam z tym chłopcem tylko trzy razy w ciągu pięciu dni. I tyle. Opinie kryminologiczne... Tacy eksperci jak ja zawsze mają mniej czasu i informacji, niż potrzebują. Może nie powinno się traktować tych opinii z nadmierną powagą.

– A więc osiem lat temu Telly był albo opiekuńczym starszym bratem, którego spotkała tragedia, albo psychopatą w zarodku?

– To się nie wyklucza. Zwłaszcza w świetle jego obecnych działań.

– To zaburzenie eksplozywne przerywane... Czy to znaczy, że coś po prostu wywołuje u Telly'ego taki wybuch? I on najpierw strzela, a potem dopiero uświadamia sobie, co zrobił?

– Tak. Ale, niestety, nie ma możliwości, żeby przewidzieć, co wywoła atak seryjnego zabójcy. Bardzo chcielibyśmy to wiedzieć.

– Ale on zabił Duvallów podczas snu. Czy nie powinni być, że tak powiem, na nogach? Nie wiem, na przykład się z nim kłócić?

– Niekoniecznie. Może wyznaczyli mu jakąś karę poprzedniego wieczoru. Telly całą noc gryzł się tym wyrokiem, a jego frustracja i złość narastały, aż nad samym ranem...

– ...przeszedł do działania. Ale co potem? – zapytała Rainie, bo Quincy przygotował jej parę pytań, na które powinien spróbować odpowiedzieć specjalista. – Jeśli pierwsza strzelanina wynikła z ataku wściekłości, to skąd teraz u niego takie opanowanie i samokontrola? Minęło osiem godzin. Nie dość, że zabił kolejne osoby, to jeszcze bardzo sprytnie unika policji. Jeśli jest w jakiejś bitewnej gorączce, to czy nie powinien popełniać błędów, działać bardziej impulsywnie?

– Niekoniecznie. Ktoś z zaburzeniem eksplozywnym przerywanym nie traci przecież swojej inteligencji, umiejętności przetrwania i tak dalej. Pierwsze zabójstwo mogło być skutkiem wybuchu agresji. Ale wydaje się całkiem oczywiste, że taka osoba wykorzysta swoje umiejętności, żeby uniknąć aresztowania. Ludzki umysł to skomplikowana materia. Telly może być obdarzony jednocześnie wybuchowym charakterem i sprytem. Impulsywny i inteligentny. Jedno nie wyklucza drugiego.

Rainie ciężko westchnęła. Rozumiała, o co chodzi doktor Dudkowiak. Laicy mają tendencję do zakładania, że dzieci z problemami borykają się tylko z jakimś jednym zaburzeniem, podczas gdy zwykle jest ich mnóstwo. I stąd trudności z terapią.

– Osiem lat temu pojawił się pewien sygnał ostrzegawczy – powiedziała psychiatra. – Pytanie, na które, według mojej wiedzy, nie odpowiedziano.

– To znaczy?

– Matka. Z raportu koronera wynikało, że została zadźgana nożem, tak jak twierdziły dzieci. Ale została też uderzona w głowę tępym narzędziem jakiś czas po ataku nożem. Co więcej, w tamtym momencie jeszcze żyła, choć biorąc pod uwagę zadaną nożem ranę, koroner wątpił, czy udałoby jej się przeżyć.

– Telly uderzył umierającą matkę kijem bejsbolowym? Kiedy? Po tym, jak zatłukł ojca?

– Sharlah nie odpowiedziała na to pytanie. Warto zaznaczyć, że oboje czuli się niezręcznie, gdy była mowa o ich matce. Ojciec wyraźnie ich stresował. Był wszechmocny, przerażający, w ich umysłach ucieleśniał zło. Ale matka... Powiedziałabym, że ich stosunek do niej był bardziej skomplikowany. Jako pasywna strona w małżeństwie mogła wydawać się mniej straszna, bardziej kochająca. Te dzieci... one właściwie nie były w stanie o niej rozmawiać, a ja, jak już mówiłam, miałam za mało czasu, żeby coś z nich wycisnąć. W końcu Telly powiedział, że to pewnie on ją uderzył. Natomiast ja zastanawiałam się...

– Tak?

– Czy Sharlah nie zainterweniowała właśnie wtedy. Nie gdy tłukł ojca na miazgę, tylko gdy uderzył matkę. Może dla Sharlah to było zbyt wiele.

– Telly działa w amoku – myślała na głos Rainie – wali ojca raz za razem, a potem rusza w kierunku matki, tylko że po pierwszym ciosie Sharlah staje między nimi. I wtedy Telly atakuje ją, dziewczynka krzyczy.

– I on się ocknął. Przynajmniej tak twierdził – uzupełniła doktor Dudkowiak. – W chwili gdy Sharlah krzyknęła, uświadomił sobie, co robi. Odłożył kij i stał nieruchomo, aż przyjechała policja.

– Ale pani w to nie wierzy? – zapytała ostrożnie Rainie.

– Nie wierzę to zbyt mocne słowa. Ale... ojciec Telly'ego miał nóż. I próbował ich zabić. Telly miał mnóstwo powodów, by bronić się kijem bejsbolowym. A jak już zaczął nim wymachiwać, to być może dziecku z takim charakterem trudno było przestać.

– Wybuch wściekłości.

– Do tego adrenalina i strach. W tak pełnym przemocy domu wszystko się łączy. Tylko dlaczego w takim scenariuszu miałby się zwrócić przeciwko matce? Ona leży na podłodze. Jest nieprzytomna, właściwie umiera. Co sprawiło, że Telly się nią zainteresował? Dlaczego przestał bić ojca i przeniósł gniew na matkę?

– Nie wiem – odparła Rainie. – Może jęknęła albo westchnęła.

– Pokazała, że wciąż żyje? – zasugerowała psychiatra.

W tym momencie Rainie zrozumiała, do czego doktor Dudkowiak zmierza.

– Pierwsze zabójstwo, ojca, miało charakter wybuchu. Ale drugie, uderzenie matki w głowę...

– Było wykalkulowane. I wskazane. Bo gdyby ich matka przeżyła... Ich słaba, pasywna, uzależniona od narkotyków matka...

– Nigdy nie byliby bezpieczni.

– Rysuje się pewien wzór: zabicie rodziców zastępczych, które można uznać za wybuch wściekłości, i kolejne morderstwa, które już nie są wcale impulsywne. I może to nie jest nowy wzór. Może Telly po prostu powtarza to, czego nauczył się osiem lat temu. To by wyjaśniało, dlaczego szuka swojej siostry.

– Jak to? – zapytała gwałtownie Rainie.

– To ona go wtedy zatrzymała. Może w głębi duszy pragnie, by zatrzymała go też teraz. Albo może...

Doktor Dudkowiak się zawahała.

– Co?

– Może chce z tym skończyć. Raz na zawsze. Świat okazał się okrutnym i strasznym miejscem dla Telly'ego Raya Nasha i jego siostry. I teraz postanowił z tym skończyć dla nich obojga.

Rozdział 28

Szlak prowadzący do ulubionego miejsca biwakowego Franka Duvalla odchodził od drogi, przecinał pas wysokiej trawy, a potem
wiódł coraz głębiej w zarośla i biegł prosto przez cztery kilometry
aż do skalnej wychodni, która zdaniem Henry'ego Duvalla ofero-
wała jeden z najlepszych widoków na ocean. Ścieżki tej nie było
na żadnej mapie. Najprawdopodobniej wydeptały ją pierwotnie
dzikie zwierzęta podczas swoich wędrówek. W lesie pełno jest takich szlaków. Cal spędził w dzieciństwie masę dni na badaniu nowych tras w leśnej gęstwinie. Najwyraźniej Frank Duvall robił to
samo.

To miała być cicha operacja, więc zaparkowali samochód kilometr wcześniej przy zawrotce obok sklepu wędkarskiego. Kolejna
zaleta ulubionego miejsca biwakowego Franka – znajdowało się
tuż nad popularnym wśród wędkarzy strumieniem, dzięki czemu
łatwo było zapewnić sobie obiad.

Jeden z funkcjonariuszy przepytał już właściciela sklepu wędkarskiego, czy nie widział chłopaka odpowiadającego rysopisowi
Telly'ego. Nie widział. Jednak Cal dostrzegł, że mężczyzna odwrócił wzrok, gdy odpowiadał na to pytanie, a potem nerwowo
zerkał na telewizor.

Cal nie był ekspertem, a jedynie serowarem i tropicielem, ale
nawet dla niego było to podejrzane zachowanie.

Nie żeby to miało znaczenie. Nowy zespół tropiący – Cal,
opiekunka psa Deb, pies Molly i nowa obstawa ze SWAT: Darren
i Mitch – miał plan i zamierzał się go trzymać.

Na początku trasy Molly usiadła, co najwyraźniej oznaczało,
że złapała trop człowieka. Deb dała suce sygnał, żeby tropiła, a ta
natychmiast ruszyła wąską, wijącą się ścieżką.

Deb twierdziła, że zwana pieszczotliwie Mollianką suka będzie biegła swoim zabawnym kołyszącym krokiem, aż zapach człowieka osiągnie określoną masę krytyczną. Wówczas Molly się położy, alarmując ich, że tropiony człowiek znajduje się tuż przed nimi. Mieli nadzieję, że da ten sygnał, zanim poszukiwany otworzy do nich ogień.

Cal był zdenerwowany. A nie lubił tego. Nie był przyzwyczajony, by odczuwać napięcie w środku lasu, w miejscu, w którym zawsze czuł się jak w domu. A ten wydeptany przez zwierzęta szlak był taki piękny, oferował wszystko, co najwspanialsze podczas wędrówek po górach wybrzeża Pacyfiku. Gdy tylko opuścili wyblakły od słońca asfalt, wkroczyli do cienistego sanktuarium, ze ścianami z gęstych, wysokich jodeł, dywanem z grubego mchu i kopcami bujnych paproci. W lesie było chłodniej. I lepiej też pachniało. Zielenią, która wcale nie jest zapachem, ale powinna. Bo tak właśnie według Cala pachniał las: głęboką zielenią.

Przez to wszystko jeszcze bardziej nie lubił tego dzieciaka. Bo sprawił, że Calowi, choć znajdował się w świątyni lasu, wciąż brzmiało w uszach echo wystrzałów, a potem krzyki jego kolegów z zespołu.

Ręce mu drżały. Jemu, któremu dłonie nigdy się nie trzęsą.

Zauważył jakiś znak na pniu drzewa z przodu, gestem nakazał drużynie zatrzymanie się. Jodła rosnąca tuż przy ścieżce była stosunkowo młoda, wysoka i cienka. Będzie musiała jeszcze urosnąć, by przebić się do słońca. Gałęzi na dole brakowało. Opadły, może zostały odłamane przez wędrowców, by ułatwić przejście wąskim szlakiem. Ale to nie wyjaśniało białej szramy mniej więcej na wysokości ramienia.

Cal przyłożył do niej palec i poczuł ziarenka kleistej żywicy – jodła leczyła swoją ranę. Bez wątpienia świeżą.

Zespół czekał, dwaj snajperzy SWAT obserwowali las, a Deb pochyliła się i podrapała Molly za uszami. Pies wykorzystał przerwę, żeby usiąść. Szeroko rozstawił łapy, odsłonił białe gardło powyżej czarnej kamizelki, odchylając gruby kark, by oprzeć się o dłoń opiekunki, i wydał z siebie pełen szczęścia pomruk.

– Jesteś pewna, że to stworzenie to pies? – zapytał Cal, nadal uważnie oglądając drzewo.

– Osobiście uratowałam ją z meliny narkomanów.

– To sporo wyjaśnia.

– Niby co? Że ledwo przeżyła? Gdy pierwszy raz zobaczyłam Molly, to była sama skóra i kości. Olbrzymia głowa, wychudzone, wijące się ciałko. Przypominała mi kijankę, stąd ksywka: Mollianka. I była szczenna. Okazało się, że nosi siedem małych, więc biorąc pod uwagę jej stan, nie miała prawa przeżyć. Lecz jej się udało. Urodziła siedem ślicznych szczeniaczków i opiekowała się nimi cały czas, bez względu na swoje problemy. Pieski szybko znalazły domy. Ale roczny miks boksera i pitbulla? Molly nie miała lekko. Więc postanowiłam sama ją adoptować. Jako psa domowego. Pracowałam już wtedy z moim kolejnym psem tropiącym, rocznym labradorem. Jego też nadal mam. Tylko że teraz to on jest psem domowym, a Molly, która obserwowała sesje treningowe, została gwiazdą. Rasa to tylko punkt wyjścia dla psów pracujących. Tak naprawdę liczy się serce, a Mollianka ma największe serce, jakie widziałam.

– Założę się, że chrapie – stwierdził Cal.

– Jak parowóz – zapewniła go Deb. – O co chodzi z tą szramą?

– Widzisz to białe drewno? Świeże skaleczenie. Drzewo dopiero rozpoczęło proces gojenia. Zainteresowało mnie to ze względu na wysokość. Możecie przejść przede mnie?

Nie chciał zanieczyścić tropu dla Mollianki. Deb doceniła to i obie z suką przesunęły się do przodu. Cal mógł teraz zrównać się z jodłą i sprawdzić, że dziura w drzewie jest niemal dokładnie w połowie między jego łokciem a ramieniem. Wyglądało to tak jakby...

– Lufa karabinu – stwierdził stojący obok Darren.

Cal odwrócił się, by spojrzeć na funkcjonariusza SWAT, który zastąpił Antonia.

– Tak właśnie myślę. Chłopak idzie tym szlakiem, ma ze sobą plecak, śpiwór, mnóstwo pudełek z amunicją. A do tego trzy karabiny. – Cal się skrzywił. – Wiadomo, dwa może nieść na plecach. Ale trzeci na pewno trzyma w ręku, w gotowości. A to znaczy, że koniec jego lufy... – Przytknął palce do wyrwy w korze drzewa.

Przez chwilę nikt się nie odzywał. Obaj funkcjonariusze SWAT uważnie obserwowali otoczenie.

– Nie może nas zauważyć – powiedziała w końcu Deb.

– Owszem – zgodził się Cal. – Musimy podkraść się do biwaku, zgarnąć broń i obezwładnić mordercę. Nic trudnego. Ruszyli dalej.

W połowie drogi zatrzeszczała krótkofalówka Cala. Zarządził gestem postój i odszedł na bok, żeby porozmawiać z szeryf Atkins, ściszywszy najpierw urządzenie.

– Jakieś postępy? – zapytała.

– Molly chyba idzie śladem zapachu człowieka. Cząsteczki zapachu w powietrzu utrzymują się od ośmiu do dwunastu godzin, więc zdaniem Deb ktoś musiał dzisiaj tędy przechodzić.

– A ty co sądzisz?

– Trudny szlak do tropienia. Podłoże z sypkiego igliwia. Świetnie się po tym chodzi, ale nie zostają ślady. Znaleźliśmy świeże zadrapanie na drzewie oraz zagłębienia w wilgotniejszych miejscach, więc raczej zgadzam się z Molly: ktoś już dzisiaj szedł tą ścieżką.

– Przejrzeliśmy nagrania z kamery z pobliskiego szlaku, jak zasugerowałeś. Trasa Umatilla nie dociera do tego biwaku, ale przechodzi tuż obok od wschodniej strony. Niestety kamera na szlaku ustawiona jest tak, by nagrywać życie zwierząt, czyli na wysokości kostek. Wiedzieliśmy buty paru grup wędrowców, czasem jakiejś dwójki. Ale żadnych pojedynczych osób.

– Co nie oznacza, że Telly tam nie wrócił. Tylko że jeśli to zrobił, to użył innego dojścia.

– To prawda.

– Ta trasa z kamerą, Umatilla, ona jest na mapach?

– Tak.

– Na jego miejscu wolałbym jej uniknąć. Szlaki, które widnieją na mapach, są uczęszczane o tej porze roku. Lepiej trzymać się mniej znanych ścieżek, takich jak ta wydeptana przez zwierzynę. Wygląda na to, że Frank Duvall sporo wiedział i dzielił się tą wiedzą ze swoimi synami.

Shelly nie odpowiedziała.

– Coś jeszcze powinienem wiedzieć? – zapytał Cal.

– Według Henry'ego jest jeszcze kilka miejsc, które moglibyśmy potem sprawdzić. O wiele dalej stąd, ale skoro Telly ma dostęp do quada, są w jego zasięgu.

– Będzie dobrze – oznajmił Cal. – W prawdziwym życiu trop stygnie, ale wcześniej czy później zawsze udaje się go na powrót podjąć. Pamiętajmy, że on będzie potrzebować wody. Nawet jeśli nie zastaniemy go na tym biwaku, to i tak go znajdziemy.

Shelly nadal milczała. Czyżby o czymś myślała? Czymś się martwiła?

Cal nigdy dotąd nie pracował z szeryf Atkins. Słyszał co nieco o tym, jak wyciągnęła agenta federalnego z płonącego budynku. I widział lśniące blizny na jej szyi, które wydawały się to potwierdzać.

Twarda kobieta – pomyślał. I intrygująca.

– Odezwijcie się za trzydzieści minut – powiedziała Shelly.

Cal potwierdził.

I znów ruszyli dalej.

Mollianka położyła się. Tak po prostu. Szła. A w następnej chwili już leżała.

Nie padła ze zmęczenia, co Cal w pełni by zrozumiał po półtoragodzinnym intensywnym marszu. Bardziej jakby się przyczaiła. Baryłkowaty tułów nisko, ale napięty, uszy w górze, czujny wzrok skierowany na opiekunkę. Deb uniosła dłoń, choć nie było takiej potrzeby. Gdy tylko pies się zatrzymał, przystanęła też reszta ekipy. Do tego momentu Cal patrzył na tego dziwnego kundla jak na maszynkę do produkowania śliny. Teraz jednak to dostrzegł. Domieszkę pitbulla. I to spojrzenie, które suka skierowała na Deb...

Pociesznie wyglądająca Molly była gotowa umrzeć dla swojego człowieka. Wykonała pierwsze zadanie, szła tropem zapachu. Teraz przygotowywała się do kolejnego kroku.

Cal zsunął karabin z ramienia, a dwaj funkcjonariusze SWAT przystąpili do działania. Rekonesans. Potrzebowali informacji. Nie tylko tej, że na biwaku ktoś jest, ale też: ilu ich jest i jak dobrze są przygotowani. Żeby tę wiedzę zdobyć, Darren wybrał drzewo, jedno z niewielu liściastych wokół, o grubszych konarach. Jego drobniejszy i młodszy towarzysz, Mitch, wskoczył na pobliski głaz, a z niego na najniższą gałąź. Bez słowa wspinał się w górę, szukając jak najlepszego punktu obserwacyjnego. W końcu się zatrzymał, oparł plecami o pień i popatrzył przez lornetkę na miejsce biwaku. Uniósł jeden palec.

Jeden cel.

Darren przyjął to do wiadomości, a Mitch wycelował broń, bo jego punkt obserwacyjny zmienił się właśnie w posterunek snajperski.

Mieli zielone światło do użycia wszelkich środków, zanim w ogóle wyruszyli. Oczywiście najlepiej byłoby schwytać poszukiwanego żywego. Ale biorąc pod uwagę jego dokonania, to, co stało się z poprzednią ekipą tropicieli...

To właśnie taki uciekinier – pomyślał Cal. To właśnie taki dzień. I znów zaczęły mu się trząść ręce. Ręce, które nigdy nie drżały.

Serowar. Tropiciel. A teraz to.

Darren przywołał Cala i Deb do siebie. Taktyka leżała w jego gestii, więc słuchali uważnie, gdy rysował mapkę na ziemi i przedstawiał im swój plan. Mitch zapewni im z góry wsparcie, a oni rozdzielą się, jednocześnie się podkradną i na sygnał Darrena wpadną na miejsce biwaku.

Funkcjonariusz zerknął na Molly, potem na Deb, unosząc w niemym pytaniu brew. Oczywiście chciał, żeby suka poszła pierwsza, jako atakujący pies policyjny, który wzbudziłby strach, a równocześnie stanowił trudniejszy do trafienia cel. Gdyby dopisało im wyjątkowe szczęście, Molly obezwładniłaby przeciwnika, zanim wyszliby spośród drzew. A przynajmniej odwróciłaby jego uwagę na tyle długo, by zdołali go zaskoczyć.

Deb skinęła głową, jej dłoń spoczywała na kwadratowym łbie Molly. Policjantka i pies policyjny. Ale nawet Cal domyślał się, że gdyby coś poszło źle, strata byłaby dużo większa niż tylko zawodowa. Zarówno dla psa, jak i dla jego opiekunki.

Trzymał własną broń przed sobą. Poprosił o przydział do tej akcji. Do tego zespołu. Do tej ekipy. Da radę.

Kolejne gesty, kolejne rysunki na ziemi i już. Plan gotowy. Deb i Molly miały pójść dalej szlakiem. Darren w lewo. A Cal w prawo. Ruszyli.

***

Cal dwa razy przystanął, by otrzeć pot z czoła. Sam nie wiedział, czy to przez narastający upał, czy coraz większe napięcie, ale nagle bardzo wyraźnie poczuł, że jego ulubiona koszulka klei mu się do ciała, a oczy zalewa pot. Las nie był już chłodnym, cienistym sanktuarium. Nie wyczuwał nawet zapachu zieleni.

Zauważył natomiast, skradając się wokół głazów i stąpając cicho pośród sięgających kolan paproci, że dokoła zapadła niesamowita cisza. Czuł zapach ziemi, zgnilizny i rozkładu. Zapach śmierci, choć wiedział, że to sprawka jego wyobraźni.

Nigdy jeszcze do nikogo nie strzelił. Nie lubił nawet polować. W zupełności wystarczało mu samo chodzenie po lesie.

Tak to się kończy, pomyślał z ironią, jak człowiek za bardzo angażuje się w wolontariat.

Trzask łamanej gałązki daleko po lewej. Darren. Lepiej, żeby dobrze strzelał, pomyślał gorzko Cal, bo skrada się jak ostatni dureń.

I wtedy musiało to nastąpić.

Gwizd, wysoko u góry. Sygnał od Mitcha, że ich cel, zaalarmowany hałasem, zaczął się poruszać.

Niemal natychmiast zabrzmiał ptasi odzew Darrena i...

Głęboki, niski warkot, gdy Molly pędziła ścieżką. Szczekała w biegu. Nie była już teraz psem tropiącym. Na miejsce biwaku wpadł bojowy pies policyjny.

Cal nie miał czasu na myślenie. Znalazł wyrwę w zaroślach i ruszył w sam środek szaleństwa.

Rozdział 29

Wszystko było rozmazane. Cal o wiele więcej słyszał, niż widział. Nagły trzask łamanych gałązek i kilka ciał przedzierających się przez zarośla. Szczekanie Mollianki, niskie i wściekłe. A potem krzyk człowieka i zimna komenda Deb:

– Stój! Policja.

Znowu szczekanie, znowu krzyk. Cal zatrzymał się na polance, z karabinem w dłoniach. Krew huczała mu w uszach. Zasadzka. Strzały. Krzyki przerażenia. Był na to wszystko przygotowany. Wszystkiego się spodziewał. Jego żyły wypełniała adrenalina. I coś jeszcze. Wściekłość. Surowa i prymitywna, bo ten dzieciak zastrzelił jego ludzi. Bo Cal zawalił sprawę i wprowadził swoją drużynę prosto pod lufę zabójcy.

Nonie krzyczała, gdy upadała. Ciągle krzyczała. A potem Antonio. Cal mógł jedynie rzucić się na ziemię i czekać, aż sytuacja się uspokoi.

Przyskoczył do chłopaka, zanim uświadomił sobie, co robi. Przytknął karabin do ciemnowłosej głowy.

– Rzuć broń, rzuć broń, rzuć broń!

I koniec. Tak po prostu.

Zobaczył Molly, stojącą na usztywnionych łapach po drugiej stronie skulonej postaci. Deb znajdowała się tuż za swoim psem, a Darren metr po prawej od tropiciela. Żadne z nich nie patrzyło na skulonego na ziemi człowieka. Wszyscy gapili się na Cala.

Jęk. Przykurczonej postaci na ziemi.

– Nie strzelaj, człowieku. No błagam, nie strzelaj.

Cal ocknął się. Uświadomił sobie, jak bardzo się trzęsie. Jakby był na krawędzi.

Powoli i ostrożnie cofnął się o krok.

Szok – pomyślał. Opóźniony żal i wściekłość z powodu porannych wydarzeń. Może nawet syndrom stresu pourazowego, o ile można go dostać w ciągu paru godzin. Ale czemu nie? Jest przecież tylko serowarem i tropicielem. I nigdy na żadnym szkoleniu nie uczyli go, jak sobie radzić, gdy samemu jest się celem. Albo kiedy patrzysz, jak członkowie twojej ekipy padają jeden za drugim.

Serowar. Tropiciel śladów. A teraz, pomyślał, jeszcze ktoś.

Deb przejęła kontrolę. Jej pies, jej zdobycz.

– Pokaż ręce – zażądała głosem, który nie znosił sprzeciwu.

Mężczyzna klęczał zgięty wpół. Większą część jego pleców zasłaniał plecak w kolorze khaki. Ramionami osłaniał sobie głowę. Prawdopodobnie w odpowiedzi na rozszczekany atak Molly, nie ze względu na otaczających go ludzi. Teraz wyciągnął ręce do góry.

– Powoli wyprostuj tułów. Nie wstawaj! Tylko się wyprostuj.

Mężczyzna wykonał polecenie. Rzeczywiście dzieciak. Starszy nastolatek, ciemnoblond włosy, przepocona ciemnozielona koszulka. I z całą pewnością nie był to Telly Ray Nash.

Tylko przerażony turysta, który, sądząc po widoku jego spodni i zapachu, właśnie się zsikał.

– Jezus Maria – szepnął teraz. – O cokolwiek chodzi... błagam, człowieku. Błagam.

– Nazwisko? – warknął Darren.

– Ed. Ed Young.

– Co tutaj robisz, Ed?

– Wędruję sobie, człowieku. W lesie jest... po prostu chłodniej. Pomyślałem, że przenocuję na biwaku. Popływam w rzece, ochłodzę się.

– Sam?

– No... pewnie. – Wzrok chłopaka uciekł w bok.

Jak na komendę Molly zawarczała z głębi gardła.

– Zabrałem telefon – dodał pośpiesznie chłopak. – Może zadzwoniłbym później po kumpli. Ale nie poszczęściło mi się, sami zobaczcie. Na tym biwaku zawsze pierwszeństwo ma ten, kto jest tu pierwszy, a mnie ktoś uprzedził. Tak bywa, nie?

Cal objął wzrokiem całą polanę. Było to coś w rodzaju prowizorycznego miejsca biwakowego. Zwęglone resztki starego ogniska, otoczone kamieniami, niedaleko od miejsca, w którym klęczał Ed. Dalej, po lewej, platforma ze starych drewnianych palet, na której leżał stos rzeczy. Palety pozwalały biwakowiczom uchronić siebie i sprzęt przed błotem przy deszczowej pogodzie. To popularny trik w górach na północnym zachodzie, na wybrzeżu Pacyfiku, gdzie pada nawet wtedy, gdy świeci słońce.

Darren skinął głową, by Cal czynił honory. Tropiciel podszedł do platformy, uważnie przyjrzał się ziemi, czy nie ma tam śladów stóp albo czegokolwiek, co powinien oznaczyć. Ale gruby dywan igieł nie ujawniał żadnych tajemnic. Więcej szczęścia miał z ułożonymi na platformie rzeczami.

– Śpiwór – zawołał, gdy się zbliżył i czubkiem lufy zaczął przerzucać stos. – Namiot. Plecak.

Przyklęknął. Namiot był złożony i umieszczony w zielonej torbie do transportu. Na brzegu widniał ciemny napis. „F. Duvall" – odczytał, a potem zerknął na Darrena.

– Frank Duvall. To jego rzeczy. Tu ma bazę.

Darren odwrócił się do Eda.

– Kogo tutaj widziałeś? – zapytał ostrym tonem.

– Co? Kogo? Człowieku, ja nikogo nie widziałem. Sam dopiero co tu dotarłem, zobaczyłem te rzeczy i nagle wyskoczyliście z lasu. A ten pies... – Spojrzał na Molly, która nadal trwała w czujnej postawie, i zadrżał. – No ludzie... Mówię wam, nie wiem, o co chodzi, ale ja nic nie zrobiłem.

Nawet Cal się domyślił, że było wręcz przeciwnie.

Darren był tego samego zdania. Przybrał groźną pozę, z bronią w ręku, i zapytał:

– Ile ty masz lat, Ed?

– Dzie... dziewiętnaście.

– Jesteś stąd? Tutaj dorastałeś?

– Tak.

– Liceum Bakersville?

– Tak.

– A znasz ucznia stamtąd, Telly'ego Raya Nasha?

Zmarszczenie brwi.

– Nie.

– Naprawdę? Nigdy nie słyszałeś tego nazwiska?

– Nie. Ale to przecież duża szkoła.

– Nawet dziś rano? W wiadomościach?

– A co się stało dziś rano? – Chłopak wydawał się tak zaskoczony, że Cal mu uwierzył.

– Od kiedy jesteś w trasie, Ed? – kolejne pytanie Darrena.

– Od samego rana. Wyszedłem o szóstej, żeby zdążyć przed upałem, ale, cholera, taka pogoda, że nawet o świcie jest gorąco.

– Który szlak? – odezwał się Cal.

– Umatilla. Zaparkowałem auto parę kilometrów na północ i przyszedłem stamtąd na piechotę.

A więc nie dziką ścieżką, którą przeszła ekipa poszukiwawcza, podążająca najprawdopodobniej śladem Telly'ego.

– Wyruszyłeś o szóstej rano – kontynuował Cal – i dotarłeś dopiero tutaj? Pretendujesz do tytułu najwolniejszego turysty świata?

Chłopak się zarumienił.

– Nie śpieszyłem się. Czerpałem przyjemność z widoków. – Rozłożył ręce na boki, jakby chciał podkreślić rozłożystość drzew i cudowną scenerię dokoła. Molly warknęła. Ed natychmiast wyrzucił ramiona w górę.

Z tyłu, zza Molly, Deb pochyliła się i kilka razy wciągnęła nosem powietrze.

– Wygląda mi na to, że czerpałeś przyjemność nie tylko z widoków – stwierdziła kwaśno.

– Ej, ale ja mam receptę – pośpieszył z zapewnieniem Ed. Świetnie, pomyślał Cal. Wyruszyli, by unieszkodliwić młodego zabójcę, a złapali najaranego trawą nastolatka.

– Spotkałeś dziś jakichś innych turystów? – zapytał Cal. – Na szlaku?

– No pewnie. Przecież jest sierpień. Na szlakach aż się roi od turystów. I dlatego pomyślałem, żeby przyjść tutaj. To biwak znany tylko miejscowym.

– A nie spotkałeś samotnego mężczyzny? Mniej więcej w twoim wieku.

– A bo ja wiem...

– Przypomnij sobie – powiedział Darren, robiąc mały, lecz zdecydowany krok do przodu.

– Nie! Na pewno nie. Jakieś grupki owszem. Ze trzy albo cztery, jakaś młodsza parka... I stary gość z psem. Ale żadnych samotników... takich jak ja.

– A quad? – zapytał Cal. – Widziałeś albo słyszałeś w pobliżu jakiegoś quada?

Ed popatrzył na tropiciela mało przytomnym wzrokiem.

– Tu w okolicy nie jeżdżą quady. Szlaki są za wąskie.

Cal pokiwał głową. Szlak Umatilla był oznaczony jako pieszy. Przemierzanie go na quadzie mogło być trudne, a biorąc pod uwagę stały ruch turystyczny, z pewnością zwróciłoby uwagę. Co oznaczało, że Telly mógł porzucić quada, zanim zbliżył się do biwaku. Albo podjechał do niego od innej strony. Cal nie znał szlaków rowerowych i quadowych, bo sam był piechurem.

Najprawdopodobniej Telly przybył na to miejsce z samego rana, korzystając z mało znanej, dzikiej ścieżki, którą właśnie przyszli. W takim razie nie było go na szlaku Umatilla. Zostawiwszy swoje rzeczy, wrócił tą samą drogą do samochodu. A potem wybrał się na stację benzynową, gdzie dokonał kolejnej rzezi.

Co nasuwało pytanie: skoro Telly zostawił tu sprzęt biwakowy, to może ukrył też gdzieś zapasową broń?

Cal spojrzał na Darrena i zorientował się, że funkcjonariusz SWAT myśli o tym samym.

Darren zagwizdał. W tym momencie z drzewa zsunął się Mitch i razem zaczęli uważnie przeszukiwać teren, podczas gdy Mollianka cały czas pilnowała roztrzęsionego nastolatka.

Torba na strzelby to nie jest drobny przedmiot. Na nagraniu z monitoringu widać Telly'ego z pistoletem, potem strzelał do zespołu Cala z karabinu, czyli gdzieś podziały się dwa pistolety i dwie sztuki broni długiej. Cal domyślał się, że chłopak zapakował broń do torby z uszami, po czym wrzucił do niej jeszcze pudełka z amunicją, żeby było mu to wszystko łatwiej nieść. Pokaźny ładunek, zwłaszcza że Telly miał też ze sobą plecak ze stelażem, namiot i śpiwór.

Po dotarciu na miejsce musiał poczuć ulgę, że pozbywa się

takiego ciężaru. Plecak, namiot i śpiwór rzucił na paletę. Ale co zrobił z torbą? Albo z futerałem na broń długą?

Darren i Deb zajęli się placem biwakowym, a Mitch drzewami wokół, na wypadek gdyby Telly pomyślał o umieszczeniu broni gdzieś wyżej.

Cal wykorzystał swoje umiejętności, by poszukać śladów – zgniecionych paproci, połamanych gałęzi, świeżych zadrapań na pokrytych mchem pniach drzew – czegokolwiek, co mogło wskazać, że chłopak opuścił miejsce biwakowe, żeby znaleźć bardziej dyskretną kryjówkę na broń. Ale znów gęsta warstwa sosnowych igieł uniemożliwiła podjęcie tropu.

Rozszerzali poszukiwania, robiąc coraz większe kręgi. Męcząca, żmudna praca.

Która absolutnie niczego nie dała.

Wrócili do najaranego chłopaka i opróżnili jego plecak, bo może znalazł broń przed nimi. Też nie.

Dwa karabiny. Dwa pistolety. Mnóstwo pudełek z amunicją. Nie ma mowy, żeby rozpłynęły się w powietrzu.

A jednak.

Znaleźli bazę Telly'ego Raya Nasha. Lecz żadnych śladów jego arsenału.

Rozkazy z centrum dowodzenia: przywrócić biwak do pierwotnego stanu, zainstalować kamerki i wycofać się. Nie mają bowiem bladego pojęcia, gdzie Telly może przebywać. Szeryf Atkins była niewzruszona: następnym razem, gdy spotkają uzbrojonego poszukiwanego, to ma się odbyć na ich warunkach – powiedzmy, kiedy wróci na biwak, będzie myślał, że jest bezpieczny, i położy się spać.

Cal był odmiennego zdania. Ustaliwszy, czego w bazie poszukiwanego nie ma – broni – chciał mieć możliwość przejrzenia tego, co się tam znajdowało. Musiał przyznać Shelly, że przynajmniej go wysłuchała. Po słownych przepychankach doszli do kompromisu: Deb i jej pies wrócą z niesfornym piechurem do centrum dowodzenia, gdzie szeryf Atkins i jej detektywi szczegółowo przesłuchają Eda. Mitch wespnie się z powrotem na stanowisko na drzewie, skąd dzięki wysokości oraz doskonałej lunecie będzie w stanie wypatrzyć zbliżającego się Telly'ego, zanim on zauważy ich. Darren też będzie na czatach, a w tym czasie Cal sprawdzi biwak, dokładnie, ale i szybko.

– A potem się stamtąd wynosicie – zarządziła Shelly.

– Jasne – zgodził się Cal. – Chciałbym jednak zauważyć, że nie mamy żadnych sygnałów, by Telly przebywał gdzieś w pobliżu. A powinniśmy dowiedzieć się o nim wszystkiego, czego się da.

– Zróbcie zdjęcia. Udokumentujcie to miejsce przed przeszukaniem, w trakcie i po. A później ułóżcie wszystko tak, jak było. Nie chcemy go wystraszyć. Zaskoczenie go, gdy wróci, to najlepsza szansa, żeby to wreszcie zakończyć.

– Zdolności obserwacyjne powyżej przeciętnej, zgadza się? Chyba dam sobie radę.

– Doprawdy? A kto tam stoi tuż za tobą?

– Co? – Cal obrócił się, ale nikogo za nim nie było.

– Mam cię – zatrzeszczała krótkofalówka, a potem padło już poważniejszym tonem: – Szybko i efektywnie. Wejść, wyjść, załatwione. Mówię serio. Dość już mieliśmy dzisiaj strat.

Deb i Molly wyruszyły razem z mało przytomnym Edem. Suka wciąż była czujna i skupiona, jej ciemne oczy nie odrywały się od zdobyczy. Nie wyglądała już jak dyszący, uśmiechnięty komediant. Raczej jak oblizujący się ze smakiem drapieżnik.

Gdy cywil się oddalił, Mitch wrócił na swój posterunek na drzewie, a Darren przykucnął za kępą paproci, dzieląc uwagę pomiędzy dziką ścieżkę, którą dotarli do polany, a szlak Umatilla, skąd przyszedł Ed.

Cal zabrał się do pracy. Na pierwszy ogień poszedł sprzęt. Choć tropiciel spierał się z szeryf Atkins, rozumiał jej argumenty: nie wolno im było wystraszyć chłopaka, pokazując, że odkryli jego bazę. I chociaż wolałby myśleć, że potrafi przechytrzyć nastolatka, prawda była taka, że Telly wykazał się sporą inteligencją. Wszystkie działania, które podjął od strzelaniny, miały strategiczny charakter. Cal postąpił więc rozsądnie i zrobił zdjęcie stosowi przedmiotów, by mieć wzór, jak je potem ułożyć.

Zaczął od śpiwora, rozwinął go w całości, sprawdził w środku i na zewnątrz. Przesunął dłońmi po szwach, szukając... sam nie wiedział czego. Czegokolwiek, co pomogłoby schwytać zabójcę. Gdy okazało się, że śpiwór zawiera wyłącznie nylon i flanelę, zwinął go z powrotem i odłożył na paletę.

Plecak Telly'ego miał stelaż oraz mnóstwo kieszeni, pasków i zapięć. Cal zabrał się za przeszukiwanie go od zewnątrz, począwszy od mniejszej kieszeni, w której znajdowało się podstawowe wyposażenie wędrowca. Znalazł tam apteczkę, mapy i tak dalej. Sam nosił w plecaku do wędrówek podobny zestaw.

Potem zbadał wewnętrzną kieszeń z batonami zbożowymi, dwiema mandarynkami i torebką czegoś, co przypominało migdały w czekoladzie, ale teraz stanowiło stopioną masę. Dwie butelki z wodą. Za mało na takie warunki, co dało Calowi nadzieję. Gdy Telly je wypije – co przy takich temperaturach nastąpi raczej prędzej niż później – będzie musiał uzupełnić zapasy.

W głównej kieszeni plecaka czekała na Cala pierwsza niespodzianka. Książki. Telly wpadł w zabójczy amok i zabrał ze sobą... książki.

Cal sięgnął dłonią, ale powstrzymał się i szybko zrobił zdjęcie książek. Czy Telly zauważyłby, gdyby tropiciel je poprzestawiał? Lepiej nie ryzykować.

Pierwszą książką, którą Cal wyjął, była książeczka dla dzieci. *Clifford, wielki czerwony pies.* Własność Biblioteki Hrabstwa Bakersville. Według zapisu na ostatniej stronie powinna zostać zwrócona za dwanaście dni. Cal nic z tego nie rozumiał. Nastolatek z książeczką z obrazkami? Zrobił zdjęcie okładki, a potem bibliotecznej wklejki.

Dalej. Kilka cienkich kołonotatników. Tanich, dostępnych w każdym sklepie z materiałami biurowymi. Przeliczył: pięć sztuk. Zaczął od pierwszego z brzegu, otworzył go i znowu niespodzianka. Żadnych zapisków, jedynie zdjęcie. Zbliżenie noworodka, ubranego na niebiesko, wtulonego w ramiona kobiety, którą widać z profilu, bo wpatruje się w swoje maleństwo. Telly? Z matką. Na stronie nie było żadnego podpisu, tylko to zdjęcie o wypłowiałych kolorach, przyklejone na samym środku.

Cal czuł niepokój, gdy patrzył na ten sztampowy widoczek. Słodkie, niewinne dzieciątko. Szczęśliwa, czuła matka. Wiedział, że siedemnaście lat później to dziecko urosło i stało się chłopakiem, który chciał ich wszystkich wymordować.

Powoli przewracał kartki, trzymając komórkę tak, by robić zdjęcia kolejnych fotografii. Niemowlę stało się kilkulatkiem, a potem dołączyło do niego drugie dziecko w różowym kocyku.

Mały chłopczyk i mała dziewczynka rośli, ale niczego nie było wiadomo, bo zdjęciom nie towarzyszyły żadne podpisy. Na fotografiach nie było też rodziców.

– Noonan – warknął za nim Darren.

– Wiem.

Przekartkował szybko do ostatniej strony albumu: fotografii starszego mężczyzny. Rozmazanej, kiepskiej. Może to niesławny ojciec albo sądząc po rzadkich siwych włosach, dziadek. Ale znów brak podpisu. Tylko samotny mężczyzna, który kiedyś musiał coś znaczyć dla Telly'ego Raya Nasha.

Odłożył album i wziął do rąk kolejny kołonotatnik. W każdej chwili Telly mógł wpaść na polanę i rozpętałaby się strzelanina. Albo gorzej, przyczaił się w jakiejś kryjówce, której nie wypatrzyli. I właśnie teraz przykładał kolbę karabinu do ramienia, brał głęboki wdech i robił wydech, przesuwając celownik na tył głowy Cala.

Kołonotatniki. Jeszcze cztery. Zajął się tym z zieloną okładką. I wreszcie znalazł coś, czego się spodziewał. Zapiski. Słowa wypełniały każdą linijkę, cały margines, górę strony, a nawet wąskie przestrzenie między drucianymi kółkami. Bez związku. Fragmenty zdań, powtarzające się myśli. Pewnie nie zostały spisane w jednym czasie. Niektóre linijki miały większe, bardziej pochyłe litery, jakby pisał je uczeń podstawówki. Natomiast tych gęsto wciśniętych pomiędzy druciki Cal niemal nie był w stanie odczytać. Pismo było mikroskopijne, ale bardzo staranne. Starszy Telly, któremu pod koniec zabrakło miejsca, więc wrócił, by kompulsywnie wypełnić resztę strony?

Zrobił zdjęcie, uświadamiając sobie, że jest tu za dużo do czytania dla roztrzęsionego tropiciela, któremu w każdej chwili mogą odstrzelić łeb.

Szybko przejrzał kolejne notatniki. Błyskawicznie pstrykał zdjęcia, podczas gdy Darren cały czas warczał, żeby się pośpieszył.

Przekartkował ostatni notatnik, klik, klik, klik. Informacje wywiadowcze dla policji, materiał dla emerytowanego psychologa kryminalnego.

Ale potem, nie mogąc się powstrzymać, opuścił telefon i przyjrzał się jednej ze stron.

Spodziewał się pełnej gniewu litanii albo skarg na zły świat. Może nawet listy krzywd, jakich Telly doznał. Lecz zamiast tego ostatnie strony notatnika stanowiły odzwierciedlenie zapisków na ścianach sypialni chłopaka – żadnych relacji z minionego dnia czy rozważań nad naturą wszechświata, a jedynie litania słów:

Zerem czy bohaterem. Kim jestem?

Obrońcą. Niszczycielem. Obrońcą. Niszczycielem. Obrońcą.

Jakim człowiekiem, jakim człowiekiem, jakim człowiekiem?

Na dwóch ostatnich stronach pismo wydawało się jakieś ciężkie. Litery ciemne, jakby Telly pisał każde słowo kilka razy, nie tylko zaczerniając atramentem stronę, ale też przelewając swój niepokój na papier.

Myśl, myśl, myśl, myśl, myśl, myśl – przeczytał.

O czym? Chciał wiedzieć Cal.

A na sam koniec jedno słowo. Jedno przyrzeczenie.

Bohaterem.

Cal pokręcił głową.

Odłożył wszystko na miejsce, ustawił, jak było, a potem zamontował kamery z czujnikami ruchu. Pomachał do swoich towarzyszy, dając im znak, że skończył, a oni natychmiast znaleźli się przy nim. Ruszyli ścieżką.

Najlepszy scenariusz: Telly wkrótce wróci do obozu i uruchomi kamery, przygotowując sobie nocleg. Potem ułoży się do snu. SWAT przybędzie na miejsce, a społeczeństwo będzie mogło tej nocy spać spokojnie.

Najgorszy scenariusz: Telly nigdy nie wróci do obozu. Bo wtedy morderca, który sam siebie nazwał bohaterem...

...będzie mógł być wszędzie.

Rozdział 30

Luka cicho popiskuje. Nie dziwię się. Ja też jestem zmęczona i za-gubiona. Mam wrażenie, że już całe wieki kręcimy się po tym lesie. Zmierzamy z nurtem rzeki ku... Ku szlakom dla quadów? Ku mo-jemu bratu zabójcy? Ku niczemu?

Jest późno. Wiem to, bo ciągle włączam telefon. Na kró-ciutką chwilę. Żeby sprawdzić godzinę i oczywiście wiadomości. Ale od Quincy'ego i Rainie już nic nie przyszło. Co utwierdza mnie w przekonaniu, że miałam rację: SMS od Quincy'ego, że areszto-wali mojego brata, był kłamstwem. To dla mnie oczywiste. No bo jak to? Aresztują chłopaka podejrzanego o zastrzelenie kilku osób i pierwsza rzecz, jaką robią, to szukają kontaktu z jego siostrą?

Podczas wspólnych rodzinnych kolacji uważnie się przysłu-chiwałam. Wiem, że okłamanie podejrzanego o morderstwo jest w porządku, podobnie jak okłamanie nastoletniej córki. Bo ważne jest „większe dobro". Jednak to wcale nie poprawia mi nastroju. Wywołuje raczej smutek. I tęsknotę za Quincym. Bo on kocha mnie wystarczająco mocno, żeby kłamać, a ja potrafię to docenić.

Razem z Luką wędrujemy. Wzdłuż rzeki, żeby kompletnie się nie zgubić. Dzięki temu cały czas jest woda dla Luki, który jest strasznie biedny w taki upał w tym swoim grubym futrze. Od czasu do czasu jemy przekąski. Ale oszczędzam, bo nie wiem, dokąd zmierzamy i ile nam to zajmie, więc nie jestem pewna, jak racjo-nować zapasy.

Luka jest przyzwyczajony, że dostaje obiad o piątej. Punk-tualnie. Zazwyczaj już od czwartej zaczyna kręcić się po kuchni i znacząco gapić na swoją miskę. Ma gdzieś wbudowany zegarek? Niesamowite. Luka potrafi określić czas lepiej niż jakikolwiek zegar, i faktycznie od jakiejś godziny strasznie się wokół mnie wierci.

Może nie mam takiego wyczucia czasu jak mój pies, ale głośno burczy mi w brzuchu. Zatrzymuję się na chwilę, żeby każde z nas zjadło pół batonika musli. Luka zjada swoją połówkę na dwa kęsy. Ja staram się nasycić swoją. Ale już tyle czasu minęło od lunchu. Jest nam gorąco, jesteśmy zmęczeni i... zniechęceni.

Czekamy na cud, choć to dla mnie zupełnie nietypowe.

Hałas. Trudno coś dostrzec. Dźwięk jest odległy, bzyczący, niczym rój pszczół. Lecz jest ciągły i coraz głośniejszy. I coraz bliższy. Silnik.

Najprawdopodobniej quad. Dotarliśmy do rekreacyjnych szlaków dla quadów. Tak po prostu. Cieszę się i boję jednocześnie. Czy to on? Mój dawno utracony brat właśnie się do nas zbliża? Znalazłam go?

Co mu powiem? Co zrobię?

Hej, pamiętasz mnie? Stój, nie strzelaj!

Ruszam. Nie potrafię się powstrzymać. Jestem tak zdenerwowana i wykończona, że po prostu muszę wiedzieć. Nawet jeśli to będzie jakiś koszmar, jeśli się myliłam i mój brat, ostatni żyjący członek mojej rodziny, mnie zastrzeli, to i tak wolę to, niż tkwić w zawieszeniu.

Jestem głupia, nierozsądna, jestem taka, jak zarzucali mi Quincy i Rainie. Biegnę ścieżką, z Luką u boku, by znaleźć się bliżej hałasu.

Docieram do drogi, akurat gdy pojawia się na niej poobcierany czarny quad i śmiga mi tuż przed nosem. Pierwsze wrażenie: to z pewnością nie jest nastolatek. Szlakiem pognał wysoki, tęgi mężczyzna w kasku. Trzy sekundy potem zza zakrętu wyłania się kolejny pojazd i pędzi dalej. Chłopaki świetnie się bawią.

Najwyraźniej mój brat nie jest jedynym wariatem pętającym się po tych lasach.

A ja... nie wiem, co robić.

Przybyłam, zobaczyłam. A teraz mam już tego wszystkiego dość. Chcę wrócić do domu, spuścić głowę ze wstydu i przyjąć karę. Rainie mnie przynajmniej przytuli. Bardzo by mi się to teraz przydało.

Warczenie. Tak niskie, że słyszę je dopiero po chwili. Luka na sztywnych łapach stoi obok mnie. Wpatruje się w zarośla, z głębi jego klatki piersiowej dobywa się warkot.

Marszczę brwi, odwracam się, żeby uciszyć psa, i w tym momencie...

Widzę go.

Stoi absolutnie nieruchomo, na twarzy ma brązowe i czarne smugi. Mógłby być tymi zaroślami wokół niego albo drzewem tuż za nim. Ale nie jest nimi. Jest moim bratem.

I stoi naprzeciw mnie.

Pistolet. Widzę go, choć tak naprawdę go nie widzę. W następnej sekundzie już jestem na kolanach i obejmuję pokrytą gęstym futrem szyję Luki, bo mój pies strażnik zaczyna ostrzegawczo szczekać. Cii, cii... Muszę go uciszyć, uspokoić, ale zapomniałam niderlandzkich komend i mogę tylko obejmować psa, blokować jego ciało swoim i błagać.

– Nie strzelaj, nie strzelaj! To nie jego wina. Ja go ze sobą zabrałam. Ale to dobry pies. Najlepszy. Proszę, nie krzywdź mojego psa. Proszę.

– Clifford – mówi mój brat ochrypłym, jakby od dawna nieużywanym głosem.

Kiwam głową, nic nie rozumiejąc. A potem przypominam sobie niderlandzkie komendy na tyle, by kazać Luce się uspokoić. Słucha mnie, ale czując sztywność jego ciała pod moimi rękoma, wiem, że mi nie wierzy. Cały czas trzymam głowę w gęstwinie futra na jego szyi. Jeśli mój brat zamierza nas oboje zastrzelić, to ja nie chcę tego widzieć. Nie chcę wiedzieć, że przyprowadziłam swojego ukochanego psa na śmierć.

Mijają sekundy. Może cała minuta. Nie jestem pewna. W końcu czuję, że napięte mięśnie Luki trochę się rozluźniają. Gdy unoszę głowę, spodziewam się, że brata już nie ma. Musiał zniknąć równie niespodziewanie, jak się pojawił.

Ale on wciąż tam stoi. Nie poruszył się nawet o centymetr. Przez te dziwne smugi trudno dostrzec wyraz jego twarzy. Widzę właściwie tylko białka jego oczu. Zastanawiam się, gdzie się nauczył tak dobrze maskować, tak dobrze radzić sobie w lesie. I uświadamiam sobie, jak niewiele wiem o swoim bracie.

– Sharlah – mówi.

– Telly – odpowiadam.

A potem przez długi czas milczymy.

Luka pierwszy przerywa ciszę. Piszczy. Liże mnie po twarzy. Dopiero w tym momencie dociera do mnie, że płaczę. Czuję się zakłopotana. Odsuwam się od Luki, żeby otrzeć policzki. Gdy znów podnoszę wzrok, mój brat nadal tam stoi, las wokół nas jest cichy, a szlak pusty.

– Szukałam cię – mówię, bo ktoś powinien coś powiedzieć.

– Słyszałem, że masz nowych rodziców. Gliny. Powinnaś była z nimi zostać.

– Nie chciałam, żebyś zrobił im krzywdę. Nie chciałam, żeby... – Zmuszam się, by spojrzeć mu w oczy. – Nie chciałem, żeby oni musieli skrzywdzić ciebie.

Nic nie odpowiada. Tylko patrzy na mnie z tą swoją niepokojącą twarzą, która zlewa się z pniem za nim. Broń trzyma w dłoniach. Zastanawiam się, czy to jest ta sama broń, z którcj zastrzelił swoich rodziców zastępczych albo tych ludzi na stacji benzynowej, albo policjantów. Wygląda na to, że po ośmiu latach Telly nie potrzebuje już kija bejsbolowego.

– A twoi rodzice zastępczy... – mówię w końcu. – Dlaczego?

Potrząsa głową, jakby chciał zaprzeczyć moim słowom.

– Ci nieznajomi na stacji benzynowej. Telly, co ty wyprawiasz?

– Nie powinno cię tu być.

– Ale jestem.

– Wracaj do domu.

– Bo co? Bo mnie zastrzelisz? – Prostuję się, dumna, że mój głos brzmi tak odważnie, choć w środku cała się trzęsę.

Mój brat znów na mnie patrzy i po raz pierwszy jestem w stanie odczytać wyraz jego twarzy. To żal. Przerażenie. Smutek. Głęboki, nieskończony smutek. Nie potrafię się powstrzymać. Wyciągam rękę.

A on natychmiast ożywa. Karabin już jest we mnie wymierzony. Idealnie wymierzony. Tak, mój brat przez te osiem lat przeszedł długą drogę.

Luka znów zaczyna warczeć i powstrzymują go tylko moje palce mocno zaciśnięte wokół obroży.

– Do diabła, Sharlah...

– Przydałby się kij bejsbolowy...

– Wynoś się! Wracaj, do cholery, do domu. Mówię poważnie! Trzymaj się ode mnie z daleka!

– Bo co, będziesz strzelać?

– Nie rozumiesz...

– To mi wyjaśnij.

– Trzymaj się ode mnie z daleka!

– Nie!

– Bo pociągnę za spust. Na litość boską, zrobię to!

– W takim razie zrób!

– Głupia... Przypomnij sobie swoją rękę, Sharlah. Mam ci złamać drugą?

– Mama – mówię.

A on nagle się wzdryga, lufa chwieje się niepewnie.

– Co?

– Mama – powtarzam.

Nie mówi ani słowa. Ale ja wcale tego nie oczekuję.

– Pamiętam mamę – mówię spokojnie. – Pamiętam tamtą noc. I wiem, Telly, wiem, dlaczego złamałeś mi rękę.

Nie chcę już czekać. Puszczam psa. I ruszam przed siebie. W stronę zarośli, w stronę karabinu. Odsuwam lufę. Obejmuję brata. A potem mówię to, co powinnam była powiedzieć osiem lat temu.

– Przepraszam, Telly. To wszystko była moja wina. Bardzo cię przepraszam – szepczę mu do ucha.

Zaciskam ramiona wokół szczupłej talii brata i podtrzymuję go, gdy płacze.

Telly cofa się. I zaczyna iść. O nic nie pytając, ruszam za nim, a Luka mnie nie odstępuje.

– Dokąd idziemy? – pytam.

– Tam, gdzie się mnie nie spodziewają.

– Słaby plan. Nie możemy iść bez końca. Zwłaszcza w takim gorącu. I nie żebym marudziła czy coś, ale moi nowi rodzice są całkiem fajni. Quincy próbował nawet skłonić mnie do powrotu do domu, udając, że już cię znaleźli. To tylko kwestia czasu.

Telly zatrzymuje się na chwilę i rzuca mi spojrzenie.

– Znaleźli mój obóz. Tak powiedział?

– Nie pamiętam...

Kiwa głową i znów kroczy szybko skrajem szlaku.

– Założę się, że tak. Gdy znaleźli ciała Franka i Sandry, musieli skontaktować się z Henrym. A on zauważył brak sprzętu biwakowego. Jak go znam, na pewno podał im lokalizację ulubionego miejsca Franka. – Znów kiwa głową, bardziej do siebie niż do mnie. – To dobrze.

– Dobrze? – pytam. – A czy to nie oznacza, że policja ma cały twój sprzęt?

– Nie da się zrobić jajecznicy, nie rozbijając jajek – mówi.

Nic z tego nie rozumiem.

– Mam jeszcze jabłko – proponuję nieśmiało. Niesie granatowy plecak, mniej więcej takiej samej wielkości jak mój. Wydaje się ciężki, ale boję się zapytać, czy ma tam jedzenie, czy amunicję.

Telly kręci głową.

– Woda? – pyta.

– Jedna butelka. – Zaczynam zsuwać plecak z ramion. Znowu kręci głową i zachodzi mnie od tyłu. Czuję szarpnięcie i pociągnięcie, gdy rozpina suwak mojego plecaka, a potem przesunięcie ciężaru, kiedy grzebie w środku. Niemal wieczność trwa, zanim znowu staje przede mną, z butelką wody w dłoni.

Ja trzymam w swojej skrawek papieru. To mój numer telefonu zapisany na kartce wyrwanej z notatnika. Wręczam mu go bez słowa. Nic nie mówi, tylko wsuwa go do kieszeni.

Telly zerka na Lukę. W odpowiedzi Luka unosi wargę i pokazuje długi biały kieł. Mój brat wcale się nie boi, tylko z satysfakcją kiwa głową.

– To podobno pies policyjny?

– Emerytowany. Wysiadły mu kolana.

– Chyba nie powinien tyle chodzić?

– Takie spacery mu nie szkodzą. Ruch fizyczny dobrze mu robi. Mam jeszcze dla niego jakieś przekąski, a wodę pił dotąd ze strumyków. Czy ty masz jakiś plan? – pytam.

Nie odpowiada. Przyśpiesza kroku.

– Co zrobisz? Będziesz łazić po lesie i strzelać do przypadkowych ludzi? Czy teraz strzelasz już tylko do wyszkolonych funkcjonariuszy służb?

– Możesz wrócić do domu w każdej chwili – informuje mnie.

– Ale ja wiem, gdzie ty jesteś.

– Nie. Będziesz wiedzieć tylko, gdzie byłem wcześniej. To tak jak z biwakiem. Spodziewałem się, że policja znajdzie to miejsce. Tak właściwie to zaplanowałem. Bo teraz skupiają swoje wysiłki tam, a ja jestem tutaj. – Patrzy na mnie. – Jak dobrze znasz się na policyjnej robocie?

– Tylko trochę – asekuruję się. – To, co podsłuchałam podczas obiadów.

– Ja wiem tyle, ile przeczytałem. Gdy policja kogoś szuka, zaczyna od kumpli. Ale ja ich nie mam. Więc pewnie zwrócą się do mojej kuratorki, Aly. I oczywiście będą musieli porozmawiać z Henrym. Oraz – zerka na mnie – z tobą.

– Ale ja nic nie wiem. – Nie muszę chyba przypominać, że minęło osiem lat.

– Właśnie – odpowiada i znów przyśpiesza kroku.

– Nie wiedziałam, co się stało – mówię w końcu, starając się za nim nadążyć. Telly ma siedemnaście lat i bardzo urósł. Mnie wciąż plączą się ręce i nogi, a on jest prawie dorosły. Wysoki, silny, może i przystojny, choć trudno ocenić z tymi smugami na twarzy. Zastanawiam się, czy jest podobny do naszego ojca. W sumie nie umiałabym tego stwierdzić, bo przecież nie pamiętam rodziców. Moje dzieciństwo, moje najmłodsze lata to tylko i wyłącznie Telly. Starszy brat, który się mną opiekował. Starszy brat, który miał zawsze ze mną być. – Gdy wyszłam ze szpitala, tamta pani zabrała mnie do pierwszego domu zastępczego. Myślałam, że ty też tam będziesz. Weszłam do środka, uradowana, że cię zobaczę. Ale... ciebie nie było.

Telly nic nie mówi.

– Wysłali cię do innego domu? – zgaduję.

– To nieważne. Jezu, Sharlah, to było tak dawno temu...

Znów szczypią mnie oczy. Nie chcę się rozpłakać. O to przecież mi chodziło. Znaleźć brata. Być z nim. Przekonać się samej, kim się stał. I oto jestem. Choć raz w życiu udało mi się zrealizować plan. Nie rozpłaczę się teraz.

– Powiedziałam policji i pani doktor, że nas broniłeś. Tata miał nóż. Zaatakował pierwszy. Ostatniego dnia, gdy byłam w szpitalu... pani doktor zapewniła mnie, że wszystko będzie z tobą dobrze. Że nie będziesz miał żadnych kłopotów.

Telly zatrzymuje się. Tak gwałtownie, że wyprzedzam go o trzy kroki, zanim zdołam wyhamować.

– Odpuść – mówi. – Nie jestem już tamtym chłopcem. To nie ma znaczenia.

– Twierdzi nastolatek z karabinem!

– Tu nie o to chodzi!

– W takim razie o co? Zabiłeś swoich rodziców zastępczych. Dobrych ludzi, jak twierdzą Rainie i Quincy. Zastrzeliłeś ich podczas snu.

– Tak uważasz?

– Tak mówili...

– Dlaczego tu jesteś?

– Co? – Zaskakuje mnie nagła zmiana tematu.

– Dlaczego tu jesteś? Chcesz mnie uratować? Tak jak to zrobiłaś ostatnim razem? – Szyderstwo w jego głosie rani mnie do żywego. Zaczynam się trząść, nie jestem w stanie tego opanować. – Wiesz, co się dzieje z dziewięciolatkiem, który zatłukł rodziców i złamał siostrze rękę? W opiece społecznej mają odpowiednie domy dla wszystkich. Nawet dla takich potworów jak ja. I do takiego właśnie domu trafiłem, i tam swoje wycierpiałem. Sam. Odizolowany. Każdej nocy zasypiałem i śniłem o tacie. I o mamie. Tylko że czasami w tych moich snach jemu się udaje. I to my giniemy, a on wygrywa. Innym razem to mama chwyta nóż i nas goni... Ale jedno jest zawsze takie samo. Ty krzyczysz. I to budziło mnie każdej nocy przez wszystkie te lata. Krzyk mojej małej siostry, gdy łamię jej rękę kijem bejsbolowym.

Z trudem oddycha. Ja również.

– Wracaj do domu, Sharlah. Bez względu na to, czego chcesz... dla nas obojga jest już za późno.

Nie wydaje się zły, raczej pokonany. A ja nie mogę dłużej powstrzymać łez.

– Tęsknię za tobą – szepczę.

– Dlaczego? Nie ma powodu.

– Nie wiedziałam, do kogo się zwrócić. Kogo spytać. W tamtym pierwszym domu. To nie było dla mnie dobre miejsce. – Ani to drugie, ani trzecie, ani czwarte, ale czuję, że Telly to wie. Ma podobną listę.

– Ale w końcu trafiłaś do dobrego.

– Minęło zbyt dużo czasu. Nie wiedziałam już, jak o ciebie pytać.

– Wiesz co, Sharlah? Ja też trafiłem do dobrego miejsca.

– Tak?

– Do Duvallów.

– Ale ty przecież...

– To dobrzy ludzie. Nie zasłużyli na to, co się z nimi stało.

– W takim razie dlaczego...

– Frank chciał, żebym cię odnalazł. Uważał, że jak przekonam się, że u ciebie wszystko w porządku, że normalnie żyjesz, to i ja dam sobie radę.

Nie wiem, co powiedzieć.

Telly odwraca się i z bliska patrzy mi w oczy.

– Wszystko u ciebie w porządku, Sharlah? Dajesz sobie radę?

– Chyba tak.

– A śnią ci się rodzice? Budzisz się w nocy z krzykiem?

– Nie.

– Wiesz, gdy trafiłem do Duvallów, to po jakimś czasie... miałem sen. Taki bardziej fantastyczny. Że kończę osiemnaście lat. I daję sobie radę, tak jak mnie przekonywali. A potem przyjeżdżam po ciebie, Sharlah. Dorosły brat kolejny raz przybywa na ratunek. Byłabyś w jakimś koszmarnym domu... bo oboje takie znamy, nie?

Kiwam głową.

– Ale ja bym przyjechał. I zabrał cię stamtąd. I znowu bylibyśmy rodziną. Tym razem zrobiłbym to jak trzeba.

Nic nie mówię.

– Ale u ciebie wszystko w porządku, prawda? Dobrzy rodzice zastępczy, tak mi powiedziała kuratorka. Chcą cię adoptować, stworzyć z tobą prawdziwą rodzinę.

Pochylam głowę, wstydzę się, choć nie wiem czego.

– Cieszę się, Sharlah. To wspaniale, że u ciebie wszystko dobrze. Że dasz sobie radę beze mnie.

– Telly – próbuję, ale nie mam pojęcia, co powiedzieć.

– Idź – mówi. – Trzymaj się swojego psa. I nowych rodziców. Jeśli mnie choć trochę kochasz, miej swoje szczęśliwe zakończenie. Przeżyj je. Wtedy będę wiedzieć, że przynajmniej jednemu z nas się udało.

Odwraca się i zaczyna iść. Stawia tak długie kroki, tak szybkie, że nie mam szans za nim nadążyć. Przez ramię rzuca mi ostatnie słowa.

– Przepraszam, Sharlah. Masz rodziców z policji. A ja... Ja muszę zabić jeszcze jedną osobę.

Nie nadążam. Mój brat mnie zostawia. Znika w lesie, samotna postać z karabinem.

Stoję tam długo, Luka jest u mego boku, cały czas czujny. Mam ściśnięte gardło. I ból w sercu.

Czuję, że nie mogę tylko stać i się trząść. To jest ostatni raz, gdy rozmawiam ze swoim bratem. Nigdy go już nie zobaczę.

Boli mnie ramię.

Nie obchodzi mnie to. Poświęciłabym drugie, poświęciłabym wszystko, żeby...

Ale to bez znaczenia. Jego już nie ma, a ja nadal jestem za mała, żeby za nim nadążyć.

Mija minuta za minutą, w lesie panuje cisza.

W końcu sięgam do kieszeni. Wyjmuję komórkę. Włączam ją. I mówię to, co powinnam była powiedzieć wiele godzin temu.

– Rainie? Tu Sharlah. Proszę... Chcę wrócić do domu.

Rozdział 31

Frank postanowił, że wybierzemy się na polowanie.
– Będzie świetnie – oznajmił. – Jest takie idealne miejsce na
biwak. Natknąłem się na nie, gdy byłem mniej więcej w twoim
wieku. Ale nie ma go na mapach. To tylko niewielka polana
w środku lasu. Rozbijemy tam sobie namiot. Ugotujemy obiad
na ognisku. Policzymy gwiazdy na niebie. Spodoba ci się.
Nie byłem przekonany. Biwakowanie spoko. Może być. Lecz
polowanie oznacza strzelanie do czegoś. A ja nadal nie do końca
radziłem sobie z karabinem. I wolałbym, żeby nasz obiad nie za-
leżał od mojej celności.
Ale jak Frank już sobie coś umyślił...
Postanowione.
W czwartek wieczorem zaczęliśmy przygotowania. Oka-
zało się, że nocleg na biwaku wymaga mnóstwa sprzętu. Połowy
zawartości garażu Franka. Frank oznajmił, że moje pierwsze
zadanie polega na opanowaniu rozbijania namiotu, zanim znaj-
dziemy się na miejscu zmęczeni po całym dniu wędrówki i być
może przemoczeni do suchej nitki...
– Do suchej nitki? – zapytałem.
– No, od deszczu.
– Ma padać? Wybieramy się na biwak w deszcz?
Frank się roześmiał.
– A co? Myślisz, że Lewis i Clark wędrowali tylko przy do-
brej pogodzie?
– Myślę, że gdyby Lewis i Clark mieli Google Maps, to
w ogóle nie musieliby ruszać się z domu.
– A wiesz, co jest najfajniejsze w biwakowaniu?
– Nie.

– Niektóre dzieci uważają, że pieczone na ognisku pianki...

– Nie mam sześciu lat.

– Inni sądzą, że siedzenie z piwem wokół ognia do późna w nocy.

– Nie ja.

– Najfajniejsza jest cisza, Telly. Dla ludzi takich jak ty czy ja to jedyne miejsce i jedyny czas, gdzie możemy znaleźć spokój.

A więc namiot. Ćwiczę rozstawianie go. I składanie. Może być. Rozstawianie okazuje się całkiem proste. Frank lubił swoje zabawki – wypasiony namiot kopułowy firmy L.L. Bean jest rzeczywiście świetny. Wsuń pręty pomiędzy szwy A, B i C, zabezpiecz rogi, i tadam, schronienie z niebieskiego wytrzymałego na rozdarcia poliestru gotowe. Całkiem nieźle.

Rozstawianie namiotu zaliczone. A teraz złożyć namiot i zwinąć go tak, żeby zmieścił się do torby... Niemożliwe. Nie da się. Próbowałem zwinąć w taki sposób, potem w inny. Co za cholerstwo...

Frank nawet nie ruszył palcem, żeby mi pomóc. Wyciągnął największy plecak, jaki w życiu widziałem. Z metalowym stelażem. Z wyściełanymi paskami na ramiona i biodra i mnóstwem zapięć...

– Plecaka nie niesie się na plecach – wyjaśnił, gdy w końcu zaprzestałem daremnych prób i dyszałem ciężko, z połową namiotu w torbie, a drugą wydętą niczym grzyb atomowy. – Wtedy łatwo się zmęczyć, a nawet doznać kontuzji. Ciężar powinien opierać się na biodrach; niesiemy plecak miednicą, tak zostaliśmy skonstruowani przez naturę. Więc pierwsza rzecz: zapinasz pasek na biodrach. Potem oczywiście regulujesz te na ramionach, żeby mieć ciężar jak najbliżej ciała. Ostatni ruch to pasek na piersi. Wierz mi, warto dopasować plecak już na samym początku, dzięki temu będziesz mógł przemierzyć wiele kilometrów, ledwo go czując.

Nieufnie przyglądałem się temu potworowi z paskami i stelażem. Wyglądał, jakby pusty ważył z dziesięć kilo, a przecież trzeba jeszcze spakować ten cholerny namiot, śpiwory, mapy, jedzenie, zapasy...

– Może lepiej wyruszyć bez namiotu – powiedziałem. – A najlepiej beze mnie. Lubię swoje łóżko, kanalizację i dach nad głową, który ani się nie zawali, ani nie uniesie z wiatrem niczym wielki balon.

– To będzie cudowny weekend – odparł Frank. – Jestem pewien.

Rozstawiłem namiot z powrotem. Złożyłem go jeszcze raz. A potem znowu. I znowu. Aż przestał być tak upierdliwy i prawie udało mi się go spakować.

Okazało się, że to dopiero pierwszy etap szkolenia biwakowego. Oto jak rozkłada się namiot. Oto jak pakuje się plecak. Oto podstawowe zapasy niezbędne do przetrwania w lesie: scyzoryk Swiss Army, zapałki, apteczka, tabletki do uzdatniania wody. A nawet magnes i żyłka, które można zmienić w coś w rodzaju prymitywnego kompasu.

Musiałem to Frankowi przyznać. On to naprawdę uwielbiał.

Poza tym, biorąc pod uwagę moje oceny w szkole, mieszkanie w namiocie mogło się okazać moją przyszłością.

Oczywiście po tym, jak już opanowałem obsługę sprzętu, przyszła pora na Sandrę.

– Na wszelki wypadek – rzuciła – gdyby z polowaniem nie wyszło.

Uśmiechnęła się do mnie, a ja po wyrazie jej twarzy poznałem, że rozumie wszystko, czego nie mogłem powiedzieć szczęśliwemu, podekscytowanemu Frankowi. Potrafił być tak dziecinny w tej swojej radości, że okrucieństwem byłoby mu ją odebrać.

– A ty chodzisz z Frankiem na biwaki? – zapytałem.

Byliśmy w kuchni. Podstawowy prowiant na wędrówkę: orzechy i suszone owoce. Przynajmniej tak to wyglądało. Sandra wyjęła pudełka z orzechami, torbę czekoladowych płatków i pojemniczki z suszonymi owocami. Miałem tylko to wszystko wymieszać. Na razie wydawało się prostsze niż składanie namiotu.

– Och, tak. Gdy się pobraliśmy, biwakowaliśmy niemal w każdy weekend.

– Niech zgadnę, potrafisz przygotować kurczaka z parmezanem na ognisku.

Roześmiała się.

– Kurczaka z parmezanem to nie. Ale wystarczy wziąć

trochę ciasta francuskiego, owinąć nim parówkę, wsadzić w folię i potrzymać nad ogniskiem na kijku...

– Rety, ty naprawdę masz przepis na wszystko. Henry mówił, że też świetnie strzelasz. Nawet lepiej niż Frank.

Czy mój ton był swobodny? Starałem się, żeby był, ale odkąd Henry o tym wspomniał, strasznie chciałem dowiedzieć się czegoś więcej. Sandra, szczęśliwa gospodyni domowa za dnia i supersnajper w nocy? Coś w tym rodzaju?

Ledwo zauważalnie wzruszyła ramionami, przyjrzała się mojej wielkiej, szczelnie zamykanej torbie z mieszanką na wędrówkę i dodała jeszcze wiórków kokosowych.

– Nie zastanowiło cię, że nie mamy w ogrodzie kretów? Teraz już wiesz.

– Frank cię nauczył? – zapytałem.

– Nie. – Odwróciła się i zanurkowała w lodówce, a ja zrozumiałem z tonu jej głosu, że temat został zamknięty. Jasne. Bo skoro to nie Frank nauczył ją strzelać, to znaczy, że mógł to zrobić tylko jeden człowiek: jej ojciec. Tajemniczy mafioso, który według Sandry lubował się w przemocy i którego zdaniem Franka powinienem natychmiast zastrzelić, gdy go spotkam.

Zachowywałem czujność od rozmowy z Henrym i Frankiem na strzelnicy w lesie. Nie dlatego, że obawiałem się, że nagle pojawi się jakiś dziadek i narobi kłopotów. Robiłem to dlatego, że sam rozpaczliwie pragnąłem go zobaczyć.

Ojciec Sandry. Sandry, która nosiła kolorowe spódnice w kwiaty i uwielbiała gotować w wolnowarze, a mimo to, jakimś cudem, była diabelskim nasieniem. Zawsze mi się wydawało, że to moja działka. Teraz nie byłem już taki pewien.

– Wszystko będzie dobrze – powiedziała nagle.

Spojrzałem na nią. Uważnie mi się przyglądała.

– Co?

– Wszystko się ułoży – powtórzyła. – Pewnego dnia stworzysz własną rodzinę i będziesz takim ojcem, jakiego sam nigdy nie miałeś. Dasz swoim dzieciom dzieciństwo, jakiego sam nigdy nie doświadczyłeś. A ta pustka, ta ziejąca dziura w tobie, zniknie. Nie będziesz już musiał patrzeć wstecz. Będziesz miał przyszłość.

– Ty tak zrobiłaś.

– Tak.

– I jesteś szczęśliwa? – zapytałem zaintrygowany.

– Bardzo.

– Ale tęsknisz za Henrym.

– Oczywiście. Pewnego dnia będę tęsknić też za tobą.

– Przyjmiecie kolejne dziecko.

– Zbudujesz swoje własne życie, Telly. Będzie dobre. Widzę to w tobie. Jesteś silniejszy, niż myślisz, a do tego masz wielkie serce. Nawet jeśli udajesz, że nie, to tak właśnie jest. Na tyle wielkie, by spędzić weekend w strugach deszczu z moim mężem.

– To nie jest dobroć, to czyste szaleństwo.

Sandra się uśmiechnęła. Wyjęła z zamrażarki paczkę parówek.

– Będziesz miał swoje szczęśliwe zakończenie, Telly. A ja nie mogę się go doczekać.

Padał deszcz. Od chwili gdy wyruszyliśmy w piątek po szkole, lało. Ja miałem nieść plecak jako pierwszy. Bo mam młode, silne plecy, uznał Frank. Co oznaczało, że woda zbierała się na górze stelaża, a potem – w nieoczekiwanym momencie – spływała mi po karku.

Miałem na sobie jeden z płaszczy przeciwdeszczowych Franka. Okazuje się, że takie płaszcze są różnej jakości. Mój był kiepski, przepuszczał wodę. W ciągu godziny poczułem, że robi mi się mokro. Zanim skończyliśmy uroczą przeprawę przez las – „Spójrz na tę polanę, popatrz na strumień, zobacz mech na tych drzewach!" Frank, ty tak serio? – byłem cały przemoczony.

Wreszcie dotarliśmy do słynnego miejsca biwakowego. Dobra wiadomość była taka, że znajdowały się tam drewniane palety – pewnie przytachane lata temu przez Franka – które umożliwiały odseparowanie się od błota.

– Plan jest taki – oznajmił Frank – że rozstawiasz namiot na paletach. Jak można się domyślić, palety nie są zbyt wygodne do spania. Więc trzeba położyć na nich warstwę igieł lub podkładkę z paproci. No chyba że to odpuszczamy.

Rzuciłem mu spojrzenie. Zdecydowanie odpuszczamy. Bardzo szybko ucieszyłem się z ćwiczeń z poprzedniego wieczoru, bo *w żaden sposób nie dałbym sobie rady z namiotem, gdybym robił to pierwszy raz w takich warunkach.*

Przygotowałem nam schronienie. I zacząłem się zastanawiać nad ogniskiem. Jak się, do diabła, rozpala ognisko w strugach deszczu?

Odpowiedź brzmi: nie rozpala się.

Frank ustawił mały daszek z odłamanych gałęzi. I włączył kuchenkę turystyczną. Akurat na cztery parówki i nic więcej.

Siedzieliśmy w deszczu, jedliśmy niedogotowane kiełbaski wiedeńskie i podawaliśmy sobie na zmianę torbę z musli. Frank się uśmiechał. Jakby naprawdę był szczęśliwy.

– Nie widać gwiazd – powiedziałem, wskazując gęstą warstwę chmur.

– Ech, ale jest cisza. I to jaka.

Na biwaku w deszczu niewiele jest do roboty. Bardzo wcześnie przenieśliśmy się do namiotu. Najpierw rozwiesiliśmy płaszcze pod osłoną drzew, ale resztę ubrań zostawiliśmy na sobie, żeby mieć ciepło. Nigdy w życiu nie czułem takiej ulgi, wpełzając do śpiwora. I owszem, nasze cienkie śpiwory kiepsko się sprawdzały na twardej drewnianej palecie, ale przynajmniej zacząłem odzyskiwać czucie w palcach stóp.

Nie rozmawialiśmy. I całe szczęście. Nigdy nie byłem dobry w pogawędkach.

W końcu Frank chyba zasnął, bo namiot wypełniło jego chrapanie. Głębokie, dudniące. Jak u niedźwiedzia. Miałem ochotę go walnąć, szturchnąć palcem, cokolwiek. Ale tylko leżałem tam i słuchałem. Zastanawiałem się, ile razy zabrał tutaj Henry'ego. Dziwiłem się, dlaczego mnie to tak interesuje.

Aż w końcu i ja zasnąłem.

W którymś momencie chrapanie ustało. Wydaje mi się, że to mnie właśnie obudziło.

Cisza.

Franka nie było. Nie musiałem nawet włączać latarki, żeby to wiedzieć. Czułem jego nieobecność w tej małej przestrzeni. Może poszedł się wysikać.

Deszcz przestał padać. Uświadomiłem to sobie dopiero po chwili. Nieustanne kap, kap, kap za wejściem do namiotu w końcu ucichło. Zauważyłem też, że ciemność na zewnątrz zaczęła ustępować szarości. Zerknąłem na zegarek. Szósta rano. Przetrwałem tę noc. Tak po prostu.

To miało sens. Frank był rannym ptaszkiem. Może wyszedł, żeby zrobić śniadanie? Znowu parówki? I musli?

Wstałem, uświadamiając sobie, że też muszę się wysikać, nie wspominając o tym, że pół ciała zdrętwiało mi od spania na twardej palecie.

Włożyłem wciąż wilgotne buty, a potem rozsunąłem zamek namiotu i wyciągnąłem dłoń na zewnątrz.

Las tonął we mgle. Długie smugi szarości owijały się wokół obrośniętych mchem drzew i muskały wysokie kępy gęstych paproci. Spokój, tak jak mówił Frank. Cisza. I... piękno.

Jak byłem mały, czytałem mnóstwo książek o królu Arturze. Coś w tym lesie przypominało mi moje wyobrażenie Avalonu. Zieleń i szarość jednocześnie. Rzeczywistość i fantazja.

I ani śladu Franka.

Najpierw zająłem się tym, co najpilniejsze, a potem obszedłem polankę wokół. Kuchenka turystyczna była zimna, a więc nie zaczął robić śniadania. Nie było go nigdzie w pobliżu. Pomyślałem, że skontroluję to miejsce, gdzie rozwiesiliśmy płaszcze przeciwdeszczowe. Tam też nic.

Sprawdziłem broń, którą zabrał do namiotu, bo powinna mieć sucho. Były tam oba karabiny. Ale brakowało dwudziestki-dwójki, którą Frank często nosił przy sobie dla samoobrony.

I wtedy zrozumiałem. Zrozumiałem prawdziwy powód tego naszego weekendowego wypadu na polowanie. Zrozumiałem, po co Frank chciał wyruszyć z domu uzbrojony.

Chwyciłem mokry płaszcz i pośpieszyłem wąską dziką ścieżką, którą docierało się do polany.

Ślizgałem się, potykałem o kamienie. Raz mało się nie przewróciłem o wystający korzeń drzewa. Ale bardzo się śpieszyłem, bo... bo tak.

Na samym dole zwolniłem. Usłyszałem głosy.

Zacząłem się skradać. Nadal byłem w lesie. Korzystając z osłony zarośli, starałem się zrozumieć, co dzieje się na skraju drogi, kilka metrów ode mnie.

Frank rozmawiał z jakimś człowiekiem. Starszym mężczyzną w staroświeckim beżowym płaszczu i w fedorze na głowie. To ten dziadek, bez wątpienia. Ojciec Sandry.

Stali przed czarnym lśniącym cadillakiem. Pewnie dziadka, przyjechał nim tutaj, bo raczej nie dałby rady dotrzeć pieszo do naszego biwaku.

– Wycofaj się – mówił Frank. – Nieważne, czego chcesz od mojej rodziny, ona nie chce ciebie.

– Zawsze decydujesz za swoją żonę?

– Błagam. Sandra nigdy nie będzie chciała z tobą rozmawiać i ty doskonale o tym wiesz.

– Henry to chyba dobry chłopak.

– Nie nalegaj, Dave, bo ja to mały pikuś. Sandra się za ciebie weźmie. Chcesz tego? Naprawdę?

Cisza.

– Ja umieram, Frank.

– Czy nie wszyscy umrzemy?

– Mam raka. Złe rokowania. To już tylko kwestia czasu.

Frank milczał.

– Śmierć – powiedział w końcu starzec – potrafi zmienić człowieka. Sprawić, by inaczej spojrzał na pewne rzeczy.

– I okazał skruchę, tak, staruszku?

– A gdyby tak?

Frank potrząsnął głową.

– To zbyt mało. I zbyt późno.

– Pozwól mi przynajmniej porozmawiać z chłopakiem. To nie w porządku, że nie dopuszczacie mnie do własnego wnuka.

– Wypruje ci flaki.

– Tak, moja córka...

– Wszystkiego, co potrafi, nauczyła się od ciebie. Odejdź, Dave. Potraktuj moją radę jak podarunek dla umierającego. Odejdź albo rak stanie się najmniejszym z twoich problemów.

– Mam pieniądze...

– Nie bądź głupi.

– Naprawdę mam. Legalne. Jak się jest w biznesie wystarczająco długo, da się to załatwić.

– Ona ich nie chce.

– Jestem jej ojcem!

– I tylko dlatego jeszcze żyjesz! – Głos Franka był lodowaty. Nigdy takiego u niego nie słyszałem. Aż się skuliłem, nie wiedziałem, kim jest ten surowy, gniewny człowiek.

– Ja umieram – powtórzył starzec.

– W takim razie mam nadzieję, że dla własnego dobra odnajdziesz spokój. Ale wybaczenie ze strony córki? To wykluczone. Z niektórymi grzechami trzeba żyć. A z niektórymi trzeba zapewne umrzeć.

Starzec nic nie odpowiedział. W końcu westchnął, a w jego piersiach odezwało się złowrogie rzężenie. Sięgnął do pasa. Widziałem, że Frank się poruszył, a jego ręka powędrowała na plecy. Tam, gdzie trzymał dwudziestkędwójkę.

Ale stary nic nie zrobił. Tylko mocniej zacisnął pasek płaszcza.

Popatrzył na Franka tymi swoimi załzawionymi oczami.

– Moja córka zawsze była uparta, ale nie głupia. Więc przekaż jej coś ode mnie. To, że umieram, zmienia wszystko. Nie tylko ja wiem, gdzie ona mieszka. Nie tylko ja ją śledziłem.

– Grozisz mojej żonie, Dave?

– To, że umieram, zmienia wszystko – powtórzył starzec. A potem odwrócił się i ruszył do samochodu.

Frank nie odszedł. Stał tam, z ręką na plecach, jakby na coś czekał. Ja też wstrzymałem oddech, gdy starszy mężczyzna z trudem otworzył ciężkie drzwi cadillaca, znów z rzężeniem wciągnął powietrze, po czym z wyraźnym wysiłkiem wsiadł do środka.

Wreszcie drzwi się zatrzasnęły, a silnik zawarczał.

Ojciec Sandry odjechał.

Frank opuścił dłoń, którą trzymał na schowanej broni.

– Możesz już wyjść – powiedział, nawet się nie odwracając. Nieśmiało wychynąłem z zarośli i dotarłem do skraju drogi.

– Ja nic nie widziałem – oznajmiłem.

– Dokładnie tak.

– I nic nie słyszałem.

– Mądrze.

– To naprawdę był ojciec Sandry?

– Owszem.

– I ona tak bardzo go nienawidzi?

– Nawet jeszcze bardziej.

– I nadal mam go zastrzelić, jak tylko go zobaczę?

– Oszczędziłbyś Sandrze kłopotu.

– Okej – rzuciłem.

Frank wreszcie na mnie spojrzał.

– Dziękuję.

Zawróciliśmy i ruszyliśmy z powrotem w górę.

– Hej – powiedział nagle. – Zabrałem trochę farby masku-
jącej. Zamiast polować, poćwiczymy survival w lesie. Zaczniemy
od bardzo istotnych technik kamuflażu.

Rozdział 32

Rainie zawsze wiedziała, że rodzicielstwo to nie jest droga usłana różami. Że czasem właściwe postępowanie będzie całkowicie sprzeczne z jej instynktem. Że będzie musiała być twarda, zamiast czuła, odgrywać rolę złego policjanta, a nie kogoś, komu dziecko może się zwierzyć. Jak w tym właśnie momencie, gdy zobaczyła córkę po raz pierwszy od wielu godzin – słońce właśnie zaczynało zachodzić, a las wypełniały cienie – i gdy w sercu ściskało ją tak, że czuła niemal fizyczny ból.

Miała ochotę wybiec z samochodu. Chciała chwycić Sharlah i uścisnąć ją z całych sił. A potem dokładnie jej się przyjrzeć, zbadać każdy centymetr jej ciała, sprawdzić, czy nie ma żadnych ran, i upewnić się, że córka jest cała i zdrowa, że niebezpieczeństwo minęło i że może wreszcie odetchnąć.

Sharlah wyszła z lasu, a Rainie, zamiast do niej podbiec, zmusiła się, by zostać w samochodzie, cicha, spokojna, lecz jednocześnie czujna wobec otoczenia.

Brat Sharlah musiał być gdzieś blisko. Przynajmniej jeszcze niedawno. Bo znała swoje uparte dziecko. Nie ma mowy, żeby Sharlah tak po prostu się poddała. Skoro zadzwoniła do domu, to znaczy, że miała okazję zobaczyć się z Tellym. A brat ją odesłał.

Jej dziecko cierpiało. Rainie rozpoznała to po opuszczonych ramionach i ponuro zwieszonej głowie, gdy dziewczyna szła teraz przez łąkę, z Luką u boku. To nie były rany na ciele, a jednak...

Rainie wysiadła z SUV-a, uważnie przyglądając się coraz ciemniejszemu lasowi za córką. Telly miał karabin. Jeśli był gdzieś w tym lesie, obserwując ją teraz przez lunetę...

Było zbyt ciemno, żeby cokolwiek zobaczyć. Usłyszała gdzieś daleko ptaki, leciutki wiatr szumiący w trawie, ciężki krok Sharlah. I tyle.

Sharlah i Luka byli coraz bliżej. Rainie nacisnęła przycisk pilota, by zdalnie otworzyć klapę bagażnika. Luki nie trzeba było prosić. Pognał ostatnie dwadzieścia metrów i wskoczył do lexusa. Zaraz potem dotarła Sharlah, z twarzą spaloną słońcem, włosami sterczącymi na wszystkie strony i pokrytymi zadrapaniami rękami i nogami.

– Przepraszam – powiedziała, a w jej głosie było tyle smutku i zniechęcenia, że Rainie poczuła, jak twarda gula strachu i gniewu w jej piersi natychmiast się rozpuszcza.

– Odesłał cię, tak?

– Powiedział, żebym miała swoje szczęśliwe zakończenie, żeby przynajmniej jednemu z nas się udało.

– Och, skarbie.

– A potem... – Sharlah głęboko zaczerpnęła powietrza i spojrzała Rainie prosto w oczy. – Potem powiedział, że musi zabić jeszcze jedną osobę.

– Wsiadaj do auta – rzuciła Rainie. – Wzięłam ci jedzenie i wodę. Luce też.

– Ale jedziemy do domu, tak?

– Nie, skarbie, nie.

Pojechały prosto do biura szeryf Atkins. Sharlah siedziała bez słowa, a kanapka z masłem orzechowym i dżemem leżała nietknięta na jej kolanach. Luka natomiast pochłonął całą miskę psich chrupków. Przynajmniej jeden członek rodziny był szczęśliwy.

Rainie przez całe popołudnie co chwila rozmawiała z mężem przez telefon. Po znalezieniu obozu Telly'ego Quincy i pozostali członkowie ekipy wrócili do biura Shelly, by przeanalizować to, co znaleźli. Potrzebowali więcej miejsca, żeby rozłożyć zrobione przez tropiciela zdjęcia notatników Telly'ego, a także tablicy, żeby zapisywać pytania, luźne myśli, świeże tropy. Rainie wiedziała już, że na miejscu zostawili kamery z czujnikami ruchu. Jeśli zaczną działać, natychmiast do akcji przystąpi jednostka SWAT. Do tego momentu skupią się na działaniach śledczych. Relacja Sharlah będzie tym bardziej cenna, nie wspominając o niedawnym odkryciu Rainie.

– Zjedz kanapkę – zwróciła się do Sharlah, gdy zbliżały się do biura szeryf. – Musisz nabrać sił.

Przed budynkiem policji wciąż trwał medialny cyrk. Stało tam pełno wozów transmisyjnych, błyskały flesze. Rainie cieszyła się, że poruszają się cywilnym pojazdem. Reporterzy natychmiast otoczyli SUV-a, ale gdy spostrzegli w środku zwyczajną kobietę z dzieckiem, wycofali się, szukając lepszej ofiary. Rainie wjechała na parking od tyłu, gdzie było spokojniej, i zatrzymała samochód.

Sharlah udało się przełknąć trzy kęsy kanapki. I koniec. Ale przynajmniej wypiła butelkę wody.

Rainie spojrzała na córkę i westchnęła.

– Kocham cię – powiedziała nagle.

– Jesteś na mnie zła. Nie powinnam była znikać.

– Nie powinnaś była.

– Dasz mi szlaban? – Sharlah miała spuszczone oczy.

– Poniesiesz konsekwencje... O zaufanie nie jest łatwo. Zwłaszcza między nami. Tobą, mną, Quincym. Mamy tendencję, by uważać, że racja zawsze jest po naszej stronie. I czujemy się lepiej, gdy robimy coś samodzielnie. Ale arogancja i wygoda nie budują rodziny. My mamy sobie ufać i nawzajem się wspierać, o to tu chodzi.

– Bałam się, że zrobicie mu krzywdę – szepnęła Sharlah. – Albo gorzej, że on zrobi krzywdę wam.

– Wiem. Lecz na tym właśnie polega zaufanie. Zamiast podejmować działanie samodzielnie, mogłaś przyjść do nas. Opowiedzieć o swoich obawach.

– Powiedzielibyście, że dacie sobie z nim radę.

– Owszem.

Sharlah wyglądała bardzo marnie.

– Nie jestem pewna – powiedziała, podnosząc w końcu wzrok. – Bo ten nowy Telly... Jego twarz, broń. Ja go w ogóle nie znam.

– Ale nie skrzywdził cię?

– Nie.

– Wciąż cię kocha?

– Nie wiem.

– Sharlah. – Rainie obróciła się na fotelu kierowcy tak, żeby być twarzą do córki. – Być może twój brat nie powiedział tego, na co liczyłaś. Ale czy ty miałaś okazję powiedzieć to, co chciałaś?

– Przeprosiłam go.

Rainie czekała.

– Nie powinnam była pozwolić mu odejść. Wtedy. Powinnam była o niego pytać, żądać spotkania, cokolwiek. Był moim bratem. Powinnam była bardziej walczyć.

– A dlaczego nie walczyłaś?

Sharlah potrząsnęła głową i odwróciła wzrok.

Rainie odczekała kilka sekund. Blisko, pomyślała. Były tak blisko słów, które Sharlah powinna wypowiedzieć. O tym, co się tak naprawdę stało z rodzicami tamtej nocy, osiem lat temu. I co Rainie zaczęła podejrzewać po rozmowie z doktor Dudkowiak.

– Zaufanie – szcpnęła.

Ale niektóre lekcje trwają dłużej niż trzynaście lat. Jej obciążona problemami córka znów pokręciła głową. A potem otworzyła drzwi i wysiadła, więc Rainie nie miała innego wyboru, jak pójść w jej ślady.

Luka uwielbiał biuro szeryf Atkins. Dreptał sztywnym truchtem ze skupionym, czujnym wzrokiem i postawionymi uszami. Emerytowany policjant powracający na służbę.

Było za gorąco, żeby zostawić owczarka w samochodzie, nawet wieczorem. I choć Rainie wolałaby myśleć, że jej obecność będzie dla córki wsparciem podczas czekającego ją przesłuchania, to zdawała sobie sprawę, że Luka jest o wiele ważniejszy.

Weszły schodami na piętro, pies prowadził. Zauważyły Quincy'ego, który z pozostałą trójką z zespołu zajął salkę konferencyjną. Wszystkie ściany pokryte były zdjęciami. Czy raczej wydrukami, uświadomiła sobie Rainie. Nie najlepszej jakości, ale skoro były to zdjęcia starych fotografii i ręcznych zapisków w dzienniku, to nic dziwnego. W jednym kącie zgromadzono inne zdjęcia: obozowisko Telly'ego, czyli sprzęt biwakowy ułożony na drewnianej palecie pośrodku niewielkiej polany. Nic szczególnego jej zdaniem, ale Rainie z zasady wolałaby spędzić weekend w kilkugwiazdkowym hotelu.

Quincy zerknął na nie, gdy weszły. Luka już go znalazł, już wciskał mu nos w dłoń. Quincy poklepał psa po głowie, przesunął na krótko wzrok na Rainie, a potem popatrzył na Sharlah. Rainie dostrzegła w jego twarzy wszystkie sprzeczne uczucia, których sama wcześniej doświadczyła: ulgę zmieszaną z frustracją, złość, jeszcze więcej frustracji, rozpacz.

Radości rodzicielstwa. A przecież zgłosili się na ochotnika.

Odpowiedziała na jego pytające spojrzenie szybkim skinieniem głowy. Jej sygnał oznaczał: tak, rozmawiała z nią. Co na razie będzie musiało wystarczyć, bo to nie był ani czas, ani miejsce, żeby Quincy wyjaśniał sobie sprawy z Sharlah. Ich córka wróciła do domu cała i zdrowa. Na razie to musi wystarczyć.

– Widziała się z nim – zaczęła Rainie.

Od stołu wstał mężczyzna z kawałkiem pizzy w dłoni. Miał na sobie przepocony strój do wędrówek i znoszone buty. Domyśliła się, że to tropiciel. Quincy mówił jej, jak się nazywa. Jak to było? Cal Noonan. Luka podreptał ku niemu, obwąchał go od góry do dołu. Wyglądało na to, że go zaakceptował. Mężczyzna natomiast zignorował psa i dokończył pizzę.

– Przybliżona lokalizacja? – zapytał, wyjmując pinezkę z pudełka na stole.

Odbierając Sharlah, Rainie ściągnęła na telefonie swoje koordynaty GPS. Wyświetliła je teraz i pokazała tropicielowi.

– Rainie Conner – przedstawiła się.

– Cal Noonan. Dzięki.

Na ścianie za Rainie i Sharlah wisiała wielka mapa w dużej skali. Cal wbił jasnoniebieską pinezkę, by zaznaczyć to miejsce. A potem cofnął się i zmarszczył brwi.

– To prawie dwadzieścia kilometrów na południe od obozu. – Spojrzał na Sharlah. – Czy on był na quadzie?

Dziewczynka bez słowa pokręciła głową.

– Zaparkował go gdzieś?

– N-n-nie.

– Ale nie jesteś pewna?

Wzruszyła ramionami, wyraźnie czuła się niekomfortowo w bezpośredniej rozmowie.

– Szedł pieszo – szepnęła. – Zanim go zobaczyłam. I... i potem też. Rainie miała wzrok wbity w podłogę i walczyła z przemożną potrzebą objęcia córki ochronnym gestem. Ale fakty mówiły za siebie: Sharlah uciekła, żeby spotkać się z podejrzanym o morderstwa. A czyniąc to, przypieczętowała swój los, jeśli chodzi o policyjne przesłuchania, pełne podejrzliwości pytania i tak dalej.

– Czy to jego obóz? – Sharlah zaskoczyła Rainie tym pytaniem. Jej córka uniosła dłoń i wskazała zestaw zdjęć naprzeciwko.

Tropiciel pokiwał głową. Nie ma niesympatycznego spojrzenia, pomyślała Rainie. Tylko pełne powagi. Spojrzenie człowieka, który ma za sobą długi dzień i widział, jak dwoje jego ludzi zostaje postrzelonych na służbie. Zauważyła, że Luka wciąż jest u jego boku. To znak akceptacji. A szeryf Atkins i jej detektyw do spraw zabójstw Roy Peterson wydawali się zadowoleni, że to Cal prowadzi rozmowę. Kolejny przejaw szacunku.

– Powiedział, że go znajdziecie – oznajmiła Sharlah, silniejszym już głosem.

Shelly Atkins spojrzała na dziewczynkę zaintrygowana. Przeszła przez pokój i przystanęła obok niej.

– Mogłabyś powtórzyć? Telly wiedział, że znajdziemy obóz?

– Powiedział, że Henry na pewno wam o nim powie. – Sharlah zaczerpnęła powietrza i spojrzała szeryf prosto w oczy. Starała się. Rainie wątpiła, by obecni w tej sali to rozumieli, poza Quincym, oczywiście, ale nieśmiała, pełna lęków, nienawidząca bycia w centrum uwagi Sharlah bardzo starała się postąpić dobrze. – Telly powiedział... powiedział, że chciał, żebyście znaleźli to miejsce. Bo to zajmie wam czas. Tam. Wy będziecie badać obóz, a on ruszył na południe.

Cal pokiwał głową.

– Mówiłem wam, że jest sprytny.

– Dlaczego ruszył na południe? – zapytała szeryf, nie spuszczając Sharlah z oczu.

– Nie wiem.

– Czy wspomniał o jakimś celu?

– Nie. – Sharlah zaczęła się wiercić, przestąpiła z nogi na nogę. Jej głos znów był cichutki. – Ale... powiedział... powiedział, że nie mogę z nim iść. Że nie mogę z nim pójść, bo... hm... – Głos miała coraz cichszy. – Powiedział, że musi zabić jeszcze jedną osobę.

– Kogo? – Głos Quincy'ego niczym bat przeciął powietrze.

Sharlah wzdrygnęła się. Odpowiadając na pytanie ojca, patrzyła na Shelly.

– Nie wiem.

– Czy miał przy sobie broń, gdy go spotkałaś? – zapytał spokojnie Quincy. Nie jak ojciec córkę, tylko jak psycholog kryminalny świadka.

Rainie znów musiała wbić wzrok w podłogę, by powstrzymać się od interwencji. Ona miała swoje podejście. Quincy miał swoje.

Luka natomiast wrócił do swojej pani i delikatnie podbił pyskiem jej dłoń, aż znalazła się na jego głowie. Palce Sharlah wsunęły się w jego gęste futro. To przywróciło jej siłę.

– Telly miał karabin – odpowiedziała wyraźnym głosem. – A jego twarz... – Sharlah uniosła wolną dłoń i przesunęła palcami po policzkach. – Pomalował ją. W smugi. Jak go zauważyłam, to miał za sobą drzewo, ledwo się od niego odróżniał. Mógłby być krzewem. A potem otworzył oczy. I to właśnie było widać: białka jego oczu... Takie jasne. – Głos jej się załamał. Rainie nie miała wątpliwości, że przez kolejne dni, tygodnie, miesiące jej córkę będą nawiedzały koszmary.

– Inne zasoby? Plecak? Jedzenie, woda? – zapytał tropiciel.

– Miał granatowy plecak. Takiej wielkości jak mój. Zaproponowałam mu... hm... jedzenie. – Sharlah wyraźnie unikała wzroku Quincy'ego, gdy to mówiła. – Powiedział, że nie trzeba. Ale wziął wodę.

– Ile?

– Butelkę. Jedną.

– Czy miał jeszcze inną broń?

– Nie.

– A w plecaku? Czy mógł mieć karabin w plecaku?

– Hm... – Sharlah zmarszczyła czoło. – Karabin to nie. Ale plecak miał ciężki. Mocno zwisał. – Podniosła wzrok. – Zastanawiałam się, czy jest pełen jedzenia, czy amunicji.

– A pistolet? – zapytał ją Quincy. – Widziałaś może, żeby miał coś schowane za pasem?

Kolejne pokręcenie głową.

Szeryf Atkins wyprostowała się. Popatrzyła na dorosłych zebranych w sali.

– Pistolety mógł mieć w plecaku, ale brakujące dwie sztuki broni długiej...

– Zdecydowanie nie przy sobie – mruknął Cal. – Szczerze mówiąc, wątpię, by miał przy sobie trzy pistolety. To byłby spory ciężar, nie wspominając o amunicji. Skoro schował karabiny, to mógł też schować jeden czy dwa pistolety.

– Ma inną kryjówkę – stwierdziła Shelly.

– Prawdziwy obóz. W przeciwieństwie – Cal wskazał zestaw fotografii – do fałszywki, którą dla nas przygotował.

– Z plecakiem pełnym jego dzienników i albumem ze zdjęciami – stwierdził zamyślony Quincy. Rainie wiedziała, że gdy ma taki wyraz twarzy, to w ogóle nie dostrzega swojego otoczenia, istnieje tylko on i dowody. – Po co wypełniać fałszywy obóz takimi osobistymi przedmiotami? – zapytał.

– Ja mam poważniejszą wątpliwość. – Rainie głęboko zaczerpnęła powietrza. Nadszedł ten moment. – Spędziłam całe popołudnie, analizując zdjęcia z miejsc strzelanin. Nie wiem, co wydarzyło się dziś rano u Duvallów ani co się stało z ekipą tropicieli po południu. Ale jeśli chodzi o strzelaninę na stacji benzynowej... To nie był Telly. I mogę to udowodnić.

– Kryminologiczna analiza znamion – powiedziała Rainie. Wyciągnęła teczkę ze swojej torby. Wszyscy się na nią gapili, nawet Sharlah, gdy wyjmowała z niej zdjęcia z monitoringu na EZ Gas i rozkładała je na rogu stołu w salce konferencyjnej. – Pracowaliśmy kiedyś z Quincym nad sprawą, gdzie mordercę zidentyfikowano dzięki kryminologicznej analizie znamion. Bo wiecie, szanse na to, że ktoś będzie miał dokładnie taki sam układ piegów jak te na zdjęciach, które zabójca zrobił sobie z ofiarami... Tak czy siak, od tamtej pory mam skłonność do przyglądania się znamionom.

Rainie postukała w pierwsze zdjęcie. Widać na nim było nagą rękę wsuniętą przez drzwi stacji, z bronią wymierzoną w zastrzelonego potem klienta. Następne przedstawiało równie dziwny widok, samo przedramię, tym razem skierowane na kasjerkę. W końcu główne zdjęcie, które skupiło ich uwagę z samego rana: Telly Ray Nash, całkowicie widoczny, patrzący prosto w kamerę, gdy pociąga za spust.

– Nie najlepsza rozdzielczość – przyznała Rainie – bo zdjęcia z kamer to niemal jedna ziarnista szarość. Jednak na każdym z tych zdjęć widać nadgarstek i sporą część przedramienia zabójcy. Popatrzcie na nie. A potem sami powiedzcie.

Quincy pierwszy podszedł do rozłożonych zdjęć, Sharlah znalazła się tuż za nim. Kwestie sporne między ojcem a córką natychmiast poszły w zapomnienie, kiedy oboje pochylili się i uważnie przyglądali fotografiom.

– Na tych fragmentarycznych ujęciach – stwierdził Quincy – przedramię jest grubsze. I widać jakieś znamię, może duży pieprzyk, z pięć centymetrów, nad nadgarstkiem.

– Telly nie ma żadnego znamienia – powiedziała podekscytowana Sharlah. – Ma gładkie nadgarstki!

Nad zdjęciami pochylili się Shelly Atkins i Roy Peterson.

– Nie rozumiem – stwierdziła szeryf. – Widać, że to Telly strzelił do kamery...

– ...ale to nie on strzelił do ofiar? – dokończył zdumiony tropiciel, zerkając Shelly przez ramię.

Rainie pokiwała głową.

– Opiekunka społeczna, z którą dziś rozmawiałam, wspomniała o pewnym zdarzeniu z poprzedniego domu zastępczego Telly'ego, w którym przebywał, zanim znalazł się u Duvallów. Matka oskarżyła go o kradzież. Telly nie zaprzeczył, po prostu odszedł. Później jednak tamta kobieta zorientowała się, że to inne dziecko podkradało rzeczy.

Shelly spojrzała na nią.

– Twierdzisz, że Telly strzelił do kamery monitoringu, bo lubi brać winę na siebie?

– Myślę, że kiedyś miał zwyczaj brać winę na siebie. – Rainie zerknęła na córkę. – A to coś, co prawdziwy morderca mógł wykorzystać, szukając pionka.

– Ktoś go wrabia – dokończył Quincy. Przechylił głowę na

bok. – I w kwestii zabójstwa Duvallów też? Chłopak z taką przeszłością jak Telly... Doskonały kozioł ofiarny.

– Ale dlaczego miałby brać winę na siebie? – odezwała się Shelly, marszcząc brwi. – Po co strzelił do kamery monitoringu? Dlaczego nie wezwał pomocy?

– Mam pewną hipotezę – powiedziała łagodnym tonem Rainie. Znów zerknęła na córkę. – Te twoje zdjęcia, które znaleźliśmy w garażu Duvallów. Nie sądzę, żeby zrobił je Telly, by ci grozić. Myślę, że zrobił je ktoś inny i wysłał Telly'emu jako ostrzeżenie.

– Telly miał współpracować... – dodał Quincy.

– ...albo jego siostrze stanie się krzywda. – Rainie położyła dłoń na ramieniu córki. – Zerem czy bohaterem. Po tych wszystkich latach Telly znów próbuje cię uratować.

Rozdział 33

Quincy wyszedł za Sharlah na korytarz. Opierała się o szorstką ścianę z cegieł i trzymała dłoń na Luce, który rozciągnął się obok niej. U jej stóp leżał plecak. Psu nie przeszkadzało zniszczone linoleum na podłodze. Quincy uznał, że jemu też nie.

Usiadł obok Sharlah. Z rękoma na kolanach. Głowę oparł o ścianę. Trwali tak przez jakiś czas. Mężczyzna. Córka. Pies. Kilka lat temu terapeuta rodzinny zapowiedział Quincy'emu i Rainie, że bardzo szybko przestaną myśleć o Sharlah jak o podopiecznej i zaczną uważać ją za swoją córkę. U Quincy'ego ten proces przebiegł sprawnie. Sharlah była mu tak samo bliska jak Kimberly i chyba bardziej niż najstarsza córka, Mandy, którą bardzo kochał, ale której w ogóle nie rozumiał.

Natomiast on i Sharlah... Była taka do niego podobna. I dlatego się teraz nie odzywał. Sharlah wolała ciszę, a Quincy byłby ostatnim, by oponować. Poza tym po takim dniu jak ten cisza wydawała się dobrodziejstwem.

Luka ziewnął. Sharlah poklepała go po boku.

– Chciałbym wiedzieć, co myślisz – powiedział w końcu Quincy.

– Chcę do domu.

– Ja też.

Odwróciła się do niego.

– Ale nie pojedziesz.

– Nadal mamy zabójcę na wolności. Dopóki taka jest sytuacja...

– Telly jest niewinny – odparła zdecydowanie Sharlah. – Słyszałeś, co mówiła Rainie.

– Być może względem strzelaniny na stacji. Ale mimo wszystko są ofiary. Jego rodzice zastępczy, ludzie z ekipy poszukiwawczej. I może już wkrótce ta tajemnicza osoba, którą twój brat chce zabić.

Sharlah spuściła wzrok i westchnęła żałośnie.

– Czego byś chciała, Sharlah? – zapytał łagodnie Quincy. – Gdybyś mogła rządzić światem, co byś zrobiła?

– Cofnęłabym czas – odpowiedziała natychmiast. – Wróciłabym do chwili, gdy byłam tylko ja, Telly i nasi rodzice. Ale tym razem pozbyłabym się całego alkoholu w domu. Zgarnęłabym go i wylała wszystko do zlewu. Narkotyki też. Znalazłabym je. I spuściła w toalecie.

– A noże?

– W domu mielibyśmy tylko plastikowe – odpowiedziała z powagą.

– Kij bejsbolowy?

– Wykałaczki. Jedlibyśmy plastikowymi widelcami i gralibyśmy w miniaturowy bejsbol wykałaczkami i kulkami z waty.

– Ty i Telly dorastalibyście w domu rodziców. Myślisz, że bardziej by was kochali?

– Telly by mnie kochał. On by się mną zajmował. Zawsze to robił. Tylko że tym razem ja też bym się nim opiekowała. Wystarczalibyśmy sobie nawzajem.

– A rodzice? – zapytał ponownie Quincy.

Sharlah potrząsnęła głową.

– Telly i ja, to by wystarczyło.

– W tym scenariuszu – kontynuował po dłuższej chwili Quincy – ty i ja nigdy byśmy się nie spotkali. Nie. Ty, ja i Rainie.

– W tym scenariuszu wzięlibyście inne dziecko. Córkę, która nie ucieka. I która was słucha. I która ma talent, na przykład do pracy w policji. Wiem. Umiejętność dedukcji, jak Sherlock Holmes. Ty i Rainie podszkolicie ją, a ona okaże się supergliną i wyłapie tylu seryjnych morderców, ilu nikt inny wcześniej.

– Myślisz, że byśmy za tobą nie tęsknili? Nie czulibyśmy pustki w życiu, jaką byś zostawiła?

Sharlah wzruszyła ramionami.

– Może. Ale bylibyście bardzo zajęci ceremoniami odbierania nagród przez waszą nową córkę, więc dalibyście radę. Poza tym ty i Rainie zawsze będziecie okej, z kimś czy bez kogoś. Natomiast Telly...

›

– On cię potrzebuje?

– Jest sam. Jest kompletnie sam. I to moja wina. – Sharlah odwróciła się, pogładziła futro Luki.

– A gdzie będzie Luka w tym nowym, lepszym świecie? Jeśli zostaniesz ze swoją rodziną, jeśli ja i Rainie nigdy cię nie spotkamy...

Po raz pierwszy wyraz twarzy Sharlah się zmienił. Quincy dostrzegł łzy w jej oczach. Kochała Lukę do głębi serca, co dawało mu nadzieję, że pewnego dnia pokocha tak samo jakiegoś człowieka.

– Telly i ja adoptujemy jakiegoś bezdomnego psa – szepnęła. – Albo kota. Będzie spać razem z nami i wysunie swoje ostre jak brzytwa pazury, gdy tylko ktoś zły będzie próbował otworzyć drzwi. Ten kot będzie słuchał tylko Telly'ego. A mój ojciec wycofa się, bo będzie się bał gniewu kota.

Innymi słowy, dla tego nowego świata Sharlah poświęciłaby swojego psa. Zrezygnowałaby z ukochanego Luki, żeby Telly mógł mieć obrońcę w postaci kota. Czyli Sharlah zostałaby ukarana. Za co? Co takiego zrobiła, że nawet gdyby mogła cofnąć się do momentu, zanim tamtej nocy zginęli jej rodzice, wciąż czuła, że jest bratu coś winna?

– Wiem, że kochasz Telly'ego – powiedział Quincy.

Córka rzuciła mu pogardliwe spojrzenie. Z delikatnego dziecka nagle zrobiła się zbuntowaną nastolatką, tak po prostu. Kolejne przypomnienie, że dorastając, zmierza w jednym kierunku: jak najdalej od niego.

– Cokolwiek teraz robi – kontynuował spokojnym tonem Quincy – kimkolwiek się stał, nadal jest twoim bratem i z tego co widzę, bardzo mu na tobie zależy.

Mniej pogardy. Więcej niepewności.

– Nie chcesz, żeby stała mu się krzywda. I dlatego gdybyś mogła rządzić światem, cofnęłabyś czas. Żeby go uratować. Ale za tym kryje się coś więcej, prawda? Ty nie tylko chcesz go uratować, ty chcesz, żebyście wy dwoje znowu byli razem, starszy brat i jego siostrzyczka.

Nic nie odpowiedziała.

– I dlatego do niego poszłaś. Żeby mu pomóc. Być jego małą

siostrą. A gdy cię odesłał... To musiało naprawdę zabolec. Przykro mi, Sharlah. Przykro mi, że musisz cierpieć.

Poruszyła się. Delikatnie. Ale to wystarczyło. Quincy uniósł ramię, a ona wsunęła się pod nie i przytuliła do jego piersi.

I znów cisza. Quincy przyłożył policzek do czubka jej głowy i starał się oddychać jak najdelikatniej. Rzadki moment. Ulotny. Skazany na szybki koniec.

– Nie wiem, kim on jest – wymruczała Sharlah w jego pierś. – Ten nowy Telly... ja go w ogóle nie znam.

– On nadal cię kocha.

– Bo nie zrobił mi krzywdy?

– Bo w plecaku, razem z pamiętnikami, albumem, najbardziej osobistymi rzeczami, miał wypożyczonego z biblioteki *Clifforda, wielkiego czerwonego psa*.

– To nasza historia. Zawsze mi ją czytał.

– Może gdyby Telly mógł rządzić światem, też zbudowałby wehikuł czasu. I w tym jego nowym świecie ty i on wcale nie wrócilibyście do domu. Zostalibyście w bibliotece, na zawsze razem.

– Czytalibyśmy książki – szepnęła Sharlah. – I jedli przekąski podsuwane przez bibliotekarkę.

– Całkiem niezłe dzieciństwo, jak dla mnie.

Sharlah cofnęła się. Quincy nie próbował jej powstrzymać. Pozwolił jej się odsunąć, zebrać myśli.

– Rainie zabierze mnie do domu – powiedziała. To było stwierdzenie, nie pytanie. – Ona i Luka będą mnie pilnować, a ty zostaniesz tutaj i będziesz próbował znaleźć mojego brata.

Quincy pokiwał głową.

– A jak już go znajdziesz?

– Sharlah, wiesz, co robi dobry psycholog kryminalny?

Potrząsnęła głową.

– Zbiera wszelkie statystyki i prawdopodobieństwa, które pomagają określić przestępcze zachowania, a mimo to stara się myśleć kreatywnie. Psychika ludzka jest bardzo skomplikowana. Koniec końców nie ma na razie równania, które obejmowałoby całe spektrum możliwych ludzkich zachowań.

– Nie wiem, co to znaczy.

– To znaczy, że jeśli jest jakiś sposób, żeby pomóc twojemu bratu, to ja go znajdę. Nadal nie wiemy, co zrobił, a czego nie zrobił. Ale jeśli Rainie ma rację i ktoś go wrabia, to uczynię wszystko, żeby to rozwikłać. Wszystko, żeby twój brat wrócił do domu cały.

– Dziękuję.

Quincy przytulił córkę. Nie za długo. Nie za mocno. Miała swoje granice, a jego zadaniem było je respektować. Ale potem zaskoczyła go, bo odwzajemniła uścisk. Cieszył się tą chwilą, wiedział, że to magia. Dar. Był gotów znieść dziesiątki koszmarnych popołudni, żeby tylko doświadczyć go jeszcze raz.

– Mylisz się co do wehikułu czasu – szepnął. – Gdybyśmy cię nie spotkali... Rainie i ja... tak, odczuwalibyśmy pustkę. Ale jest też coś więcej. Kiedy stajemy się rodzicami zastępczymi, to zmienia nie tylko życie jakiegoś dziecka, Sharlah. To zmienia również nasze życie. Dziękuję ci, że jesteś częścią naszej rodziny.

– Przykro mi, że sprawiam wam ból.

– Wiem. I cokolwiek się teraz stanie, ja też przepraszam.

Wrócił za Sharlah i Luką do salki konferencyjnej. Rainie stała pod przeciwległą ścianą i wpatrywała się w zdjęcia albumu, które zrobił Cal Noonan. Sharlah podeszła do niej, a kolaż fotografii Telly'ego z dzieciństwa, ze szkoły i, tak, z ich rodzinnego domu, natychmiast przykuł jej uwagę.

Quincy został z tyłu i obserwował tę scenę. Uświadomił sobie, że Sharlah przypuszczalnie nigdy nie widziała tych fotografii, a ponieważ była tak malutka, gdy zabrano ją z jej domu, najprawdopodobniej nawet nie pamiętała swojej biologicznej rodziny.

Na pierwszym zdjęciu, zamieszczonym na wysokości oczu, widać było gaworzącego niemowlaka. Telly Ray Nash siedemnaście lat temu. Sharlah zawahała się, a potem sięgnęła dłonią i bardzo delikatnie musnęła pulchny policzek dziecka. Nikt jej nie powstrzymywał. To były jedynie wydruki, odciski palców niczego nie zniszczą. A poza tym...

To tylko zdjęcia. Fotografie zrobione na miejscu przestępstwa. Ale teraz, gdy Sharlah głodnym wzrokiem pochłaniała resztki swojego dzieciństwa, one ożyły. Stały się wspomnieniami o rodzinie, zanim przydarzyło się jej najgorsze.

Dziewczynka przesuwała się wzdłuż ściany, z jedną ręką na Luce. Rainie, która zauważyła już obecność córki, odsunęła się na bok. Podobnie jak Quincy przyglądała się Sharlah, kiedy ta chłonęła widoki z pierwszych pięciu lat swojego życia.

Quincy uznał, że jej matka wyglądała bardzo zwyczajnie. Trzymała na kolanach pięcioletniego syna, podając jednocześnie butelkę malutkiej córce przypiętej w dziecięcym foteliku. Uśmiechała się lekko na zdjęciu. Miała ciemne włosy Sharlah i jej orzechowe oczy. Twarz szczupłą, a włosy zmierzwione. Po bliższym przyjrzeniu się widać było, że bluzka w kwiatki ma przetarte brzegi, a fotelik dla niemowlęcia jest mocno używany. To zdecydowanie nie była zamożna rodzina, ale mimo to...

Zdjęcia na ścianie pokazywały rodzinę. Zwykłą rodzinę. Jakich wiele. Pozującą dla świata, lecz skrywającą swoje sekrety.

– Czy to moi rodzice? – zapytała cichym głosem Sharlah. Zawahała się przy grupowym zdjęciu, które zrobiono przed białym budynkiem. Mama, tata, siedmio- lub ośmioletni Telly i około dwuletnia Sharlah.

– Tak przypuszczam – odpowiedziała Rainie.

Sharlah nachyliła się. Nie patrzyła na swoją matkę, tylko wpatrywała się intensywnie w postać ojca.

– Telly wygląda jak on – stwierdziła cicho.

– Pamiętasz swojego ojca? – zapytał Quincy.

– Nie. Jest zupełnie rozmazany. Duża czerwona twarz. Wyłupiaste oczy. Jak jakiś potwór z kreskówki.

– A mamę? – odezwała się Rainie.

– Myślę, że nas kochała – odparła Sharlah, a głos zaczął jej się łamać. Luka zaskomlał, polizał jej dłoń. – Tylko że... nie kochała nas wystarczająco.

Dotarła do ostatniego zdjęcia.

– To mój dziadek? – Na fotografii widać było starszego mężczyznę w beżowym płaszczu i ciemnej fedorze. Stał obok pomalowanego na szaro garażu.

– Chyba tak – powiedziała Rainie, zerkając na Quincy'ego.

Sharlah dotknęła swojej twarzy, a potem oblicza starszego człowieka. Pokręciła głową.

– No nie wiem. Te inne zdjęcia... Nawet jeśli ich nie pamiętałam, to jednak miałam je w pamięci, rozumiecie? Są dokładnie takie, jak sobie wyobrażałam. Ale to... ten dziadek. Nie rozumiem tego. – Sharlah zmarszczyła brwi. – Zaraz, skoro miałam dziadka, to dlaczego trafiłam do rodziny zastępczej? Czy on nie powinien wziąć nas do siebie?

Quincy szybko do niej podszedł. Teraz i on uważnie przyglądał się ostatniemu zdjęciu.

– Nie pamiętasz tego człowieka?

– Nie. Ale jak już powiedziałam – Sharlah wzruszyła ramionami – ja właściwie nikogo nie pamiętam.

– Może umarł, gdy byłaś bardzo mała – zasugerowała Rainie. – I dlatego nie mógł zabrać ciebie i Telly'ego do siebie. Według danych z opieki społecznej nie macie żyjących krewnych.

Quincy wciąż marszczył brwi. Coś w tym zdjęciu...

– Tło – powiedział nagle. – Garaż za tym mężczyzną. Czy ty to kojarzysz, Rainie? Bo przysiągłbym, że już widziałem... – Urwał. I gwałtownie odwrócił się do Shelly, która wciąż analizowała zdjęcia ze stacji benzynowej. – Ten kolor. Narożnik garażowej bramy. To jest dom Duvallów. Ten człowiek stoi przed garażem Franka i Sandry. Jestem pewien.

Sharlah spojrzała zaskoczona, a Shelly i tropiciel szybko do nich podeszli. Byli razem z Quincym w domu Duvallów tego popołudnia. Teraz oboje przyglądali się tłu na zdjęciu.

– To rzeczywiście może być dom Duvallów – zgodziła się Shelly.

– Tego zdjęcia nie zrobiono tak dawno – dodał Noonan. – Tu w rogu. Ta kępka zieleni to liliowiec, dopiero rośnie. Zauważyłem go dzisiaj po południu, bo nigdy dotąd nie widziałem tak wielkich ciemnopomarańczowych kwiatów. Ale późną wiosną albo wczesnym latem tak musiał wyglądać.

– O ile to ten rok – rzuciła Shelly.

– Telly'ego nie było u Duvallów w zeszłe lato – mruknął Quincy. – Czyli to raczej ten rok.

– Co to wszystko znaczy? – Rainie uważnie mu się przyglądała. Jedną ręką objęła Sharlah, która wciąż wydawała się zaskoczona.

– Telly ma album wypełniony zdjęciami z dzieciństwa, oprócz tej ostatniej fotografii – powiedział Quincy. – Widać na niej starszego mężczyznę, który stoi przed domem jego rodziny zastępczej. Rodziców nie ma. Tylko ten starszy pan. Czy przyszedł spotkać się z Tellym? To z nim ma powiązania, a nie z Duvallami?

– Dawno utracony dziadek? – spróbowała Rainie. – Który nie utrzymywał kontaktu z rodzicami Telly'ego i Sharlah? A teraz stara się go nawiązać z wnukami?

Shelly popatrzyła na nich.

– A nie musiałby przedzierać się przez system? Chyba zadzwoniliby z opieki społecznej najpierw do was? Zwłaszcza że rozpoczęliście procedurę adopcyjną.

Którą z pewnością utrudniłoby pojawienie się krewnego.

– Nikt do nas nie dzwonił – stwierdził Quincy.

– Czy to może być krewny Duvallów? – zapytał Noonan.

– Telly nie miał w albumie zdjęć Sandry ani Franka. Po co miałby pomijać rodziców zastępczych, a umieszczać kogoś z ich krewnych?

Nikt nie potrafił odpowiedzieć.

Quincy zaczął krążyć po salce.

– Notatniki, dzienniki, album rodzinnych fotografii – mamrotał, krocząc wzdłuż stołu. – Po co przynosić to wszystko do fałszywego obozu? Przecież przeszukujący plecak biwakowicza nie zdziwiłby się, że nie ma tam albumu ze zdjęciami. Więc po co te rzeczy? Co Telly próbuje nam powiedzieć?

– Zerem czy bohaterem – mruknęła Rainie.

Quincy zerknął na nią.

– Na ostatniej stronie notatnika napisał „bohaterem".

– Bo on próbuje mnie uratować – powtórzyła z uporem Sharlah.

– Przed tym staruszkiem? – Rainie spojrzała na zdjęcie, a w jej głosie słychać było wyraźną wątpliwość.

– Komórka Telly'ego – powiedział Quincy. – Pozostawiona w aucie Franka, ze zdjęciami Sharlah. Chciał, żeby te zdjęcia nas wystraszyły. Chciał, żebyśmy pilnowali Sharlah, chronili ją.

– Bo był zbyt zajęty strzelaniem do mojej ekipy, żeby samemu to zrobić? – rzucił gorzko Cal.

Quincy nie mógł zaprzeczyć.

– To zdjęcie to też jest wiadomość. Musimy zidentyfikować tego mężczyznę. I to szybko.

Pukanie. Odwrócili się i zobaczyli Rebeccę Chasen, jedną z lokalnych detektywów, która stała w drzwiach z kartką w ręce.

– Roy – zwróciła się do sierżanta. – Potrzebuję cię na moment.

Podszedł do niej, pochylił głowę, a detektyw Chasen powiedziała mu coś cicho do ucha.

– Jesteś pewna? – zapytał ostrym tonem.

W odpowiedzi podała mu kartkę.

Roy pokiwał głową, a potem, ściskając faks w ręce, zwrócił się do zebranych:

– Koroner sprawdził odciski palców Duvallów, zgodnie z procedurą. I bingo. Frank Duvall to rzeczywiście Frank Duvall, ale Sandra... Odciski palców wskazują, że to Irene Gemetti. I jest poszukiwana w związku z morderstwem sprzed trzydziestu lat.

Rozdział 34

Henry Duvall wynajął pokój w jednym z tanich moteli położonych przy autostradzie nad oceanem. Był środek sezonu turystycznego, więc Shelly zdziwiła się, że w ogóle znalazł jakieś miejsce. Motel był długim białym budynkiem, który znajdował się w pewnej odległości od drogi, a drzwi każdego pokoju wychodziły na parking. Migający czerwony napis głosił: TANIO I CZYSTO. Poniżej widniała obietnica darmowego wi-fi.

Shelly zadzwoniła wcześniej, więc Henry już na nich czekał. Jego postać czerniała na tle oświetlonego pokoju, gdy stał w drzwiach i obserwował, jak wjeżdżają na parking. Miał na sobie te same szorty i koszulę co wcześniej, ale butów do wędrówek już nie. Stał tam w samych skarpetkach i wydawał się mniejszy, bardziej bezbronny. Syn pogrążony w żałobie, pomyślała, choć bez przekonania.

Shelly udało się założyć świeżą brązową koszulę, która wyglądała dokładnie tak samo jak poprzednia, ale lepiej pachniała. Quincy nie zdążył. Tylko obmył wodą twarz i przedramiona w łazience w biurze szeryf. I tyle.

Gdy wysiedli z SUV-a, poczuli, że powietrze na parkingu jest gęste i nieruchome. Dziwne wrażenie jak na miasteczko, które zawsze kojarzono latem z chłodną nadmorską bryzą. Ocean powinien być zbawieniem, a nie karą.

Shelly natychmiast poczuła, że kropelki potu zbierają jej się u nasady włosów, a nowa koszula munduru przykleja się do ciała. Poprowadziła Quincy'ego do pokoju Henry'ego. Mężczyzna cofnął się, bez słowa zapraszając ich do środka.

W pokoju znajdowały się zapadnięte podwójne łóżko, pobijana komoda z płaskim telewizorem i niewiele więcej. Zamontowana na ścianie klimatyzacja pracowała ospale, wydając złowieszczy grzechoczący dźwięk. Jeśli w ogóle chłodziła powietrze, to zmiana temperatury była minimalna.

Henry wzruszył ramionami, jakby po wyrazie ich twarzy domyślił się, co sądzą o tym tanim pokoju.

– Zawsze to lepsze niż namiot – powiedział – ale tylko trochę. Na kempingu to chociaż mamy z kumplami strumień dla ochłody.

Shelly zastanowiła się, dlaczego tych kumpli tutaj nie ma. Gdy młody człowiek dowiaduje się, że właśnie zamordowano jego rodziców, to chyba dzwoni po przyjaciół? Na razie detektywi nie znaleźli żadnych nagrań, które potwierdziłyby, że Henry był w mieście dwa tygodnie temu i że odwiedził razem z przyszywanym bratem stację benzynową EZ Gas. Ale to był dopiero początek śledztwa, a jej funkcjonariusze byli przepracowani. Shelly nie zamierzała czynić żadnych założeń co do Henry'ego Duvalla. Im więcej się dowiadywali, tym bardziej była przekonana, że to rodzina Duvallów jest kluczem do wyjaśnienia dzisiejszych strzelanin. Nie Telly Ray Nash.

– Chcecie wody? – zapytał z pewnym opóźnieniem Henry. – Mam wodę. I jakieś przekąski.

– A my mamy pytania dotyczące twojej rodziny – odparła Shelly. Położyła sobie dłonie na biodrach. To była jej oficjalna postawa szeryfa, dzięki której wydawała się wyższa i groźniejsza. Quincy natomiast trzymał się z tyłu. Niekoniecznie w roli dobrego gliny, ale był mniej widoczny. Uważnie przyglądał się pokojowi, prowadził własne obserwacje. Robili takie przedstawienie już kilka razy i dlatego Shelly zabrała ze sobą właśnie jego.

Henry pokiwał głową. Podszedł do łóżka, jedynego mebla w pokoju, na którym można było usiąść, i przysiadł niezręcznie na krańcu materaca.

– Czy nazwisko Irene Gemetti coś ci mówi? – zapytał Quincy niewinnym głosem zza ramienia Shelly.

Henry zmarszczył brwi. Słyszał Quincy'ego, ale nie widział jego twarzy.

– Nie. A powinno?

– A przeszłość twojej matki? Jej przyjaciele, rodzina?

– Moja mama nie opowiadała o swojej przeszłości.

– Twierdzisz, że nigdy nie wspominała swoich rodziców? – zapytała Shelly. – Ani nigdy nie opowiadała historii ze starych dobrych czasów?

– Twierdzę to, co powiedziałem. Moja mama postanowiła nie oglądać się wstecz. Za każdym razem gdy pytałem, padała taka sama odpowiedź: kiedy miała szesnaście lat, opuściła swój rodzinny dom, wpadła w kłopoty, a potem poznała mojego ojca i dopiero wtedy rozpoczęła prawdziwe życie. I to mi wystarczało. Początek. Środek. Koniec.

– Musiałeś być ciekaw – odezwał się znowu Quincy, który oddalił się od Shelly i Henry'ego i oglądał drzwi do łazienki na tyłach pokoju. – Co mówił na ten temat twój ojciec?

– Idź zapytać mamę.

Kolej na Shelly, by odwrócić uwagę Henry'ego, tak by musiał ją dzielić pomiędzy nią a Quincy'ego.

– Nigdy nie opowiadała o swoich rodzicach? Ani razu?

– Jej ojciec nie był miłym gościem. Tylko tyle mi powiedziała. Nawet po opuszczeniu domu nadal nie chciała z nim żadnego kontaktu. Żadnych wizyt, żadnych pocztówek, żadnych telefonów. Nic. – Henry wzruszył ramionami. – Oczywiście dziwiło mnie to. No bo co to znaczy, że był zły? Czy raczej: co w dzisiejszych czasach, w czasach *Oprah Winfrey Show*, może być tak złe, że nie da się o tym nawet porozmawiać? Ale mama nigdy się nie ugięła. Ja jestem przecież tylko dzieckiem. Jeśli ona nie chce o czymś rozmawiać, to koniec i kropka.

– Irene Gemetti – powtórzyła Shelly.

Henry jednak potrząsnął głową i wydawał się tak samo zmieszany jak wcześniej.

– Nie rozumiem.

– Wpisałeś kiedyś w Google nazwisko matki? Sprawdziłeś jej przeszłość? – Quincy pojawił się znowu z tyłu pokoju.

Henry się zarumienił.

– Być może.

Quincy i Shelly czekali.

– Jest mnóstwo Sandr Duvall – wyznał w końcu. – Osiem albo dziewięć. Jedyny link do mamy prowadził do jej profilu na

Facebooku. Ale ona raczej wolała zdradzać przepisy na potrawy w wolnowarze niż sekrety rodzinne.

– Duvall to nazwisko jej męża – zwrócił uwagę Quincy.

– Też o tym pomyślałem. Tylko co z tego? Ona by mi swojego panieńskiego nie zdradziła. A szukanie wszystkich Sandr w Oregonie...

– Nie pochodziła z Bakersville?

– Nie. Tata ją tutaj przywiózł. Tyle wiem. Poznali się w Portlandzie. Zadurzyli się w sobie, gdy tylko się poznali, taka miłość od pierwszego wejrzenia. I ślub też wzięli szybko, po paru tygodniach. Potem ojciec skończył studia na wydziale nauczycielskim na tamtejszym uniwersytecie i przyjechali tutaj. Bakersville to rodzinna miejscowość mojego taty. Zawsze twierdził, że nie chciałby mieszkać nigdzie indziej. Wiecie, co sobie właśnie uświadomiłem? Że nie ma żadnych zdjęć mamy. Nigdzie. Nawet na Facebooku nie ma zdjęcia profilowego. A na wszystkich fotkach, jakie wrzuca, jestem ja, tata, czasem jakaś potrawa albo kwiaty z ogrodu. Ale jej nigdy na nich nie ma. Obszedłem nawet dom, szukając zdjęć ze ślubu, jakichś ujęć mamy z ojcem. I nic. Znalazłem swoje zdjęcia z klasy maturalnej, parę zdjęć taty i moich z wypraw na biwak. Ale żadnej fotografii mamy.

– Pytałeś o to ojca? – chciała wiedzieć Shelly.

– Pewnie. Powiedział, że tak już jest. Ten, kto zawsze robi zdjęcia, nigdy na nich nie widnieje. Ale ani jednego? Serio?

– Dlaczego szukałeś zdjęć matki? – zapytał Quincy.

Henry znów wbił wzrok w wykładzinę. Miał wyraźnie spięte ramiona. Shelly aż czuła bijące od niego zdenerwowanie. Ciężar skrywanych sekretów.

Podeszła o krok.

– Irene Gemetti. Znasz to nazwisko.

– Przysięgam na Boga. Nie mam pojęcia...

– Ale coś wiesz.

– To nie ma znaczenia! To Telly ich zastrzelił...

– Kogo? Twoich rodziców? Matkę bez zdjęć i bez przeszłości? – naciskała Shelly. – Kto umarł dzisiaj w twoim domu, Henry? Zadałeś sobie to pytanie? Kim była Sandra Duvall? I dlaczego, do diabła, wciąż skrywasz jej sekrety?

– Ja nie mam...

– Prawdziwe nazwisko twojej matki to Irene Gemetti. To kobieta, która jest poszukiwana w związku z morderstwem sprzed trzydziestu lat.

– Co?! – Henry nagle się zerwał. I szeroko otworzył oczy.

Gdyby ten chłopak był aktorem, pomyślała Shelly, to najlepszym, jakiego kiedykolwiek widziała.

– Moja matka miała na imię Irene? I była poszukiwana w związku z morderstwem? Co? – I w następnej sekundzie: – To coś złego, co zrobiła, mając szesnaście lat. Ona nie żartowała. Cholera jasna! Moja matka. Cholera. – Henry usiadł i wbił niewidzący wzrok w wykładzinę.

Shelly przyglądała mu się, próbując wybrać odpowiednią strategię, lecz wtedy podszedł do niej Quincy. Sięgnął po teczkę, którą trzymała pod pachą. Szybko przekartkował jej zawartość.

– Tutaj. – Wyciągnął zdjęcie starszego mężczyzny stojącego przed garażem Duvallów. – Kim jest ten człowiek? Ty to wiesz. Mów!

Henry spojrzał i znów wydał się zaskoczony i zmieszany.

– To nie ma znaczenia...

– Kim jest ten człowiek?!

– Moim dziadkiem! – Henry zerwał się nagle z łóżka z zaczerwienioną twarzą. – To ojciec mojej matki. Dziadek Gemetti, jak mniemam. To on mnie znalazł. Zjawił się pewnego dnia pod szkołą po wykładach. Powiedział, że chciałby mnie poznać. Że bardzo się ucieszył, gdy się dowiedział, że ma wnuka. Ale nie przedstawił się jako Gemetti. Tylko jako David Michael, David Martin czy jakoś tak. I nigdy nie wspomniał o żadnej Irene.

– Spotkałeś się z nim? Rozmawiałeś z ojcem swojej matki? – dopytywała Shelly.

– Nie. To znaczy tamten jeden raz go widziałem, ale potem... Cholera!

Henry obrócił się, zrobił dwa kroki, uderzył o stolik przy łóżku i zatrzymał się. Opuścił głowę. Westchnął ciężko, najwyraźniej uświadamiając sobie, że nie ma dokąd uciec, nie ma gdzie się ukryć. Tak często wygląda prawda.

– Przyjechałem do domu w trakcie ferii wiosennych, okej? – podjął po chwili. – Zapytałem ojca o tego staruszka. Matki nie pytałem, bo wiedziałem, że to by się źle skończyło. Więc zapytałem tatę, czy ojciec mamy żyje i czy mógłbym go poznać, bo jestem pewien, że on chciałby poznać mnie. I wiecie, co mój ojciec odpowiedział? Że absolutnie nie. Że jeśli choć trochę kocham mamę, to mam zapomnieć o tym, że nieznany mi dotąd dziadek w ogóle się pojawił. Próbowałem oponować. No bo cokolwiek wydarzyło się między moją mamą a jej ojcem, to było... ile? Trzydzieści lat temu, tak?

Quincy i Shelly czekali.

– A ten gość był taki... stary. Może czuł wyrzuty sumienia, chciał naprawić relacje czy coś takiego. Po tylu latach co to by zaszkodziło? – Henry pokręcił głową. – Nie ma mowy. Ojciec stwierdził, że mój dziadek to kryminalista. I nasienie szatana. Jeśli choć trochę kocham mamę, mam zapomnieć, że kiedykolwiek go widziałem, a najlepiej nigdy o nim nie wspominać. Koniec, kropka.

– Ale ty nie jesteś jego córką – stwierdziła wprost Shelly – tylko wnukiem. Przecież masz prawo mieć z nim swoją własną relację.

Henry natychmiast znowu się zarumienił.

– Tak myślałem – mruknął – ale mój tata... Powiedział, żebym się zastanowił, dlaczego mój dziadek pojawił się tak nagle, teraz. Bo gdyby znalazł nas po tych wszystkich latach i naprawdę chciał się pogodzić, to dlaczego nie skontaktował się bezpośrednio z mamą? Tylko wyśledził akurat swojego wnuka, który zna się na komputerach...

– Twój ojciec uważał, że dziadek chce cię zwerbować – stwierdziła Shelly. – Do swoich przestępczych działań?

– Mafiosi też potrzebują informatyków. Przynajmniej ojciec tak sugerował.

– I co zrobiłeś? – zapytał Quincy.

– Nic. Wróciłem do szkoły. Rozglądałem się, ale dziadek nigdy już się nie pojawił. A później, zaraz po tym, jak zacząłem wakacyjny staż, zadzwonił tata. Powiedział, że po sprawie. Dziadek umarł. Na raka.

– Kiedy to było? – zapytała Shelly.

– Hm... z miesiąc temu. Chyba w lipcu.

– Uwierzyłeś mu?

– Próbowałem wygooglować nazwisko dziadka. David Michael. David Martin. David Michael Martin. Powiedzmy, że takich Davidów jest mnóstwo, ale żaden z nich nie okazał się wcieleniem zła, które by niedawno zmarło.

– Kolejny pseudonim – mruknęła Shelly, robiąc notatkę.

Quincy miał istotniejsze pytanie.

– Jak twój ojciec dowiedział się o śmierci dziadka?

– Przypuszczam, że skończyło się na tym, że tata sam z nim sobie porozmawiał. I powiedział mu, żeby trzymał się z daleka od mamy, od naszej rodziny. Taka maczogadka.

– U was w domu?

– Żeby mama się dowiedziała? Boże, nie. Tata zabrał Telly'ego na biwak.

– I Telly był przy tym obecny? Poznał twojego dziadka?

– Czy go poznał? Nic mi o tym nie wiadomo. Czy o nim słyszał? Na pewno. Telly był tu tego dnia, kiedy pierwszy raz opowiedziałem o starszym mężczyźnie, który zaczepił mnie przed uniwerkiem. Gdy mój ojciec przykazał, żebyśmy nigdy o nim nie wspominali, zwracał się i do mnie, i do Telly'ego. Chyba dodał też coś w stylu: A jeśli zobaczycie gdzieś koło domu tego starca, to macie strzelać bez ostrzeżenia, oszczędzicie mamie kłopotu.

– I Telly się na to zgodził?

– Obaj się zgodziliśmy.

– Więc kto spotkał się u was w domu z twoim dziadkiem?

– Nigdy nie był u nas w domu.

– Henry, spójrz na to zdjęcie. Gdzie on stoi? – Quincy ponownie uniósł fotografię z albumu Telly'ego. Postukał w garaż w tle. Shelly obserwowała, jak Henry powoli rozpoznaje to miejsce.

– To nasz garaż. On stał przed moim domem. Zanim umarł, dziadek był przed naszym domem... Ale po co? Tata powiedział, że mama od razu go zabije.

– Chyba że nie przybył do twojej mamy – powiedziała Shelly. – Najpierw próbował z tobą. Potem z tatą. A na końcu...

Twarz Henry'ego pobladła.

– Sukinsyn. Telly. Mimo tego, co przykazał tata, spotkał się z moim dziadkiem. Sukinsyn. Sprzedał moich rodziców!

– Henry, czy jesteś pewien, że twój dziadek nie żyje? – zapytał ponownie Quincy.

Henry pokręcił głową.

Rozdział 35

Gdy wszedłem przez drzwi, nie zauważyłem nikogo. Czwartek, siódma wieczór. Właśnie wróciłem ze spotkania z moją kuratorką sądową, Aly. Oficjalnie skończyłem trzecią klasę liceum i miałem rozpocząć letnią szkołę. Aly powiedziała, że jest zadowolona z moich postępów. Dobrze, że choć jedno z nas jest zadowolone.

Lubiła spotykać się w knajpie w centrum znanej z dobrych shake'ów. Była zdania, że cheeseburgery i frytki to najlepsze jedzenie na świecie. Na początku sądziłem, że mówi tak tylko po to, żeby przekonać do siebie dzieciaki. Ale gdy te parę razy poprzyglądałem się, jak je, to musiałem się z tego wycofać. Nie ma co, ona dosłownie pochłaniała wszelakie fast foody.

Lecz przynajmniej nasze spotkania nie były takie złe. Tego wieczoru tak właściwie chciałem się z nią zobaczyć. Aly rozumiała mój stosunek do szkoły. Nie oczekiwała, że w magiczny sposób stanę się wzorowym uczniem. Zależało jej jednak na tym, żebym nauczył się, jak przetrwać. Żebym starał się skupić, a nie reagował wybuchami. I załatwiła mi pozwolenie na przynoszenie iPoda podczas letniej szkoły, bym mógł słuchać muzyki na przerwach.

– Muzyka to twoje narzędzie. Wykorzystuj swoje narzędzia, Telly. One po to właśnie są.

Czekało mnie więc osiem tygodni lekcji i słuchania muzyki na korytarzu. A potem ostatnia klasa. Ostatni rok, by wyprostować swoje życie. Ostatni rok z Duvallami.

Zastanawiałem się, czy inne dzieciaki, takie z prawdziwymi rodzinami, niecierpliwie wyczekują końca szkoły. Czy raczej są przerażone tak samo jak ja.

Najpierw nie zorientowałem się, co to za dźwięk. Wrzuciłem plecak na dolną półkę w szafie przy wejściu. Zdjąłem buty. Wsunąłem iPoda do tylnej kieszeni spodni. I wtedy to usłyszałem. Pociągnięcia nosem. Chlipanie.

Ktoś płakał.

Zamarłem w przedpokoju, nie wiedząc, co robić. Sandra. To musiała być Sandra. Kto inny płakałby w tym domu?

Ruszyłem powoli, zajrzałem do kuchni. Nikogo. A potem do salonu. Pusto.

W końcu poszedłem korytarzem do jej sypialni. Drzwi były uchylone, dźwięk z pewnością dobiegał stamtąd.

Zapukałem delikatnie, niepewny, czy powinienem przeszkadzać.

– Wszystko... hm... w porządku?

Pociągnięcie nosem. Chlipanie.

Powoli popchnąłem drzwi. Sandra siedziała na skraju łóżka. Miała na sobie tę samą letnią spódnicę i bluzkę z falbankami co rano. Teraz otaczały ją stosy zużytych chusteczek, a w ręku trzymała szklankę wody.

Podniosła wzrok, kiedy wszedłem do środka. Miała czerwony nos. I podpuchnięte oczy. Nic nie powiedziała. Tylko patrzyła na mnie, gdy przestępowałem z nogi na nogę.

– Frank jest w domu? – zapytałem z nadzieją.

Potrząsnęła głową.

Domyślałem się tego, choć wolałbym usłyszeć inną odpowiedź. Franka ostatnio często nie było. Dokąd wychodził i co robił, nie miałem pojęcia. Czasem odnosiłem wrażenie, że Sandra też nie wie. Ale nie dopytywała go. Ja również.

– Wolno być smutnym – powiedziała nagle.

– Okej.

– Ludzie tacy jak ty i ja. My rozumiemy. Każda korzyść oznacza jakąś stratę. W niektóre dni musimy te swoje straty opłacać.

Po raz pierwszy zauważyłem, że plącze jej się język. Sandrze, która przy mnie nigdy nie wypiła więcej niż odrobinę wina. W tej szklance to raczej nie była woda. Czysta wódka? Tequila?

Skąd ją w ogóle wzięła? Duvallowie bardzo uważali z alkoholem w domu, bo przecież opiekowali się nastolatkiem z problemami. Od czasu do czasu Frank przynosił sześciopak piwa. Ale mocne trunki? Wykluczone.

Zrobiłem kilka kroków w głąb sypialni. Byłem zaniepokojony.

– Mam... hm... po kogoś zadzwonić?

– Tęsknisz za nimi? – szepnęła Sandra.

– Za kim? – Lecz od razu wiedziałem. Doskonale wiedziałem, o kim mówi. Znieruchomiałem z rękoma w kieszeniach. W końcu dotarło do mnie, co się tutaj dzieje. Sandra się nad sobą użalała. Tęskniła za rodziną. Tak jak w niektóre dni, we wszystkie dni, ja tęskniłem za moją.

Wpatrywała się teraz we mnie tak intensywnie, że musiałem odwrócić wzrok.

– Miałaś jakichś braci albo siostry? – zapytałem.

– Nie. Byłam tylko ja. Jedynaczka. Szczęściara.

– Ja tęsknię za siostrą – usłyszałem swój głos.

– Moja matka umarła.

– Dzisiaj? Bardzo mi przykro...

– Pięć lat temu. Na raka piersi. Dowiedziałam się później. Nigdy do niej nie zadzwoniłam, wiesz? Nie oglądałam się wstecz. Ona umarła, a ja nawet się z nią nie pożegnałam.

– Kochałaś ją.

– Nienawidziłam jej! Nienawidziłam jej za to, że była taka słaba. Za to, że wyszła za takiego człowieka. Że pozwalała mu podnosić głos, podnosić pięść, że pozwalała mu na to wszystko, co robił. Nie cierpiałam go. Ale jej nienawidziłam. Zwłaszcza pod koniec. Gdy okazało się, że jestem tak samo podła jak on, a ona nie zrobiła nic, żeby mnie powstrzymać.

Nie wiedziałem, co powiedzieć. A może wiedziałem.

– Moja mama była smutna – mruknąłem. – To najbardziej zapamiętałem. Że jak była smutna, to była bardzo smutna. Ale gdy była wesoła, to była bardzo wesoła. Jako dziecko żałowałem, że nie jest wesoła częściej.

– Twój ojciec ją zabił. – Nie poprawiłem jej. – Nożem. Prze-czytałam twoją historię, Telly, i wybrałam ciebie. Ze wszystkich *dzieci wybrałam ciebie. Bo wiem, jak to jest, gdy nóż dzieli dom. Wiem, jakie to uczucie, kiedy krew skapuje ci z rąk. Frank nie wie. Próbuje zrozumieć. Ale on patroszył tylko zwierzęta. A to nie to samo, prawda, Telly? Prawda?*

– Przykro mi, że twoja mama nie żyje – powtórzyłem.

– A mnie jest przykro, że nie żyje twoja – odparła z powagą. A potem znów zaczęła płakać i sięgnęła po kolejną chusteczkę. – Powinieneś zadzwonić do siostry – powiedziała po chwili. – Frank ma numer, ma wszystkie informacje. Mógłbyś zaprosić ją na obiad. Zrobiłabym ten koszmarny makaron z serem z pudełka.

– Dziękuję – odparłem, choć to nie była właściwie odpowiedź. Aly też wierciła mi dziurę w brzuchu w sprawie Sharlah. Bo powinienem zamknąć ten rozdział. Wszyscy tak uważali. Złamałem malutkiej siostrze ramię. I niby co? Spotkam się z nią teraz, obejrzę bliznę i to w magiczny sposób sprawi, że poczuję się lepiej?

– Nie zadzwonisz – stwierdziła Sandra. – Boisz się.

– Nie.

– Tak.

– Wstydzę się – oznajmiłem wprost. Bo z tą pijaną Sandrą mogłem rozmawiać. A ona mogła rozmawiać ze mną.

– Uderzyłam mamę – powiedziała.

To ciekawe. Podszedłem bliżej.

– Frankowi pozwoliłam myśleć, że opuściłam rodzinny dom, bo ojciec nas dręczył. To tylko pół prawdy. Mój ojciec to zimny, bezlitosny sukinsyn, ale uciekłam z domu przede wszystkim dlatego, że pewnego dnia zepchnęłam matkę ze schodów. I to nie był pierwszy raz, gdy na nią wrzeszczałam, gdy ją uderzyłam albo spoliczkowałam. To nawet nie był dwudziesty raz. Widzisz, zanim skończyłam dwanaście lat, doszłam do wniosku, że albo będę ofiarą ojca, albo jego wspólnikiem. I dokonałam wyboru. Zostałam jego córką. A on był ze mnie taki dumny.

Nie poruszyłem się. Nie chciałem, żeby przestała mówić. Nawet jeśli nie potrafiłem zrozumieć tej dziwnej, surrealistycznej prawdy. Szczęśliwa gospodyni domowa Sandra, gotująca wszystkim ich ulubione dania, dręczyła własną matkę.

– Mama nawet nie krzyknęła, gdy upadła. To właśnie ta całkowita cisza mnie przeraziła. Przez chwilę myślałam, że nie żyje. Zaczęłam przyglądać się swoim dłoniom. Dopiero wtedy uświadomiłam sobie, co zrobiłam. I że mogłabym zrobić to znowu. I znowu. I że to zrobię. Ona mnie nie powstrzyma. Czy tak bardzo mnie kochała? – wyszeptała Sandra. – Czy tak bardzo mnie nienawidziła? Nigdy nie byłam w stanie odpowiedzieć na to pytanie. Kto pozwala własnemu dziecku stać się takim potworem? Ojciec przynajmniej był szczery w swoim okrucieństwie. To matki nigdy nie potrafiłam zrozumieć. W końcu wstała. Pokuśtykała do kuchni. I bez słowa zaczęła robić obiad. A ja zrozumiałam... Zrozumiałam, że nie mogę już dłużej tak żyć.

– Uciekłaś.

– To była jedyna opcja. Gdyby ojciec dowiedział się, że odchodzę, nie uderzyłby mnie. On by mnie zabił.

– Dlaczego?

– Bo należałam do niego. Tak jak matka. A ojciec nie lubił się dzielić zabawkami.

– Ale... płaczesz za nimi.

Spojrzała na mnie.

– A ty nie płaczesz za swoimi?

Trafiony, zatopiony. Usiadłem na podłodze. Wyciągnęła ku mnie szklankę, lecz pokręciłem głową.

– Nie piję dużo – rzuciła przepraszającym tonem. – I staram się też dużo nie płakać. Co się stało, to się nie odstanie. A Frank to taki dobry facet. Miałam fart. Mam fart. I dobrze o tym wiem.

– Ale w niektóre dni...

– Tak, w niektóre dni... – zgodziła się.

– Powiedziałaś mi kiedyś, że będzie lepiej. Gdy założę swoją własną rodzinę, nie będę już tak bardzo tęsknić za rodzicami.

– Skłamałam. – Pociągnęła spory łyk ze szklanki. – Tak szczerze, to czy naprawdę chciałbyś usłyszeć, że zawsze będziesz miał pustkę w sercu, że zawsze będziesz odczuwać brak rodziców niczym jakąś fantomową kończynę? Czy to by ci pomogło? Sprawiłoby, że poczułbyś się lepiej?

– Nie.

– W takim razie zapomnij, że cokolwiek mówiłam. Będziesz miał szczęśliwe zakończenie. Jakaś dziewczyna skradnie ci serce. A potem doczekacie się dwójki cudownych dzieci i nigdy nie doświadczysz męki i rozczarowań. Teraz lepiej?

– Jesteś rozczarowana Henrym?

– Boże, nie. Ale czasami wolałabym, żeby nie był takim aroganckim gówniarzem. Geniusz komputerowy. Jasne!

Bardzo mi się podobała ta pijana Sandra.

– Dziękuję, że nauczyłaś mnie robić kurczaka z parmezanem.

– Wkurzyło go to, nie? Cóż, ma ojca. Mówią jednym językiem. Dobrze, że ja też mam teraz dziecko. A więc za mnie i za ciebie, bo choćby nie wiem, jacy byli mądrzy, to i tak nigdy nie zdobędą takiej wiedzy, jaką my mamy.

Ponownie uniosła szklankę. Musiałem odwrócić wzrok. Nazwała mnie swoim dzieckiem. Ona i ja. Płakałem. Wiedziałem, że płaczę. Po prostu nie mogłem się powstrzymać.

– Czy twój ojciec jest naprawdę taki zły? – usłyszałem swój głos.

– Tak.

– Bo pił, brał narkotyki?

– Nie, skarbie. Bo Bóg go takim uczynił, a jemu się to podobało. Twój ojciec miał wymówkę. Mój nie.

– Mój ojciec był pijany w tę noc, gdy nas zaatakował – powiedziałem. – Ale to go nie usprawiedliwia. Mówiąc twoimi słowami, Bóg uczynił go alkoholikiem, a jemu się to podobało. Był z tym szczęśliwy.

– Musiałeś go zabić, Telly. Nie czuj się winny. Byłeś dzieckiem. Zrobiłeś, co musiałeś zrobić.

– Może powinienem był uciec. I zabrać ze sobą siostrę.

– A może ja powinnam była zabić ojca i uratować matkę. Widzisz, żadne z nas nigdy się tego nie dowie.

– Interesowałaś się nadal swoją rodziną. I dlatego wiedziałaś, że matka umarła.

– Tak.

– A ojciec?

– Ten słabowity staruszek, który łazi za moim synem po college'u i umawia się na potajemne spotkania z moim mężem?

Szeroko otworzyłem oczy.

– Wiesz o nich?

– Frank lubi myśleć, że mnie chroni. Ale ja nigdy nie potrzebowałam jego ochrony. W końcu nadal jestem córką swojego ojca.

– Zobaczysz się z nim? Wybaczysz mu?

– Gdyby twój ojciec żył, gdyby tylko cię zranił, a ty tylko zraniłbyś jego... Czy chciałbyś się z nim teraz zobaczyć? Czy poczułbyś się lepiej, oferując mu wybaczenie?

– Nie wiem. Nie mam pojęcia. – Ale to nie była prawda. Ważna była Sharlah, zawsze Sharlah. Czy ona poczułaby się lepiej, gdyby miała szansę mi wybaczyć? Czy ja poczułbym się lepiej, gdybym miał szansę wybaczyć jej?

Sandra znała dźwięk noża rozcinającego ludzkie ciało. Lecz ja znałem odgłos kija bejsbolowego miażdżącego kości.

– Mój ojciec nie chce przebaczenia – powiedziała. Uniosła szklankę, wypiła wszystko do dna. – Nawet przeżarty rakiem. To nie w jego stylu.

– W takim razie czego chce?

– W moich najśmielszych marzeniach: chce, żebym ja go zabiła, zanim zrobi to rak. To przynajmniej byłaby interesująca propozycja.

Nie wiedziałem, co powiedzieć.

– Mój ojciec jest bogaty – ciągnęła. – Obrzydliwie bogaty. Tajne konta, zagraniczne fundusze. Wille na całym świecie z lewych pieniędzy. W teorii to wszystko mogłoby przypaść mnie. Zabić króla. Niech żyje królowa i tak dalej.

Uśmiechnęła się, ale to nie był wesoły uśmiech. W tym momencie nie była pijaną Sandrą ani Sandrą matką i opiekunką. Była kobietą, której w ogóle nie znałem.

– Zamierzasz zabić swojego ojca?

– Cóż, jeśli ładnie poprosi...

– Rozmawiałaś z nim.

– Nie. – Głos nagle jej się załamał. – I tu jest haczyk. Bo pomimo upływu lat ja wciąż boję się jego obecności. Obawiam się, że sprawi, że znowu poczuję się mała, słaba i bezradna. Zrobiłbyś

coś dla mnie, Telly? Zabiłbyś mojego ojca dla mnie? Skombinowałabym ci kij bejsbolowy.

Potrząsnąłem głową.

– Przykro mi. Zabijam tylko pijaków, którzy gonią moją siostrę z nożem.

– Zabawne, nie? Jak na rozmaite sposoby dorastamy i obiecujemy sobie, że będziemy lepsi. A mimo wszystko nigdy się nie zmieniamy.

– Przykro mi – powtórzyłem, choć nie byłem pewien, za co przepraszam. Za odrzucenie propozycji, bym zabił jej ojca, czy za uznanie cierpienia, jakie bez wątpienia jej sprawiał?

– Dziękuję, że jesteś częścią mojej nowej rodziny, Telly. Frank i Henry mnie kochają, ale o niektórych sprawach nie mogę im powiedzieć. O sprawach, które tylko ty możesz zrozumieć. Jesteśmy jakby pokrewnymi duszami. I z tego powodu bardzo nas obojga żałuję.

Uśmiechnęła się smutno. Ale ja nie oponowałem. Wcale nie przeszkadzało mi, że jesteśmy pokrewnymi duszami. To był dla mnie zaszczyt.

– Gdy nadejdzie najgorsze – usłyszałem swój głos – pomogę ci.

– On umrze – powiedziała bardziej stanowczym tonem. – Umrze. I wtedy to wszystko się skończy, a życie powróci do normalności. Chyba że...

Czekałem, ale nic więcej nie wyjaśniła. Za to na jej twarzy pojawił się wyraz konsternacji.

– Telly, chyba muszę zdradzić ci jeszcze jeden sekret.

Rozdział 36

Luka jest wykończony po trudach dnia. Prowadzę go do domu, a Rainie idzie sprawdzić teren dokoła. Luka wychłeptuje całą miskę wody, a potem pada na podłogę w salonie i rzuca tęskne spojrzenie na moją sypialnię po drugiej stronie korytarza.

Jestem zbyt zdenerwowana, żeby zasnąć. Bolą mnie nogi. Boli mnie klatka piersiowa, boli mnie serce. Ale nie potrafię wyciszyć się tak szybko jak mój pies. Krążę po kuchni, nalewam sobie szklankę wody, kilka razy zaglądam do lodówki. Powinnam coś zjeść. Powinnam być głodna. Ale nic mnie nie kusi.

Cały czas widzę brata, jak znika w lesie, z bronią gotową do strzału.

Zanim Rainie wraca, zaczynam krążyć wokół kuchennego stołu. Nic nie mówi. Też nalewa sobie szklankę wody. Na zewnątrz wciąż jest gorąco i parno, lecz klimatyzacja w domu świetnie się spisała. Rainie wzdryga się lekko od chłodu, a ja zauważam zarys pistoletu za paskiem jej spodenek.

– Naprawdę myślisz, że Telly nadal stanowi dla mnie zagrożenie?

– Myślę, że ostrożności nigdy nie za wiele.

– Gdyby chciał mnie zabić, zrobiłby to, kiedy byliśmy sami. Nie musiałby teraz zawracać sobie tym głowy.

Wzrusza ramionami, ale nie odkłada broni. To nie Telly, uświadamiam sobie. W każdym razie to nie o niego tak się martwi, biorąc pod uwagę jego zachowanie po południu. Niepokoi się, bo jeśli to nie on zastrzelił tych ludzi na stacji benzynowej, to kto to zrobił?

– Na zewnątrz czysto? – pytam, udając obojętność.

Kiwa głową.

– U ciebie w porządku?

– Jak najbardziej – zapewniam.

Wyraz jej twarzy łagodnieje.

– On jest twoim bratem, Sharlah. Masz prawo się o niego martwić.

– Mam przeczucie, że wydarzy się coś złego – mówię. – I że gdybym dobrze to przemyślała, gdybym była wystarczająco mądra, potrafiłabym tego uniknąć. Ale ja nigdy nie byłam mądra. Ani nie miałam szczęścia.

Rainie nic nie odpowiada. Siada przy stole. Po chwili do niej dołączam.

– Większość ludzi idzie przez życie ze świadomością, że przemoc gdzieś tam jest, ale ich oddziela od niej bezpieczny dystans – mówi po jakimś czasie. – Złe rzeczy się zdarzają, lecz nie im. Ty nie masz takiego dystansu, Sharlah. Twoje pierwsze pięć lat życia to walka albo ucieczka, i to zanim twój ojciec ruszył na ciebie i twojego brata z nożem. Złe rzeczy to nie jest dla ciebie abstrakcja. To są bardzo prawdziwe zdarzenia. A gdy się ich raz doświadczy, to można się potem znowu spodziewać najgorszego.

– Telly ma kłopoty.

– Owszem.

– Sposób, w jaki trzymał broń, sposób, w jaki mówił... On zrobi coś strasznego. Albo umrze, próbując to zrobić.

– Przykro mi, Sharlah.

Obracam w dłoniach szklankę z wodą.

– Nie wydaje mi się, żeby zabił swoich rodziców zastępczych. Wiem, że nie ma stamtąd żadnych nagrań ani nic, ale gdybyśmy je mieli, to założę się, że byłby na nich ten sam człowiek co na stacji benzynowej, ten ze znamieniem nad nadgarstkiem. To on to wszystko zrobił. – Rainie milczy. A ja kontynuuję: – Sposób, w jaki Telly mówił o swoich rodzicach zastępczych... On ich szanował. Lubił. Nie zaatakowałby ich tak po prostu.

– Nie zawsze wiemy, co sprawia, że ludzie zabijają.

– Ale próbujemy się dowiedzieć, prawda? Na tym polega praca psychologa kryminalnego. Na ustalaniu, dlaczego ludzie zabijają, i wykorzystywaniu tej wiedzy, żeby identyfikować morderców.

Rainie patrzy na mnie z powagą.

– Natura kontra wychowanie – mówi nagle. – To podstawowa sprawa w rozwoju osobowości. Zwłaszcza jeśli chodzi o przestępców. Czy ktoś rodzi się zły, czy też coś, co się mu przydarza, dopiero go takim czyni?

– Telly nie urodził się zły – stwierdzam z przekorą. – Opiekował się mną.

– Urodził się w domu pełnym przemocy. Zmagał się ze skutkami uzależnień rodziców, doświadczał braku stabilności, był wychowywany przez ojca, który rozwiązywał konflikty siłą.

– Może nie mieliśmy dobrego wychowania – przyznaję – ale jeśli chodzi o naturę mojego brata... On jest dobry. Ja to wiem. Nawet po tym, jak go dzisiaj widziałam. Wciąż jest w nim dawny Telly. Musisz mi uwierzyć, Rainie. Musisz.

– Wierzę, skarbie. Jest wiele rzeczy, które Telly mógł zrobić tego popołudnia, a jedną z nich było to, że postanowił cię oddać. Jestem mu wdzięczna.

Zapada milczenie.

– Chciałam go uratować – szepczę po chwili. – I dlatego musiałam wyjść dziś po południu. Dlatego go szukałam. Ten jeden raz. Chciałam to naprawić.

– Wiem.

– Jak ci się śpi w nocy?

Uśmiecha się lekko.

– Nie sypiam w nocy. Wszyscy to wiedzą. I ty też.

– A twoja matka? – pytam, bo Rainie tak mało mówi o swojej przeszłości. Żadne z nas o niej nie mówi. – Czy ona... czy ona cię biła?

Waha się przez moment. Nie żeby uniknąć odpowiedzi, tylko żeby się nad nią zastanowić.

– Moja matka bywała okropna. Była alkoholiczką, tak jak ja. To się czasem dziedziczy. Ale nie sądzę, żeby pijackie zwyczaje mojej matki mogły się równać z pijackimi wyczynami, powiedzmy, twojego ojca. Z drugiej strony miała bardzo kiepski gust, jeśli chodzi o mężczyzn. A niektórzy z nich... Wiem, co to znaczy musieć zamykać się w swoim pokoju na noc.

– Przykro mi – mówię szczerze.

Sięga ponad stołem i bierze mnie za rękę.

– Z czasem jest lepiej, Sharlah. Wiem, że w tej chwili trudno ci w to uwierzyć, ale życie się jakoś układa.

Chcę jej wierzyć, lecz ma rację: dzisiaj wieczorem trudno mi to zrobić.

Dzwoni jej komórka. Rainie puszcza moją rękę, żeby wygrzebać telefon z kieszeni. Widzę po jej twarzy, że to Quincy. Nie wychodzi z kuchni, tylko siedzi naprzeciwko mnie i kiwa głową. Quincy najwyraźniej ma dużo do powiedzenia.

– Okej – mówi w końcu. A potem: – Tak, mogę. Zacznę od razu... Bądź ostrożny... Kocham cię... Pa.

Odkłada telefon, pije łyk wody.

– Wyznaczył ci zadanie? – pytam.

Przytakuje.

– Pamiętasz to zdjęcie starszego mężczyzny na końcu albumu Telly'ego? Okazuje się, że to rzeczywiście ojciec Sandry Duvall.

– Sandry Duvall czy Irene Gemetti?

Rainie się uśmiecha.

– I tu sprawa robi się ciekawa. Nie tylko Sandra nosiła przybrane nazwisko, jej ojciec, niesławny kryminalista, również.

– To dlatego ich drogi się rozeszły? Bo nie chciała dołączyć do rodzinnego biznesu czy coś takiego?

– Nie jestem pewna. Ale istotne jest to, że według syna Sandry, Henry'ego, jej ojciec niedawno niespodziewanie pojawił się w ich życiu. Twierdził, że umiera na raka i że chce się pogodzić. Tylko że według Henry'ego Sandra nie chciała mieć z nim nic wspólnego. Więc on zwrócił się najpierw do wnuka, potem do Franka, a gdy nic nie wskórał, to najprawdopodobniej do twojego brata.

– Nie rozumiem. – Marszczę brwi.

– Policja też nie. Stąd moje zadanie. Mam zidentyfikować ojca Sandry. Jeśli czegoś się o nim dowiemy, to może będziemy mieć lepsze pojęcie o tym, co wydarzyło się w domu Duvallów, zanim zamordowano ich dziś rano. A to może powiedzieć nam więcej o tym, kto ich zabił i dlaczego.

– Chcę pomóc – oznajmiam.

Rzuca mi spojrzenie. Ale ja nie spuszczam wzroku. Luka spodziewa się sceny, więc zbiera się z podłogi i przydreptuje, żeby mieć lepszy widok.

– Prawdziwe nazwisko Sandry to Gemetti, tak? – upewniam się.

Kiwa głową.

– W takim razie policja musi poszukać tego Gemettiego, na przykład przejrzeć bazę aktów urodzenia, żeby znaleźć Irene Gemetti i sprawdzić jej ojca.

– Roy Peterson już próbował. Co może oznaczać, że Irene urodziła się w jakimś małym szpitalu, który nie wprowadził jej danych do bazy, albo że nie ma aktu jej urodzenia. Poszukiwania w internecie są świetne, ale trzeba się przekopać przez masę śmieci. Jeśli ci Gemetti to rzeczywiście przestępcza rodzina, mogli mieć motywację, żeby się ukrywać i nie ujawniać swoich danych osobowych. Ale jest jeszcze inna możliwość.

– Okej.

– Sandra Duvall to fałszywe nazwisko, tak? Pseudonim, który przyjęła, żeby odgrodzić się od przeszłości.

– Tak.

– Być może jej ojciec zrobił to samo. Mafiosi są niczym wilki w owczej skórze. Jako wilk...

– Gemetti?

– Tak. Prowadził pewne interesy, angażował się w określone działania i nie chciał, żeby wiązano je z jego osobą. Ale jeśli mu się wiodło, mógł też chcieć żyć jak owca, w pełnym świetle, korzystać z owoców swojej pracy.

– Druga tożsamość.

– Henry'emu przedstawił się jako David Michael albo David Martin, albo nawet David Michael Martin, coś w tym stylu.

– To wszystko są imiona.

– Popularne imiona – dodaje Rainie.

Łapię.

– Żeby trudniej go było wyśledzić – mówię. – Na świecie musi być mnóstwo Davidów, a co dopiero Martinów, Davidów Martinów...

– Właśnie. Ukrywa się na widoku, przyjmując tak popularne

nazwisko, że nikt nie zwróci uwagi i nikt nie będzie mógł go w razie potrzeby znaleźć.

– Nie da się sprawdzić wszystkich Davidów i Martinów, więc będziecie szukać Gemettich?

– Roy Peterson już to robi. To nazwisko wilka, a Roy ma dostęp do baz kryminalnych. Czyli dla mnie zostają bardziej czasochłonne poszukiwania: mam wyszukać w Google najpopularniejsze nazwiska na planecie.

Marszczę brwi, przygryzam wargę.

– Musisz mieć jakiś plan.

Wzrusza ramionami.

– To ty jesteś uczennicą i często szukasz informacji w internecie. Co byś zrobiła?

– Cóż... Nie wystarczy wpisać w Google „David". Albo „Martin". Albo „Michael". Wyskoczyłyby miliony wyników. Więc trzeba dołożyć dodatkowe kryteria. Coś, co zawęzi obszar poszukiwań.

– Co byś zaproponowała?

– A co wiemy o tym człowieku? Jest z Bakersville, jak Sandra?

– Przypuszczamy, że z Portlandu. Na pewno z Oregonu.

– Okej, a więc kombinacja Davidów, Michaelów i Martinów zamieszkałych w Oregonie. To będzie długa lista.

Kiwa głową.

– On jest stary? Starzy Davidowie, Michaelowie, Martinowie, którzy mieszkają w Oregonie?

Rainie się uśmiecha.

– „Stary" to za szerokie kryterium. Najlepiej, jakbyśmy miały rok urodzenia. To byłby konkret. Niestety...

– Nie mamy roku urodzenia.

– Mogłybyśmy określić pewien przedział, ale z mojego doświadczenia wynika, że to niewiele daje, zwłaszcza gdy się potem okazuje, że właściwy rok urodzenia był akurat tuż poza wybranym przedziałem.

– To jak wy z Quincym w ogóle kogoś znajdujecie? – Krzywię się.

– Tak po prostu. Coś wymyślamy.

Obie milkniemy na chwilę. A potem znów odzywa się Rainie:

– Jest chory. Przynajmniej to zasugerował synowi Duvallów. Choruje, umiera na raka.

– To jest konkret. – Rozpromieniam się.

– I tak, i nie. Dane medyczne są poufne. Z drugiej strony w całym stanie funkcjonuje tylko kilka dobrych szpitali onkologicznych. Jest szansa, że nasz David był u lekarza w jednym z nich. Do tej informacji jednak też nie mamy dostępu. Potrzebujemy czegoś, co jest dostępne publicznie.

– On jest bogaty? – pytam.

– Ponoć jest dobry w tym, co robi.

– Bogaci ludzie nie chorują tak po prostu – stwierdzam. Wiem, bo oglądam telewizję. – Bogaci ludzie organizują gale, zbierają fundusze, uruchamiają kampanie na Twitterze i tak dalej. Zmieniają swoją chorobę w spektakl medialny.

Przez moment wydaje mi się, że Rainie mnie zbędzie, lecz nagle...

– Gale – mruczy. – Jest taka jedna w Portlandzie. Największa coroczna zbiórka wspierająca walkę z rakiem. Biorą w niej udział lokalni bogacze i celebryci... Chodź ze mną.

Wpuszcza mnie do gabinetu. Warto to odnotować – że w końcu pozwolono mi wkroczyć na święty teren – ale moją uwagę przykuwa raczej podekscytowanie w jej głosie. Podchodzi prosto do komputera, otwiera wyszukiwarkę, a zaraz potem cały ekran wypełniają zdjęcia.

– Wykupienie stolika na gali „Jeden Wieczór, Jedna Walka" kosztuje pięćdziesiąt tysięcy dolarów, więc jest to jedna z najdroższych imprez w Portlandzie. Oczywiście aż roi się tam od reporterów, którzy robią zdjęcia wystrojonym celebrytom i wrzucają je online, żeby zachęcić do jeszcze większych datków w kolejnym roku. Może i nie znamy prawdziwego nazwiska ojca Sandry, ale wiemy, jak wygląda. A to znaczy, że wystarczy uważnie przejrzeć te zdjęcia, i będziemy go mieli. Zakres czasowy... Nie wiemy dokładnie, kiedy zachorował, ale skoro tak mizernie wygląda na zdjęciu, to prawdopodobnie kilka lat temu. Więc zaczniemy od pięciu lat wstecz i dojdziemy do ostatniej gali. Być może dopisze nam szczęście.

Kiwam głową. Rainie wpisuje w wyszukiwarkę odpowiedni rok, a ekran wypełniają błyszczące suknie z cekinami, kieliszki szampana i dyskotekowe światła. „Jeden Wieczór, Jedna Walka" sprzed pięciu lat. W głowie mi się kręci od samego oglądania tych zdjęć, a mamy mnóstwo stron do przejrzenia. I to z kilku lat.

– Wyobraź sobie tego mężczyznę z fotografii – radzi mi Rainie. – Skup się na czymś konkretnym: zarysie nosa, rozstawie oczu. Jego szukamy. Niech reszta cię nie rozprasza.

Pracujemy powoli. Nie ma wyboru. Gdy przyśpieszam, obrazy rozmywają się i w ogóle nie widzę twarzy, tylko wpadają mi w oko sukienki albo kolczyki. Rainie ma rację, bardzo łatwo dać się rozproszyć.

Po przejrzeniu wszystkich zdjęć sprzed pięciu lat Rainie otwiera zdjęcie ojca Sandry na komórce, żebyśmy mogły sobie odświeżyć jego wizerunek. Powiększa je, aż widać jedynie twarz mężczyzny. W takim powiększeniu jest niewyraźna, zniekształcona, ale Rainie pokazuje mi na to sposób. Na kartce rysujemy zarys jego żuchwy, kształt nosa, oczu i ust. To nie twarz, tylko szablon twarzy.

– Tego kogoś właśnie szukamy – przypomina mi. – Nieważne włosy, ubranie, biżuteria, tło. To są identyfikujące go elementy.

„Jeden Wieczór, Jedna Walka" cztery lata temu. Rainie ładuje zdjęcia. Ponawiamy polowanie.

Nie miałam pojęcia, że tyle osób lubi cekiny. Są nawet muszki z cekinami.

Trzy lata temu.

Rainie przynosi nam krople do oczu. Obrazy się zlewają. Nienawidzę wieczorowych strojów, wytapirowanych fryzur i niebieskiego cienia do powiek. Zaczynam odczuwać lekki głód po tych wszystkich zdjęciach z jedzeniem, lecz wielkie plamy kolorów sprawiają, że równocześnie mnie mdli. Mogę przerwać, mówi Rainie, odpocząć. Ale widzę, że ona będzie szukać dalej, więc nie odpuszczam. To jak zagadka na spostrzegawczość dla dzieci, a my jeszcze nie dostrzegłyśmy naszego celu. Nie można pójść spać, zanim to się nie uda.

„Jeden Wieczór, Jedna Walka" dwa lata temu. Rainie ładuje zdjęcia. Obie pochylamy się do przodu, wpatrujemy w monitor i powoli przesuwamy fotografie.

Zauważam go. Stoi z boku. Ma na sobie czarny smoking, jak inni mężczyźni. Ale jego dłoń, w której trzyma kieliszek szampana... To ona zwraca moją uwagę. Skrawek starości pośród kolorowych świateł imprezy. Widać go tylko z profilu, lecz przyglądam się jego nosowi, jak pokazała mi Rainie, i od razu wiem, że to on.

– Tam! Zobacz! To on!

Rainie śledzi mój palec, gdy stukam w ekran.

– To możliwe – zgadza się. Klika zdjęcie dwukrotnie i powiększa je.

Grupka ludzi. Oprócz starca jest tam jakiś szczuplejszy, poważny mężczyzna oraz drugi młodszy, który stoi pod rękę ze śliczną dziewczyną. Wydaje mi się, że oni wszyscy są razem. Stoją bardzo blisko siebie, nie tak, jakby się dopiero co poznali. Oni już się znają. To jego rodzina?

Rainie nie patrzy na starca. Przesunęła wzrok na tego młodszego mężczyznę. Marszczy brwi. Mruga oczami. Znowu marszczy brwi.

– Przysięgłabym, że znam tę twarz.

– A nazwisko, nazwisko? – Umieram z ciekawości.

– David Michael Martin – odczytuje podpis.

Idealne nazwisko, by ukrywać się na widoku.

– Prezes GMB Enterprises – kontynuuje i nagle... Milknie, odwraca się od komputera i patrzy mi w oczy. – Sharlah, ja znam tego młodego człowieka. Zaczęliśmy dzisiejszy dzień od wpatrywania się w jego zdjęcie. Ten chłopak... – Przesuwa dalej podpis, ale nazwisk innych osób ze zdjęcia nie podano. – Ten chłopak to ofiara ze stacji benzynowej.

Dociera do mnie, co Rainie mówi.

– A więc nie zamordowano go przypadkiem?

– Nie. Wysłano kogoś, żeby go zabił. Najpierw Sandrę Duvall, dawno temu utraconą córkę Davida Michaela Martina – mruczy Rainie – a potem tego mężczyznę, może jego wspólnika? To nie są zabójstwa w amoku.

Chwyta komórkę i wybiera numer Quincy'ego.

– W takim razie co? – pytam.

– Nie wiem. Coś większego, coś zaplanowanego. – Patrzy na

mnie, z komórką przy uchu, a ja już wiem, co myśli: moje zdjęcia, celownik snajperski narysowany wokół mojej twarzy.

I rozumiem. Naprawdę jestem córką Rainie. Bo ona już planuje, jak mnie chronić.

A ja od razu zaczynam się zastanawiać: Och, Telly, jak cię z tego wyciągnąć?

Lecz żadna z nas nie zna odpowiedzi.

Rozdział 37

Quincy i Shelly wrócili z rozmowy z Henrym dobrze po północy. Tropiciel nadal był w salce konferencyjnej i zaznaczał coś na wielkiej mapie. Spojrzał na nich, gdy weszli, a potem wrócił do pracy. Quincy nalał sobie kawy i zrobił herbatę dla Shelly. Podziękowała i wyszła z salki, żeby zajrzeć do Roya. Quincy stanął przy mapie. Wyglądało na to, że cały szlak Telly'ego Raya Nasha został pokryty fioletowymi pinezkami.

– Coś nowego? – zapytał tropiciela.

– Zaznaczam wszystkie zgłoszenia o osobie odpowiadającej opisowi Nasha.

Dopiero teraz zauważył, że Noonan trzyma w ręku wydruki, pewnie ze specjalnie założonej gorącej linii.

– Jak poszła rozmowa z synem Duvallów? – zapytał Cal. – Jest w zmowie? To nasz prawdziwy cel?

– Jeśli tak, to jest najlepszym kłamcą, jakiego spotkałem, a spotkałem naprawdę dobrych.

– Czyli czysty? Nie ma nic wspólnego z tym, co się stało z jego rodzicami?

Quincy zmarszczył brwi, obrócił w palcach kubek z kawą.

– Nie jestem do końca pewien. Rodzina Duvallów ma swoje tajemnice. Ale Henry wydaje się zupełnie niezorientowany, jeśli chodzi o prawdziwe nazwisko jego matki i historię jej rodziny. Zidentyfikował starszego pana z albumu Telly'ego jako swojego dziadka, który zjawił się niespodziewanie kilka miesięcy temu, by nawiązać kontakt z wnukiem, być może też z resztą rodziny. Henry twierdzi, że ojciec mu tego zabronił. Ojciec Sandry Duvall vel Irene Gemetti to jakiś mafioso. Nie wolno mu ufać, nawet jeśli twierdzi, że leży na łożu śmierci.

– Miło. I ten dziadek rzeczywiście umarł?

– Mam nadzieję, że Roy albo Rainie zdołali się tego dowiedzieć. Dobrze też byłoby znać jego nazwisko. – Quincy wskazał głową mapę na ścianie. – Kamerki, które zostawiliście w obozie Nasha, coś nagrały?

– Nie.

– Ale są zgłoszenia na gorącą linię, że go widziano? – zapytał, patrząc na plik kartek w ręku Noonana.

– Szukam punktu koncentracji – odpowiedział tropiciel. – Takiego nagromadzenia obserwacji w jednym miejscu, by warto było mu się przyjrzeć. A jeszcze lepiej całego szeregu tych punktów. Wskazałyby nam kierunek, powiedziały, dokąd Nash zmierza. Może nawet podpowiedziałyby, jaki jest jego następny cel.

Quincy pokiwał głową, to był niezły trop. Przyjrzał się fioletowym pinezkom na mapie i uniósł brew.

– Sporo tych zgłoszeń – stwierdził.

– Owszem.

– Ale nie widzę żadnych koncentracji.

– Zgadza się.

– Nie dostrzegam żadnego kierunku.

– Właśnie.

Noonan wziął następną fioletową pinezkę i spojrzał na kolejne zgłoszenie. Quincy poszedł szukać Shelly i Roya.

Gdy Quincy'ego i Shelly nie było, sierżant Peterson zbierał informacje o morderstwie sprzed trzydziestu lat, w które zamieszana była Irene Gemetti alias Sandra Duvall. Teraz podał cienką teczkę Quincy'emu, a ten szybko ją przejrzał.

Informacje były bardzo pobieżne. Irene Gemetti poszukiwano w celu przesłuchania w związku ze śmiercią Victora Chernkova, który został zadźgany nożem. Był mało znaczącym alfonsem z dzielnicy Pearl District w centrum Portlandu. Dzisiaj dzielnica ta słynęła z koszmarnie drogich loftów i modnych barów. Trzydzieści lat temu było zupełnie inaczej.

Teczka obejmowała raport koronera z sekcji zwłok ofiary oraz zeznanie świadka – prostytutki, która widziała rzekomo Irene w okolicy tuż przed znalezieniem ciała Chernkova. I tyle. Irene Gemetti nie udało się namierzyć, a w związku z brakiem dalszych informacji sprawę odłożono ad acta. Quincy'ego to nie zdziwiło. Dla wielu detektywów martwy alfons to żadna zbrodnia. Śledczy zajęli się czymś innym, Irene Gemetti najprawdopodobniej też.

Quincy odłożył teczkę i spojrzał na Roya, który wpatrywał się zaczerwienionymi oczami w ekran komputera.

– Szesnastoletnia Irene uciekła z domu – mruknął. – Wpadła w złe towarzystwo. Była zamieszana w zbrodnię. I znów musiała uciekać.

– Prosto w ramiona Franka Duvalla? – rzuciła od drzwi Shelly.

Quincy się odwrócił.

– Henry twierdzi, że jego ojciec lubił ambitne zadania.

Shelly łyknęła herbaty.

– Więc zamiast zgłosić się na policję – podjęła po chwili – zwróciła się do Franka Duvalla. Przekonała go, by ją poślubił i zabrał do naszego uroczego miasteczka, do Bakersville. A tutaj co? Za sprawą czarodziejskiej różdżki zmieniła się w mieszkającą po sąsiedzku idealną żonę i matkę? Koniec z życiem na ulicy? Koniec spuścizny złego tatuśka?

– Lepsze to niż trafić do pudła za morderstwo – skomentował Roy.

– A jak się wpisze w Google nazwisko Irene Gemetti? – zapytał Quincy.

– Nic.

– A co z tym alfonsem, Victorem? – chciała wiedzieć Shelly.

– To samo. To było zbyt dawno temu. A internet się najwyraźniej tym nie zainteresował.

– Samo nazwisko Gemetti?

– Za dużo trafień. Potrzebuję więcej informacji, żeby zawęzić poszukiwania. Okazuje się, że „zaginiony dziadek" to kiepskie kryterium.

Quincy nie był zdziwiony. Internet mógłby się okazać prawdziwą skarbnicą wiedzy, gdyby nie był aż tak przepastny.

– Henry zarzeka się, że nie wie nic o przeszłości swojej matki ani o dziecku przestępcy. A jednak w zeszłym roku w domu Duvallów zaszły dwie zasadnicze zmiany: jako rodzina zastępcza przyjęli Telly'ego Raya Nasha, a ojciec Sandry zjawił się nie-spodziewanie po trzydziestu latach. Pytanie brzmi: które z tych zdarzeń doprowadziło do zabicia Duvallów? Na początku zakłada-liśmy, że pojawienie się Telly'ego. A teraz?

Roy i Shelly pokiwali głowami. Mieli coraz większe przeko-nanie, że odpowiedź kryje się w historii rodzinnej Sandry.

– Może Rainie bardziej się poszczęściło – powiedział Quincy.

Jak na zawołanie zadzwoniła jego komórka. Upił łyk czarnej kawy i odebrał połączenie.

Rainie rzeczywiście coś wiedziała. Ona i Sharlah były już w drodze.

Spotkali się w salce konferencyjnej. Oficjalny zespół śledczy, po-myślał Quincy. Dwoje psychologów kryminalnych, jedna szeryf, sierżant zajmujący się zabójstwami, tropiciel wolontariusz i trzy-nastolatka. Zdecydowanie był to najciekawszy zespół śledczy, jaki Quincy widział.

Z troską popatrzył na Sharlah. Jego córka już dawno powinna być w łóżku, nie wspominając o ciężkich przeżyciach tego dnia. Ale ona, podobnie jak Rainie, wcale nie wyglądała na zmęczoną. Obie wydawały się wręcz wyjątkowo podekscytowane. Quincy poczuł się dumny. Z córki i z żony. Z rodziny, którą miał szczęście na-zywać swoją.

Rainie wyjęła plik wydruków. Kolejne zdjęcia, stwierdził. Pewnie z jej komputera. Rozdała je.

– Poznajcie Davida Michaela Martina – powiedziała. – Byłego prezesa GMB Enterprises. Zmarł pięć tygodni temu na raka.

Quincy przyjrzał się wydrukowi. Wątły starszy pan na jakiejś eleganckiej gali wydawał się tym samym człowiekiem co staruszek w albumie Telly'ego. Skupił wzrok na młodszym mężczyźnie, który znajdował się na zdjęciu.

Rainie już kiwała głową.

– To nie koniec. Poznajcie mężczyznę zastrzelonego na stacji EZ Gas. To Richie Perth. Nie miał przy sobie żadnych doku-mentów, ale gdy zorientowałam się o jego związkach z Davidem Michaelem Martinem, zadzwoniłam do koronera i poprosiłam go o sprawdzenie odcisków palców. – Rainie zerknęła na Shelly. – Mam nadzieję, że nie masz mi za złe.

– Ani trochę.

– Okazuje się, że Richie to także pracownik GMB Enterprises. Dział wynajmu łodzi rybackich.

– Pick-up na stacji – potwierdziła Shelly. – Był zarejestrowany na firmę z Nehalem.

– Właśnie. – Rainie skinęła głową. – Dobra, GMB Enterprises założono czterdzieści lat temu. Mała firma eksportowo-importowa specjalizująca się w oliwie z oliwek i occie.

Zebrani wokół stołu unieśli brwi.

– Od tamtej pory GMB rozrosło się w wartą setki milionów dolarów korporację zajmującą się trochę tym, trochę tamtym. Import, eksport, transport, czarter łodzi... GMB robiło wszystko. Przynajmniej na papierze.

– GMB to firma przykrywka! – odezwała się Sharlah. Rainie najwyraźniej jej to wyjaśniła.

– I do tego bardzo skuteczna. David Michael Martin, znany także jako ojciec Sandry, był jej prezesem przez całe czterdzieści lat. Po jego śmierci władzę nad firmą przekazano dyrektorowi finansowemu Douglasowi Perthowi. Czyli ojcu Richiego.

Noonan uniósł dłoń.

– Moment. Rozumiem firmę przykrywkę. GMB to przykrywka ojca Sandry, tak? Z tego czego się dowiedzieliśmy, ten David Michael Martin to kryminalista. Ktoś w rodzaju ojca chrzestnego?

Rainie pokiwała głową.

– Lewą kasę można wyprać – powiedział Quincy – jeśli przepuści się ją przez legalne firmy, dlatego założono GMB. To taka legalna działalność Martina, za którą kryją się jego przestępcze działania.

Rainie ponownie pokiwała głową.

– Ale Martin umiera – kontynuował Noonan. Postukał palcem w zdjęcie, które dostali. – Na raka. A gdy prezes jakiejś firmy umiera, potrzebny jest nowy przywódca.

– Douglas Perth – podsunęła Rainie – który wie o firmie wszystko, również o jej nielegalnych działaniach. Jako dyrektor finansowy to właśnie on zmieniał nielegalne wpływy w legalne zyski.

311

– Okej. Ale ten jego syn... Richie... To jedna z naszych ofiar? – zapytał Noonan. – Bo właśnie tutaj się gubię. Jeśli Douglas Perth zyskał na śmierci Martina, to dlaczego jego syn tak marnie skończył?

– Tego właśnie musimy się dowiedzieć – oznajmiła Rainie. – Ale wiemy przynajmniej, że te strzelaniny nie były przypadkowe. Sandrę Duvall i Richiego Pertha coś łączy: GMB Enterprises. Kiedyś zarządzane przez ojca Sandry, a teraz przez ojca Richiego.

Wokół stołu zapadła cisza. Nawet Quincy musiał sobie to wszystko przemyśleć.

– Czy są jakieś dowody – zapytał w końcu – że ta firma płaciła Sandrze albo że miała z nią powiązania?

– Nie.

– Nawet pod nazwiskiem Irene Gemetti?

– Nie znalazłam żadnych śladów, by Irene Gemetti miała konto w banku, więc nie mogę stwierdzić, czy otrzymywała przelewy. Jeśli zakładamy, że GMB to przykrywka, to wiadomo, że prowadziła mnóstwo transakcji, których się nie da wyśledzić. Więc pewności nie ma. Ale oficjalnie Sandra vel Irene nie dostawała żadnych pieniędzy.

– Sprawdziłem finanse Sandry Duvall – odezwał się Roy. – Nie ma śladów, by otrzymywała jakieś podejrzane przelewy, regularne czy jednorazowe. I ja również nie znalazłem żadnej aktywności Irene Gemetti.

– A więc dawno temu – powiedział wolno Quincy – Irene była powiązana z GMB Enterprises przez swojego ojca, Davida Michaela Martina. Jednak w wieku szesnastu lat uciekła z domu, a potem stworzyła sobie zupełnie nowe życie i nową tożsamość z Frankiem Duvallem. Brak aktywności finansowej wskazywałby, że rzeczywiście odcięła się od poprzedniego życia i ojca. Henry mówił prawdę.

– Dopóki ojciec jej nie odnalazł – wtrąciła Shelly. – Najpierw spróbował nawiązać kontakt z wnukiem, na uczelni. Potem spotkał się z Frankiem, a w końcu najprawdopodobniej z Tellym.

– Czy Henry powiedział, dlaczego jego dziadek się nagle zjawił? – zapytała Rainie.

– Wyrzuty sumienia na łożu śmierci – odparł Quincy. – Ale może także po to, by zwerbować Henry'ego do rodzinnego biznesu.

Rainie szeroko otworzyła oczy.

– Zgodził się?

– Twierdzi, że nie. Ale czy mamy sto procent pewności, że mówi prawdę? – Quincy zerknął na Shelly.

Szeryf wzruszyła ramionami.

– Gdyby Henry rzeczywiście został zwerbowany do rodzinnej firmy, miałby jeszcze więcej powodów, by nas okłamywać.

Wokół stołu znów zapadło milczenie, wszyscy intensywnie myśleli.

– Co ciekawsze – oznajmiła w końcu Rainie – Richie Perth widnieje w kartotece. Napad, wykroczenie, kolejny napad. Być może jego ojciec jest geniuszem finansów, który maskuje przestępcze działania GMB, ale Richie wydaje się oprychem w starym, dobrym stylu.

– Myślę, że to on zabił rodziców zastępczych Telly'ego – powiedziała Sharlah.

Oczy wszystkich zwróciły się na córkę Quincy'ego. Ta zawahała się, ale po chwili się przemogła.

– Telly ich nie zastrzelił. Rozmawiał ze mną o nich. Byli dla niego dobrzy. Nie zabiłby ich. Nie ma mowy.

Quincy poczuł wzruszenie. Bo jego nieśmiała nastoletnia córka odważyła się narazić na krytyczne spojrzenia otaczających ją dorosłych. Bo okazała lojalność wobec brata. Za bardzo zaangażowaliśmy ją w tę sprawę, pomyślał. Ale on i Rainie tak się właśnie angażowali w pracę – bez granic. I dlatego jego starsza córka, Kimberly, też została agentką FBI.

– Richie to bandyta, tak? – znów odezwała się Sharlah, patrząc na Rainie. – Bo to właśnie znaczy oprych, zgadza się? – Rainie pokiwała głową. – Jego ojciec umie liczyć, ale Richie krzywdzi ludzi. Napada na nich. Więc to on zabił Sandrę i Franka. Bo to właśnie robią bandyci. Zabijają ludzi.

– Ale po co? – zapytała ostrożnie Rainie. – Z tego, że Richie jest znany ze stosowania przemocy, wcale nie wynika, że to on ich zastrzelił.

– Ojciec mu kazał – wyjaśniła Sharlah.

Quincy i pozostali byli zaskoczeni.

– Bo to by miało sens, nie? Powiedzieliście, że ojciec Richiego zarządza teraz tą firmą. Więc skoro Richie coś zrobił, to dlatego, że ojciec mu tak kazał.

– W takim razie kto zabił Richiego? – zapytał skonfundowany Noonan.

– Ktoś inny – odpowiedziała natychmiast Sharlah. – Nie Telly, bo widzieliśmy nagranie i to nie była jego ręka. Ale może Telly widział, kto to zrobił. Był na tej stacji benzynowej, tak? Widział, kto zabił Richiego, i dlatego musiał uciekać. Bo w przeciwnym razie ten ktoś zabiłby jego.

Quincy zamrugał. Hipoteza jego córki wydawała się kompletnie zwariowana. Ale niemal dostrzegał w niej pewien zarys...

– Jak Sandrze udało się uciec? – zapytał.

Zebrani przy stole przestali gapić się na Sharlah i skupili uwagę na nim.

– Uważamy, że Sandra uciekła z domu w wieku szesnastu lat – powiedział z namysłem. – Uciekła od ojca, który już wtedy budował przestępczą korporację. Jaki mafioso pozwala odejść swojej córce? Czy to nie oznaczałoby jego słabości? Czy ona nie stanowiłaby obciążenia dla niego i jego firmy?

Siedząca naprzeciwko Rainie pierwsza zrozumiała.

– Mafioso nigdy nie przebaczyłby takiego braku szacunku. Ścigałby ją.

– Ale nie zrobił tego. Irene uciekła, miała kiepski początek, lecz potem poznała Franka Duvalla i ułożyła sobie życie. Nowe nazwisko, nowy wizerunek, nowa tożsamość. I ani śladu związku pomiędzy nią a interesami ojca.

Rainie potrząsnęła głową. Quincy pochylił się do przodu i oparł dłonie o stół. Popatrzył na córkę, a potem na żonę.

– A jeśli David Michael Martin nie mógł ścigać córki? Co jeśli Irene, którą podejrzewamy, że jest zdolna do morderstwa, dobrze znała swojego ojca? Więc załatwiła sobie polisę ubezpieczeniową. Nie wiem, ukradła coś albo ukryła jakieś obciążające dowody. Dopóki da jej spokój, ona tego nie ruszy. Ale gdyby zmienił zdanie...

– Nacisnęłaby spust – dokończyła Rainie.

– Trafiła kosa na kamień – powiedziała Shelly, przeciągając samogłoski. – Ale co to ma wspólnego z tym, co dzieje się teraz?

Quincy odchylił się na oparcie.

– Dalej analizujemy zmiany w życiu Franka i Sandry Duvallów. Opieka zastępcza nad Tellym. Pojawienie się jej ojca. Ale jest też trzecia zmiana. Śmierć jej ojca, pięć tygodni temu. Doprowadziła do przejęcia GMB Enterprises przez Douglasa Pertha, a jego syn, Richie, pojawił się w Bakersville. A co, jeśli Irene i jej ojciec mieli jakiś układ, który trwał te trzydzieści lat? On żył swoim życiem, a ona swoim. Ale potem umarł i wtedy... ta równowaga zniknęła. Cokolwiek Irene vel Sandra zrobiła, cokolwiek ma, Douglas Perth chce to odzyskać. Więc wysyła po to do niej swojego syna.

Quincy zerknął na Roya.

– Mamy już analizę balistyczną z domu Duvallów?

Sierżant pokręcił głową.

– Mógłbym poprosić koronera, żeby sprawdził cząstki GSR na dłoniach Richiego Pertha. To byłaby jakaś wskazówka.

– GSR to pozostałości po wystrzale z broni palnej – wyjaśnił córce Quincy. – Jeśli znajdą takie cząstki na dłoniach Richiego, to znaczy, że krótko przed śmiercią strzelił z broni. Co uprawdopodobniłoby twoją hipotezę, że to Richie Perth zabił Franka i Sandrę Duvallów.

Sharlah pokiwała głową. Quincy widział po wyrazie twarzy córki, że jest pewna, że ma rację.

– Ale to nadal nie wyjaśnia, kto zastrzelił Richiego – wtrąciła Shelly. – Do diabła, skąd nagle tylu ludzi biega z bronią po moim hrabstwie? I dlaczego Telly się nie zgłosił, tylko na koniec akcji na EZ Gas rozwalił kamerę monitoringu?

– Ja trzymam się mojej pierwotnej hipotezy – oznajmiła zdecydowanie Rainie. – Cokolwiek się dzieje, ktoś wykorzystuje Telly'ego jako pionka. Chłopak musi wziąć winę na siebie, żeby uratować siostrę, więc nie może się bezpośrednio zgłosić. Ale zostawia nam okruszki chleba. Zdjęcia siostry na komórce, żebyśmy pilnowali Sharlah. A potem zdjęcie ojca Sandry w fałszywym obozie. On chce, żebyśmy rozwikłali, co się dzieje. Chce, żebyśmy to powstrzymali.

– Więc strzela do moich ludzi? – warknął Noonan.

Nikt nie odpowiedział. Sharlah spuściła wzrok na stół, wyraźnie onieśmielona.

W salce znów zapadła cisza, wszyscy intensywnie myśleli.

– Dobra – rzuciła Shelly. – Mamy cztery ofiary. Wygląda na to, że Frank Duvall i Erin Hill oberwali przypadkiem. Prawdziwymi celami byli Sandra Duvall, a potem Richie Perth. Oboje mają powiązania z firmą GMB Enterprises, która pięć tygodni temu straciła swojego prezesa, Davida Michaela Martina. Teraz ma nowego szefa, Douglasa Pertha, i leje się mnóstwo krwi. Jeśli zgodzimy się z Tellym Rayem Nashem, że powinniśmy to zatrzymać, to co wtedy?

– Mam pewną teorię – powiedział Noonan.

Wszyscy skierowali na niego wzrok.

– Nie dotyczy przestępstw – dodał pośpiesznie – bo ja g... wiem o przestępstwach. Ale pracowałem nad mapą. I według naszej najlepszej wiedzy, biorąc pod uwagę między innymi spotkanie Sharlah z bratem, Telly zmierza na południe. Wszystko inne, w tym fałszywy obóz, to były pozory.

Quincy popatrzył na tropiciela.

– W jakiej odległości od domu Duvallów był ostatnio widziany Telly?

– Kilka kilometrów.

Quincy pokiwał głową.

– Teraz jest ciemno – zauważył. – I cicho. Media są tutaj. Służby mają zajęcie na całą noc. A to znaczy, że jeśli Sandra miała jakąś polisę ubezpieczeniową dotyczącą przestępczej działalności firmy ojca i nikt tego jeszcze nie znalazł...

– Myślicie, że Telly zmierza do domu rodziców zastępczych? – Shelly zapytała Quincy'ego i Noonana.

– Jeśli o to w tym wszystkim chodzi, to tak – odparł ten pierwszy. – Sandra zabrała coś trzydzieści lat temu. Douglas Perth chce to mieć. Ale... chce to mieć również ktoś inny. Może jakiś rywal? Z firmy, spoza niej? Kto wie. Ale Richie przybył do domu Duvallów z jakiegoś powodu. A potem ktoś zastrzelił go z tego samego powodu.

– Skoro Richie był w tym domu pierwszy, to dlaczego nie

miałby już mieć tej informacji? I dlaczego drugi zabójca mu jej nie odebrał? – zapytała Shelly.

– Myślę, że jej nie zdobył – stwierdził Quincy. – Biorąc pod uwagę ułożenie ciał, Richie zastrzelił Franka natychmiast, żeby wyeliminować potencjalne ryzyko. Sandra mogła przeżyć wystarczająco długo, żeby odpowiedzieć na jego pytania. Ale zginęła w sypialni, strzelono jej w plecy, gdy wstawała z łóżka. Więc nie wyszła z pokoju, nie przyniosła swojego trzydziestoletniego sekretu, nie przekazała go i nie wróciła tyłem do łóżka. Myślę, że zabójca popełnił błąd, strzelając do Franka Duvalla. Po tym kobieta taka jak Sandra już niczego nikomu by nie oddała. Zwłaszcza kobieta tak bystra... domyśliłaby się, że czy odda to, czy nie, i tak zginie. Po co dawać mordercy satysfakcję?

– Córka swojego ojca – skwitowała Shelly.

Quincy zerknął na Sharlah.

– Zdarza się.

Szeryf zacisnęła usta. Quincy widział, że się mocno zastanawia. Niektóre sprawy zaczynają się od dowodów, które prowadzą do hipotez. Ale są też takie sprawy jak ta. Gdy siedzisz i wymyślasz niemal niestworzone teorie, mając nadzieję, że doprowadzą do jakichś dowodów. Dla Quincy'ego kolejność nie miała znaczenia.

Shelly najwyraźniej doszła do tego samego wniosku.

– A co tam, zaryzykujmy. I tak nie mamy lepszych pomysłów. Roy, skontaktuj się z koronerem. Poproś, żeby zbadał dłonie Richiego Pertha na obecność cząstek GSR, a potem dokładnie go sprawdź. Zorientuj się też, czy da się ściągnąć tutaj Douglasa Pertha na przesłuchanie. Zobaczymy, co ojciec ma do powiedzenia w sprawie syna. A jeśli chodzi o resztę nas... – Wzrok Shelly padł na Noonana. – Jak tropiciele sobie radzą, gdy trzeba poszukać ukrytych informacji? Pod osłoną nocy, przy bezpośrednim zagrożeniu życia?

– Przekonamy się – odparł Cal.

Quincy wstał. Pocałował Rainie, przytulił Sharlah. A potem on, Cal i Shelly pojechali. Znów do domu Duvallów.

Quincy zastanawiał się, czy Telly Ray Nash rzeczywiście wrócił do domu rodziców zastępczych. I jaką cenę będą musieli zapłacić, by się o tym przekonać.

Rozdział 38

Shelly miała dziwne uczucie. Jakby swędziało ją między łopatkami, tam gdzie trudno się podrapać. Jadąc bocznymi drogami w stronę domu Duvallów, zauważyła, że porusza się wolniej niż to konieczne, że obserwuje, jak każdy zakręt drogi pojawia się na skraju światła reflektorów jej auta. Na wsi nie ma lamp ulicznych, a większość ludzi nie zostawia na noc zapalonego światła na ganku. Przemierzali całe kilometry ciemności, a wysokie kształty sosen na poboczu przypominały czarne zadrapania na granatowym niebie. W taką noc jest mnóstwo miejsc, w których mógłby się ukryć zabójca z bronią. Zwłaszcza taki z dobrym karabinem snajperskim i myśliwskimi umiejętnościami.

To, że Telly Ray Nash nie zabił tej dwójki ludzi na stacji benzynowej, nie znaczy, że nie jest mordercą. Znaczy jedynie, że po hrabstwie Shelly krąży więcej niż jeden groźny przestępca.

Zwolniła kilka posesji przed domem Duvallów, zjechała na pobocze i zaparkowała za dzikim żywopłotem z jeżyn. Nie miała ochoty rozgłaszać swojej obecności. Za dużo w tym wszystkim było niewiadomych.

Wyciągnęła z bagażnika swój służbowy karabin oraz amunicję. Quincy wziął je bez wahania. Według napisu na koszulce był instruktorem strzelectwa, natomiast umiejętności Cala predestynowały go raczej do poszukiwań niż, powiedzmy, ochrony.

– Nie mam noktowizora – oznajmił Quincy, wkładając na miejsce pierwszy magazynek. Kolejne dwa wsunął sobie do kieszeni. – Gdyby któreś z was zamierzało biec prosto na mnie, najpierw uprzedźcie, że to wy.

– Ustawienie? – zapytała go Shelly.

– Nie mam przewagi, więc postawię na klasyczny patrol. Będę

co trochę obchodzić dom z różnych stron. Mam nadzieję, że znajdziecie to, czego szukacie, zanim ktokolwiek wyłoni się z mroku.

– W porządku.

– A czego szukamy? – odezwał się Cal.

Shelly zmarszczyła brwi. Zastanawiała się już nad tym od jakiegoś czasu.

– Czegoś kobiecego – stwierdziła w końcu, wywołując zdumione spojrzenia kolegów. – Pomyślcie. Sądząc po profilu Sandry Duvall na Facebooku, była bardzo dumna z bycia matką i żoną. A to znaczy, że dom to jej twierdza. Jeśli chciała, by coś było bezpieczne, na pewno trzymała to blisko siebie. Nie w garażu... to strefa męża. Ani nie na komputerze... bo to zabawka syna.

– Nie wspominając o tym – dodał rzeczowo Quincy – że trzydzieści lat temu komputery to były wielkie niewygodne maszyny. Jej ojciec pewnie nawet nie miał komputera w domu, najwyżej w biurze. Więc jeśli szesnastoletnia Sandra chciała szybko uciec, coś ze sobą zabierając, to miała ograniczone możliwości. Może znalazła jakiś wydruk z nielegalnych operacji księgowych w jego gabinecie w domu. Albo obciążające zdjęcie na półce, albo jakieś trofeum z dokonanej zbrodni.

– Mordercy naprawdę robią takie rzeczy? – zapytał Cal.

– Naprawdę – odparł Quincy. – W przypadku przestępczości zorganizowanej ustawienie takiego memento na widoku służy także przypomnieniu podwładnym, do czego jesteś zdolny. A to niezła strategia zarządcza.

– Gotujesz? – zapytała Shelly Cala.

– Coś innego niż ser?

– Tak myślałam. Okej. Ty zajmiesz się sypialnią, a ja zacznę od kuchni. Lubisz myśleć jak cel, więc powodzenia. Ja będę myśleć jak kucharz. Sandra zamieszczała na Facebooku mnóstwo przepisów, ona uwielbiała gotować. A to znaczy, że jeśli chciała mieć coś blisko, to najprawdopodobniej ukryła to w kuchni.

– Wariactwo – stwierdził Cal.

– Wiem. I dlatego nikt jeszcze tego nie znalazł.

Quincy ruszył pierwszy. Pobiegł drogą, z karabinem w ręku, aż zniknął im z pola widzenia. Dali mu pięć minut, a potem Shelly usłyszała dwa kliknięcia na krótkofalówce, co było umówionym sygnałem, że jest czysto. Wciąż starała się zapanować nad nerwami. Kiedyś wbiegła do płonącego budynku. Nie było powodu, żeby taka ciemna, parna noc powodowała drżenie jej dłoni. Nawet jeśli kilka godzin wcześniej usłyszała strzały z broni i krzyki zaskoczonych, a przecież doświadczonych funkcjonariuszy.

Zauważyła, że Cal też nie oddycha spokojnie.

– Wszystko w porządku – zapewniła go. – Wchodzimy, znajdujemy nasz dowód, wychodzimy i kończymy tę sprawę.

– Ja się nie denerwuję – odparł. – Jestem zły.

– Z powodu twojego zespołu?

– Nie. Bo się boję. Przyznam, że mnie to wkurza.

– Mnie też – powiedziała Shelly.

Zbliżali się do domu.

Ani śladu Quincy'ego. To tylko dowodzi, jak dobry jest w tym, co robi, pomyślała. Nienaruszona taśma policyjna wciąż ogradzała wejście. Kolejny dobry znak. Nakleiła ją po ich wcześniejszej wizycie z Calem. A teraz wyciągnęła nóż, przecięła taśmę i uchyliła drzwi.

Odór zdecydowanie nie ustąpił. I ona, i Cal potrzebowali chwili. Ostatniego łyku świeżego powietrza, zanim wejdą do środka.

Shelly ruszyła pierwsza. Cal wszedł za nią. Zamknął drzwi. A potem oboje pochłonął gorący, cuchnący mrok.

Włączyli latarki i skierowali ich światło w dół, z daleka od okien. W końcu to potajemna misja. Gdyby rzeczywiście wokół kręciły się jakieś czarne charaktery – a kto to mógł w tym momencie wiedzieć – nie było powodu, by dawać im wskazówki.

Cal skręcił na lewo do sypialni. Shelly mu nie zazdrościła. Sama przeszła do kuchni.

Dobrze byłoby wiedzieć, czego szukają. Wyobrazić to sobie w głowie, a potem przystąpić do pracy. Podobała jej się koncepcja memento Quincy'ego. Powiedzmy łuska z pierwszego morderstwa Davida Michaela Martina. Coś takiego szesnastolatka łatwo mogła zgarnąć z gabinetu ojca. I ukrywać, miesiącami żyjąc na ulicy.

To był właśnie ten kawałek układanki, który Shelly nie pasował. Sandra nie tylko uciekła z domu w wieku szesnastu lat. Ona stała się bezdomna i zapewne musiała zostać prostytutką, na co wskazywał martwy alfons. Co więc taka nastolatka ukradła własnemu ojcu, że mogła to później mieć przy sobie, ledwo utrzymując się na powierzchni?

Shelly zaczęła od słoików z przyprawami. Sandra miała ich całe półki wiszące nad kuchenką. To wyglądało uroczo, bardzo rustykalnie. Zdejmowała słoik po słoiku i w świetle latarki potrząsała na próbę każdym z nich. Zaczęła od bardziej egzotycznych przypraw. Anyżek. Nie wiedziała nawet, do czego się go używa, więc uznała, że byłby dobry, żeby coś w nim schować. Ale nie miała tyle szczęścia.

Po przyprawach przeszła do zamrażarki. Henry twierdził, że jego matka lubiła chować w niej gotówkę. Stary trik. Tak stary, że Shelly wątpiła, by Sandra wykorzystała to samo miejsce do ukrycia tego, co miała najcenniejsze. Lecz głupotą byłoby nie sprawdzić.

W zamrażarce pusto.

Spiżarka.

Garnki i patelnie. Wolnowary, szuflady pełne przyborów kuchennych. Niektóre z nich Shelly pierwszy raz w życiu widziała na oczy. A dalej...

Półka z książkami kucharskimi, ośle uszy, plamy od jedzenia. Od cionkiej z żółtą obwódką pod tytułem *Ulubione dania z wolnowaru*, przez klasyczną *Radość gotowania*, aż po skoroszyt, w którym Sandra przechowywała przepisy wycięte z gazet. Widać było, że to zbiór kochany i często wykorzystywany. Osobisty.

To jest to. Shelly wiedziała od razu. Nie miała żadnych wątpliwości. Te książki kucharskie były dla Sandry tym, czym dla Telly'ego jego dzienniki. Jej radością i wybawieniem, ale też źródłem siły. Każdym posiłkiem, który ugotowała, każdą wspólną chwilą rodziny przy stole wzmacniała wizerunek Sandry Duvall. Kobiety, którą chciała być. Już nie córki swojego ojca.

Shelly zdjęła wszystkie książki z półki. Imponujący stos. A potem zaczęła od góry i szybko pracowała, bo miała świadomość mijającego czasu. Pośpiesznie kartkowała stronę za stroną, coraz szybciej. Szukała włożonej kartki, może wyciętej i wklejonej w przepis. Powiedzmy listy składników na mus czekoladowy, w którym nagle znajduje się lista wspólników. Albo opisu opiekania kurczaka przeplecionego numerami rachunków i kodów bankowych czy czymkolwiek.

Książka za książką.

Nic. I nic.

Wszedł Cal, z trudem oddychał przez usta. Popatrzył, co Shelly robi, a potem bez słowa podszedł do lodówki, otworzył zamrażarkę i wsunął do niej głowę. Próbuje zebrać myśli, pomyślała. Albo otumanić węch po godzinie spędzonej w rzeźni.

Nie musiała pytać, czy coś znalazł. Od razu by jej powiedział. On też nie musiał pytać, widząc, że kartkuje ostatni tom.

– To musi być gdzieś tutaj – mruknęła, zamykając przepisy z daniami w wolnowarze i wpatrując się w przejrzany stos. – To jest właśnie Sandra Duvall.

Cal nic nie powiedział. Nadal trzymał głowę w zamrażarce.

– To są jej księgi objawione. Frank nigdy by ich nie tknął. Ani Henry, ani jej ojciec, ani zabójca.

– Lubię książki kucharskie – wymamrotał Cal z zamrażarki. – Znam parę znakomitych napisanych przez mnichów, o warzeniu serów. I parę przez pionierów.

Shelly wciąż patrzyła na stos, a potem rozejrzała się po kuchni. Miała rację. Wiedziała, że ją ma. Więc co przegapiła?

Jej wzrok przesunął się na pustą półkę na książki. Idealna kryjówka.

Oczywiście, bo nawet gdyby komuś przyszło do głowy, żeby zrzucić książki kucharskie Sandry, to nie pomyślałby, żeby sprawdzić samą półkę.

Wsunęła dłoń, obmacała dno, boki, górę, a potem...

Skrzypnięcie. Ostry, nerwowy grzechot. I dwa kolejne.

Okno w kuchni eksplodowało.

– Padnij, padnij! – krzyknął Cal.

Kolejne wystrzały rozświetliły noc.

– Quincy! – zawołała przez krótkofalówkę, rzucając się na podłogę i wyciągając broń z kabury.

Ale nikt nie odpowiedział.

Rozdział 39

Pierwszą rzeczą, jaką Quincy robił, patrolując teren, była identyfikacja i sprawdzenie możliwych kryjówek. Działka Duvallów okazała się ogromna, na oko Quincy'ego jakieś pięćdziesiąt arów, lecz w tej okolicy to nic zaskakującego. Fajny byłby równiutki, przystrzyżony trawnik. Ale nie, właściciele postawili na naturalność. Tu kępa drzew. Tam dzikie krzewy. Nie wspominając o grupie jodeł przy garażu czy przerośniętym rzędzie rododendronów zasłaniającym większość frontu domu po lewej. Wszystkie te miejsca stanowiły idealne kryjówki dla intruza, czekającego na odpowiedni moment, by oddać strzał.

Szedł z kolbą karabinu przyciśniętą do ramienia i lufą skierowaną do dołu.

W takich okolicznościach najlepszym narzędziem Quincy'ego były jego uszy. Dostosowanie się do rytmu nocy, do pohukiwania sowy, cykania świerszczy. Dźwięków, które koiły, gdy wszystko było w porządku, i milkły nagle, kiedy pojawiało się najdrobniejsze zaburzenie.

Oddychał zbyt ciężko. Jeśli temperatura spadła, to i tak było powyżej trzydziestu stopni. Koszulka lepiła mu się do ciała, krople potu spływały po twarzy, a każdy wdech gęstego, parnego powietrza wymagał wysiłku.

Dawno już nie pełnił czynnej służby, ale pamiętał szkolenia. Równy oddech. Powolny wdech przez nos. Powolny wydech przez usta. Dzięki temu do płuc dostawało się więcej tlenu, tętno się uspokajało, a ciało odprężało. Miał być gotowy, lecz nie spięty. Niepotrzebne napięcie mięśni spalało energię, a gdy nadchodził moment działania, organizm był zbyt wyczerpany.

Wdech. Wydech. Sprawdzić drzewa. Tył domu. Taras od ogrodu. Słuchać świerszczy. Podejść od strony sypialni – błyski światła w oknach, robota Cala – a później dokoła na przód domu, sprawdzić rododendrony. Powtórzyć. Może w odwrotnej kolejności. Albo przejść wzdłuż tej samej ściany, tam i z powrotem, a potem to samo zrobić z następną.

Zmieniać wzór, unikać rutyny. Jeśli ktoś go obserwował, Quincy chciał, żeby musiał się chociaż napracować, więc poruszał się w nieregularny sposób, na dodatek dość mocno przykucnięty.

Zatrzymał się ponownie przy narożniku garażu. W tym samym miejscu, w którym zrobiono zdjęcie ojcu Sandry. Kiedy to było? Tygodnie, miesiące temu? Przyszło mu do głowy pytanie: skoro ten człowiek tutaj stał, tuż przed garażem, to kto zrobił mu zdjęcie? Na pewno nikt z domu. Musiano je zrobić z podwórka. Może z tamtej kępy rododendronów zarastających róg drewnianego ogrodzenia?

Zrobił krok i rozległ się trzask.

Rzucił się na ziemię.

Nie myślał. Kierował się instynktem. Był na widoku, pośrodku podjazdu, kilka metrów od najbliższej osłony. Przycisnął twarz do asfaltu, gdy rozległ się drugi strzał i kula odbiła się od ziemi tuż przy jego uchu.

Musiał się ukryć. Natychmiast. Musiał coś widzieć, żeby odpowiedzieć ogniem. Natychmiast. Musiał wrócić do domu do żony i dziecka. Natychmiast.

Czołgał się na brzuchu. Karabin trzymał z przodu. Pełzł po ciepłym asfalcie aż do linii jodeł otaczających garaż. Nie bez powodu w wojsku ciągle każą rekrutom czołgać się na brzuchu. To się naprawdę przydaje.

Trzy kolejne wystrzały. Trzask, trzask, trzask. Drgnął. Skulił głowę, choć wydało mu się, że te strzały brzmią inaczej. Padają przed nim, a nie za nim. Krzyżowy ogień? Dopadło go dwóch strzelców?

Kolejny strzał, dźwięk roztrzaskanej szyby. Usłyszał, jak woła go Shelly. Ale nie mógł odpowiedzieć. Przesuwając się powoli do przodu, z całym ciężarem ciała na klatce piersiowej i ramionach, ledwo oddychał.

Wreszcie dotarł do celu. Krawędź asfaltu, zmierzwiona trawa. Przetoczył się. Cztery szybkie obroty i był za pierwszym pniem, dysząc ciężko i żałując, że jodły nie są młodsze i niższe, ale za to gęściejsze, tylko wysokie, o długich i pozbawionych dolnych gałęzi pniach.

W końcu sięgnął dłonią do krótkofalówki.

– Dwóch strzelców – zgłosił bez tchu. – Nie wychodźcie z domu. Powtarzam, nie wychodźcie z domu. Wpadniecie w krzyżowy ogień. Wezwijcie wsparcie. Potrzebny nam SWAT.

– Przyjęłam! – Shelly rozłączyła się, ale i tak słyszał jej cichy głos dobiegający zza rozbitego okna, kilkanaście metrów od niego.

Uświadomił sobie, że krwawi. Krew spływała mu po policzku. Czuł na lewym ramieniu mokrą plamę. I palący ból w prawym przedramieniu. Czyste trafienie? Rykoszet? Nie umiał stwierdzić, a to nie był dobry moment na badanie rany.

Pierwsze strzały padły z końca podjazdu. Był tego pewien. Ktoś zbliżył się do posiadłości, zauważył Quincy'ego i otworzył ogień. Podejrzliwy sąsiad, który uznał, że widzi włamywacza? Raczej nie. Sąsiad najpierw by zawołał, dał jakieś ostrzeżenie.

To wciąż nie wyjaśniało tych innych strzałów dochodzących z okolic garażu. Z jednego z tych drzew? Ale one również były cienkie i pozbawione dolnych gałęzi. Trudno się na takie wspiąć. W takim razie jakiś inny wysoki punkt.

Skierował wzrok na dach. I tam, obok komina... Cień w miejscu, w którym nie powinno go być.

Quincy zaklął pod nosem. Co za głupi błąd. Nie spojrzał w górę, w ogóle nie pomyślał o tym cholernym dachu. I oto skutki: cała jego ekipa przygwożdżona, a z niego krew przecieka jak przez sito. Idiota, pomyślał. Ale znów, to nie był czas na analizę błędów.

Powoli uniósł broń, przystawiając ją do lewego ramienia. Skrzywił się lekko, lecz cokolwiek się z nim stało, to była powierzchowna rana, nie głęboka. Choć może przemawiały do niego szok i adrenalina? Przyłożył oko do celownika i skupił wzrok na cieniu. Z pewnością człowiek. Z pewnością karabin. Ale większość kształtu zasłaniał komin. Sprytny strzelec. Starannie wybrał miejsce.

I wtedy nagle padło sześć strzałów. Nie z dachu, ale zza Quincy'ego. Każdy z nich trafiał we front domu, w okolice kuchni, skąd ostatnio dobiegał głos Shelly.

Quincy obrócił się gwałtownie, próbując zidentyfikować zagrożenie, podczas gdy postać na dachu odpowiedziała ogniem. Pach, pach, pach.

Brzęk. Metal. Pick-up z zaciemnionymi szybami, uświadomił sobie Quincy. Zaparkowany po drugiej stronie drogi i ledwo widoczny. Trzeci strzał z dachu rozbił szybę. W następnej sekundzie silnik zawył i auto odjechało.

Jeden strzelec zniknął, drugi został.

Lecz gdy Quincy się przetoczył, na dachu nikogo nie było.

Przechodząc szybko na tył domu, trzymał się linii drzew. I oto on. Choć właściwie się go spodziewał, Quincy i tak zacisnął dłoń na karabinie i wstrzymał oddech.

Chłopak stał trzy metry dalej, z opuszczoną bronią i niewidoczną twarzą. Sharlah miała rację. Pomalował ją tak, że na tle nocy widać było tylko białka oczu. Przejmujący grozą widok. Jakby ten chłopiec nie był człowiekiem.

– Telly Ray Nash – powiedział spokojnie Quincy.

– Nie powinno cię tu być – odparł chłopak. W jego głosie nie było złości, tylko stanowczość. – Powinieneś być w domu i chronić moją siostrę.

– Chronić przed kim?

– To ty jesteś specjalistą, rozgryź to. Ja mam ważniejsze sprawy, muszę przeżyć.

– Podsunąłeś nam zdjęcia ojca Sandry. Chciałeś, żebyśmy się o nim dowiedzieli.

– Pomogło? – zapytał chłopak. Wydawał się szczerze zainteresowany.

– Nazywa się David Michael Martin. Prowadził przestępczą organizację. Przynajmniej dopóki nie umarł. Ale ty to wiesz, prawda, Telly? To ty się z nim tutaj spotkałeś.

Chłopak powoli pokręcił głową. Nadal uważnie obserwował otoczenie, cały czas był czujny.

– To ona się z nim spotkała. Powiedziała, że tego nie zrobi. Powiedziała, że nie chce go znać. Ale ja wiedziałem... Rodzina to rodzina. Nawet jeśli jej nienawidzisz, trudno odpuścić.

– To Sandra zaprosiła ojca?

– Usłyszałem, jak rozmawiali. Zakradłem się od frontu, żeby zrobić to zdjęcie, na wszelki wypadek.

– Czego on chciał?

– Nie jestem pewien. Ciągle jej powtarzał, że umiera. Ona powiedziała, żeby to zrobił, że nie potrzebuje jej pozwolenia. Ale on nie prosił o wybaczenie. To brzmiało raczej... Chciał ją ostrzec. Gdy umrze, nie będzie już w stanie jej chronić. Tylko że nie wiem, co miał na myśli.

– I co się potem stało? – zapytał Quincy.

Telly wzruszył ramionami.

– Stary umarł. Tak jak zapowiedział. Sandra dostała zawiadomienie. Zgniotła je i wyrzuciła. I koniec.

– Ale to nie był koniec. Jej ojciec mówił prawdę.

Telly znów się rozejrzał, uważnie obserwując las.

– Mam zdjęcia. Znalazłem je. W plecaku. Zdjęcia Sharlah. Tylko że ktoś dorysował jej celownik na twarzy.

– I co zrobiłeś?

– Nic. Nie byłem pewien, co znaczą, kto je w ogóle podrzucił. Starałem się to rozgryźć, ale wtedy... Wróciłem pewnego popołudnia do domu i na środku mojego łóżka leżał kij bejsbolowy. Nowiutki. Z metką. I karteczką. „Czekaj na instrukcje".

– Chcieli, żebyś zabił rodziców, bo inaczej zabiją Sharlah?

– Tak myślę. Ale dlaczego, skąd? Nie rozumiałem tego. – Głos Telly'ego się załamał. – Nie wiedziałem, co robić.

– Pokazałeś ten kij Frankowi albo Sandrze?

Chłopak potrząsnął głową.

– Sprawdziłem, co u Sharlah. Miałem już pewne informacje, więc poczekałem w bibliotece i zjawiła się... Wyglądała na szczęśliwą. Naprawdę szczęśliwą. Miała psa, owczarka niemieckiego. I poczytałem o was obojgu, o tobie i twojej żonie. Byli funkcjonariusze. Uznałem, że ten ktoś blefuje. Bo wy nie pozwolilibyście, żeby Sharlah coś się stało.

Quincy czekał.

– Odłożyłem to wszystko – szepnął Telly. – Karteczkę, kij. Upchnąłem je w garażu... Udawałem, że to się nigdy nie zdarzyło, a potem...

– Tego ranka... – podsunął Quincy, choć znał dalszy ciąg zdarzeń. Chciał usłyszeć to od Telly'ego. I chciał zyskać na czasie. Oddział SWAT powinien być już w drodze. Quincy był w takim stanie, zakrwawiony, z powiększającą się plamą na ramieniu, że nie dałby rady obezwładnić uzbrojonego przeciwnika.

– Wróciłem do domu po porannym bieganiu i znalazłem ich. W sypialni. Zastrzelonych. Tak po prostu. Frank... On nawet nie wstał. Nie miał szans. Frank, który umiał wszystko naprawić. A gdybyś widział go z bronią... I Sandra... Henry mówił, że strzelała lepiej od Franka, ale nigdy się nie przekonam, bo nie zdążyła nawet wyjść z sypialni. Zastrzelili ich. Tak po prostu. Żadne z nich nie miało szansy.

– Zabrałeś broń i auto i uciekłeś.

– Była kolejna kartka. Znów na moim łóżku. Ze słowami: „Ty to zrobiłeś". I telefon na kartę. Zrozumiałem. Moi rodzice zastępczy zginęli, a wina miała spaść na mnie. Znowu.

– Bo inaczej?

– Było tam kolejne zdjęcie Sharlah. Zrobione w jej domu, na ganku od frontu. Nie wiedziałem już, co myśleć. Nie wiedziałem, w co wierzyć.

– Uciekłeś.

– Złapałem parę rzeczy. Najbardziej przydatnych. Dzienniki, zdjęcia. Uznałem, że dopóki wszyscy będą mnie szukać, będę wam podsuwał tropy. Ale gdy przygotowywałem obóz, zadzwoniła ta komórka, którą znalazłem na łóżku. To był jakiś facet. Powiedział, że ma dla mnie inną robotę. I że pora się spotkać. Więc pojechałem na stację EZ Gas, tylko że silnik w pick-upie się przegrzał. Musiałem przejść ostatnie pół kilometra.

– Byłeś tam już – powiedział Quincy. – Z Henrym.

Chłopak potrząsnął głową, lecz odwrócił wzrok. Nie patrzył mu już w oczy.

– Kiedy tam dotarłem, usłyszałem strzały – powiedział. – Pobiegłem. Miałem swoją broń. Przysięgam, że próbowałem. Ale oni już nie żyli. A na zewnątrz czekał jakiś starszy gość i trzymał pistolet...

– Kto?

– Nie wiem. Nigdy wcześniej go nie widziałem. – Chłopak znów uciekł wzrokiem. – Wycelował we mnie. Powiedział: „Pamiętaj, ty to zrobiłeś". Wcisnął mi pistolet w dłoń i odszedł.

– Dał ci broń, z której zabito obie ofiary na stacji.

– Była na niej krew – szepnął Telly. – Chyba tej dziewczyny. Rozprysk? Tak to nazywacie? Krew na broni i potem na mnie. Próbowałem wytrzeć dłoń, ale nie mogłem. Nie mogłem...

Wymioty, domyślił się Quincy. Telly w domu działał w trybie „walcz albo uciekaj". Lecz na stacji benzynowej, patrząc na krew na własnych rękach, w końcu zrozumiał grozę sytuacji i zwymiotował. Ciekawsze było jednak to, co zrobił z obciążającą go bronią.

– Nie mam jej – powiedział, jakby czytał Quincy'emu w myślach. – To była dziewiątka, wyrzuciłem ją przy pierwszej okazji. Naoglądałem się dość programów policyjnych. Wiem, że dał mi ją, żeby wrobić mnie w oba morderstwa. Nie jestem kompletnym głupkiem.

– Potrzebny nam będzie opis tego człowieka. Musisz się zgłosić i z nami współpracować...

Telly już kręcił głową.

– Nie mogę. Nadal nie rozumiesz. Dlaczego wszedłem do tamtego sklepu? Dlaczego strzeliłem do kamery?

Quincy zmarszczył brwi.

– Żebyśmy cię zobaczyli...

– Tak. Bo ja to zrobiłem. Nie rozumiesz jeszcze? Dopóki policja szuka mnie, dotrzymuję swojej części umowy i moja siostrzyczka jest bezpieczna.

– Telly, ściga cię nie tylko każdy funkcjonariusz służb w tym stanie. W tym momencie biegają też wokół z bronią stada miejscowych i przeróżnych zabijaków. Jeśli którykolwiek z nich cię dopadnie...

– Ona jest moją jedyną rodziną.

– I dlatego strzelałeś do ekipy poszukiwawczej?

– Musiałem! Musiałem uciec, sprawić, żeby nadal mnie szukali. Ale starałem się... starałem się tylko ich postrzelić, wiesz, trafić w rękę. Wszystko z nimi okej? Wyjdą z tego?

– Mężczyzna nadal jest w stanie krytycznym.

Chłopak jakby się w sobie zapadł. Quincy po raz pierwszy dostrzegł ciężar stresu i strachu, który go przytłaczał. Telly starał się jakoś trzymać, lecz nie było mu łatwo.

– Wiesz, co jest najzabawniejsze? – szepnął. – Ja wcale nie jestem dobry w strzelaniu. Zwłaszcza z karabinu. Frank zaczął mnie uczyć dopiero w zeszłym roku. Z pistoletem sobie radzę, pięć metrów od celu. Ale z karabinem wychodzi mi średnio. Widziałeś, ile strzałów potrzebowałem, żeby trafić teraz w to zaparkowane auto? Ale oto jestem, najgroźniejszy strzelec w całym stanie. Musiałem to zrobić – powtórzył mocniejszym głosem. – Musiałem strzelić do tych funkcjonariuszy, żeby trzymać ich na dystans. Tamci ludzie, oni czegoś chcą. W przeciwnym razie po co zastrzeliliby Sandrę i Franka? I tego mężczyznę na stacji? Oni czegoś szukają. Jeśli pierwszy to znajdę, to może będę mógł negocjować. I ochronię siebie i Sharlah. To jedyna nadzieja, jaka mi została.

– Chodź ze mną. My was ochronimy. Masz moje słowo.

Chłopak spojrzał na niego. Uśmiechnął się, błysk bieli pośród nocy.

– Po tym, jak właśnie uratowałem twój żałosny tyłek?

– Telly...

– Nie możecie mi pomóc. Ale to jest okej. Potrzebuję tylko, żebyście chronili moją siostrę. – Uniósł karabin. – Jeśli nie znajdę tego, czego tak bardzo pragną ci ludzie, to ruszą po nią. Wiem, że to zrobią. Życie nic dla nich nie znaczy. Chcą coś zdobyć, a nas wszystkich można się przecież pozbyć.

Ryk silników. Quincy usłyszał je w oddali. Zbliżał się SWAT.

Chciał coś powiedzieć. Powiedzieć chłopcu, że wszystko będzie dobrze. Powiedzieć mu, że może mu zaufać, że razem rozwikłają tę sprawę.

Lecz nawet jeśli Quincy nie znał Telly'ego, to znał Sharlah. A ona nigdy by w taki tekst nie uwierzyła.

– Zajmę się twoją siostrą – powiedział więc zamiast tego. – Ale ty zadbaj o siebie. Bo ona cię potrzebuje. Jesteś jej rodziną, ona musi się z tobą jeszcze zobaczyć.

– Kochałem Franka i Sandrę – rzucił chłopak. – Nigdy im tego nie powiedziałem. Nie wiedziałem jak. Ale przekaż mojej siostrze, że znalazłem prawdziwą rodzinę. I to było... ekstra. Oboje na to zasłużyliśmy. Sharlah zrozumie. Będzie się cieszyła.

Ryk silników, coraz bliżej.

Telly uśmiechnął się ostatni raz. Smutny uśmiech, pomyślał Quincy. Pełen rozpaczy. Chłopak odwrócił się i zrobił krok.

– Czekaj – spróbował Quincy, ocierając świeżą strużkę krwi z oczu.

– Bo co? Strzelisz?

Obaj znali odpowiedź.

Chłopiec zniknął w ciemności.

Ledwo trzymający się na nogach Quincy nie miał innego wyjścia, jak mu na to pozwolić.

Rozdział 40

Gdy Quincy i jego zespół wracają, ja i Rainie siedzimy przy stole w salce konferencyjnej. Jest bardzo późno. Pierwsza w nocy? Z całą pewnością powinnam być w łóżku. Ale Rainie nic nie mówi i ja też nie. Czuwamy. Wyobrażam sobie, że tak samo jak inni rodzice i dzieci, którzy wysłali swoich najbliższych na wojnę.

Luka śpi pod stołem. Tylko on pośród nas potrafi się odprężyć, lecz i tak trzyma się blisko. Kiedy w korytarzu rozbrzmiewa dźwięk zbliżających się kroków, gwałtownie unosi łeb i nadstawia jedno ucho. Policyjny pies gotowy do akcji.

I wtedy pojawia się Quincy i przez chwilę nikt z nas nie jest w stanie się odezwać. Widzę tylko krew. Jego twarz. Koszulka, ramię. Mój ojciec.

I po raz pierwszy to do mnie dociera. To, co się tak naprawdę dzieje. Ile mój brat może mnie kosztować.

– Jesteś... – zaczyna Rainie, która już zerwała się z miejsca.

– On to zrobił? To Telly cię zranił? – słyszę swój głos.

– Nic mi nie jest – zapewnia szybko Quincy. – Oberwałem tylko rykoszetem. – Patrzy na mnie. – Od kogoś innego, Sharlah. Nie od twojego brata. Tak naprawdę to przypuszczalnie on uratował mi życie.

– A Telly? – pyta Rainie.

– Zwiał tuż przed pojawieniem się SWAT – wyjaśnia Quincy. – Z tymi moimi... obrażeniami nie byłem w stanie go zatrzymać.

Nie mogę wstać. Nie potrafię poruszyć nogami, nie czuję własnego ciała. To Rainie podchodzi do Quincy'ego. Nie zważając na to, że jest zakrwawiony i przepocony, mocno go obejmuje. Luka już tam jest, intensywnie węszy, z głębi jego gardła dochodzi ciche skomlenie. Quincy krzywi się, lecz odwzajemnia uścisk Rainie.

Patrzy na mnie ponad jej ramieniem, a ja mam nadzieję, że rozumie, dlaczego nie mogę się ruszyć, że rozumie to wszystko, czego znowu nie potrafię powiedzieć.

To moi rodzice, myślę. To moja rodzina.

Wstaję. Podchodzę do Quincy'ego, do Rainie, do mojego psa. Staram się ich wszystkich naraz objąć.

I nadal nic nie mówię.

Nie muszę.

Bo Rainie i Quincy zawsze rozumieli.

Quincy wychodzi, żeby się umyć. Szeryf Atkins jest zajęta rozmową ze swoim sierżantem. Do nas w salce konferencyjnej dołącza tropiciel. Pije łapczywie wodę, unika patrzenia w oczy. Dłonie mocno mu drżą. Cokolwiek wydarzyło się w domu Duvallów, wstrząsnęło nim, ale bardzo się stara tego nie pokazać. Współczuję mu. Luka podchodzi do niego i opiera się o jego nogę. Po chwili tropiciel sięga ręką i drapie psa za uszami. Jestem dumna z Luki. Jest lepszy w kontaktach z ludźmi ode mnie.

Szeryf Atkins wraca do salki. Niesie stos papierów, które w skupieniu szybko przegląda. Sierżant Roy i mój ojciec wchodzą za nią. Quincy zmienił zakrwawioną koszulkę na zapasową koszulę Dana Mitchella, zastępcy szeryf. Widząc go w brązowym mundurze, obie z Rainie się uśmiechamy. I natychmiast spuszczamy wzrok.

Shelly przerywa przeglądanie papierów, by skinąć nam na powitanie. Quincy całuje Rainie w policzek, klepie Lukę po głowie i delikatnie ściska mnie za ramię.

— Trzymasz się? — pyta łagodnym tonem.

— Naprawdę widziałeś mojego brata?

— Tak.

— Strzelałeś do niego?

— To on strzelał. Do kogoś, kto strzelał do mnie. I przyznam, że doceniam jego interwencję.

— Wiedziałam — mówię zdecydowanie. — On jest dobry. Mówiłam ci, że on jest dobry. To mój Telly. Wiedziałam, wiedziałam, wiedziałam!

Quincy ponownie ściska moje ramię.

– Spokojnie, Sharlah. To będzie długa noc, pełna niespodzianek.

– Okej – zaczyna energicznie Shelly. – Tak jak podejrzewaliśmy, gdy Irene vel Sandra w wieku szesnastu lat uciekła od ojca i jego przestępczej działalności, zabrała ze sobą polisę ubezpieczeniową. Zanim tak niegrzecznie nam przerwano, znalazłam ciąg liczb zapisany na spodzie półki, na której trzymała książki kucharskie. Wrzuciłam te numery do bazy danych usług finansowych i, wierzcie albo nie, trafiony. Pamiętacie sprawę Panama Papers, gdy ujawniono szereg tajnych kont bankowych w posiadaniu bogatych biznesmenów i wysokiej rangi polityków? Cóż, można dodać do listy ojca Sandry, Davida Gemettiego. Ten ciąg cyfr to numer jego zagranicznego konta. Zwrócę się do służb bezpieczeństwa wewnętrznego, żeby zdobyć więcej informacji, ale to, co zdołałam wyciągnąć z publicznie dostępnych dokumentów, wskazuje, że konto było uśpione przez lata. Żadnych wpłat ani wypłat. Być może ze względu na patową sytuację pomiędzy Irene i jej ojcem. Dopóki dawał jej spokój, ona nie ruszała tych pieniędzy.

– O jakiej sumie mówimy? – pyta Quincy.

– Na początku tego roku to było dwadzieścia milionów dolarów.

W salce zapada cisza. Sama mrugam kilka razy. Dwadzieścia milionów dolarów. To... bardzo dużo pieniędzy. Więcej niż potrafię sobie wyobrazić. To prawdziwe pieniądze. Poważne pieniądze.

Pierwszy odzywa się tropiciel.

– Moment. Jej ojciec nie żyje, prawda? To czy jako jego córka Sandra Duvall i tak nie dostałaby tych pieniędzy? Po co miałaby trzymać to konto dalej w tajemnicy?

– Gdyby Sandra wystąpiła jako córka Davida Gemettiego i jego jedyna spadkobierczyni – odpowiada Shelly – to tak, dostałaby je. Ale to oznaczałoby przyznanie, że jest Irene Gemetti i stawienie czoła oskarżeniu o morderstwo sprzed trzydziestu lat. Odzyskanie dawnej tożsamości nie jest więc tak łatwe, jak się wydaje.

– Dwadzieścia milionów dolarów spokojnie wystarczyłoby na najlepszych adwokatów – mruczy Cal. – Gdyby chciała tych pieniędzy, to przestępstwo popełnione, kiedy była niepełnoletnia, i być może w samoobronie przed alfonsem, nie stanowiłoby problemu.

– Nie sądzę, żeby chciała tych pieniędzy – mówi cicho Quincy. – Gdyby tak było, to już skorzystałaby z tego konta. Ale nie zrobiła tego. Sandra postanowiła porzucić Irene Gemetti. Nie wydaje mi się, żeby śmierć ojca cokolwiek zmieniła.

– Czyli na koncie tkwi dwadzieścia milionów dolarów i tylko czeka, żeby ktoś je podjął. – Shelly kręci głową. – Niedziwne, że ktoś jest gotów zabijać.

– Ale kto o tym w ogóle wie? – pyta Rainie.

– Biorąc pod uwagę upublicznienie tych papierów, każdy, kto zada sobie trud przejrzenia bardzo obszernej dokumentacji – odpowiada energicznie Shelly. – Chociaż muszę przyznać, że nie jest to łatwa lektura. Więc najprawdopodobniej ktoś z otoczenia Davida Michaela Martina. Co sprowadza nas do – macha przy tym kartką – Douglasa Pertha, nowego prezesa GMB Enterprises. Wydaje się logiczne, że jako wieloletni wspólnik Martina oraz szef finansów wiedział zarówno o koncie, jak i o powodzie, dla którego Martin z niego nie korzystał. Byłby też pierwszym, który uświadomił sobie konsekwencje śmierci Martina, czyli to, że z konta można wreszcie podjąć pieniądze.

– Nie rozumiem – słyszę swój głos, zanim zdołam się powstrzymać. Wpatruje się teraz we mnie mnóstwo dorosłych. – Skoro ten Douglas wie o koncie, to dlaczego po prostu nie weźmie sobie tych pieniędzy? Po co mu do tego Sandra?

– Dlatego że nie może? – Rainie zerka na Quincy'ego. – Wiedza o koncie to dopiero połowa drogi, prawda? Pewnie trzeba mieć jakieś upoważnienie, żeby z niego skorzystać. Sandra mogłaby to zrobić, gdyby wystąpiła jako jedyna żyjąca krewna Davida i automatyczna spadkobierczyni. Ale wspólnik w biznesie... Douglas Perth może wiedzieć o tych pieniądzach, lecz to nie znaczy, że może cokolwiek z nimi zrobić.

– Kod PIN – mówi Cal. Odsunął się od stołu, wstał i zaczął krążyć po sali. Tropiciele chyba nie czują się dobrze w takich zamkniętych przestrzeniach. Zauważywszy, że wszyscy go obserwujemy, wyjaśnia: – Kody potrzebne są do większości kont bankowych, prawda? Jeśli chcę wyciągnąć pieniądze z konta, muszę podać PIN. W zagranicznych bankach pewnie jest tak samo.

– Owszem – odpowiada powoli Quincy. – Na pewno jest podobnie. – Przechyla głowę w bok, wyraźnie zamyślony. – Może to właśnie miała Sandra i tego potrzebował Douglas Perth. Klucza do dwudziestu milionów dolarów.

– A więc Douglas wysłał swojego syna, Richiego, żeby wytropił Sandrę Duvall i zdobył kod PIN, hasło czy cokolwiek – kończy za niego Rainie.

– Roy od godziny próbuje skontaktować się z Douglasem Perthem. Oficjalnie, żeby powiadomić go o śmierci syna, ale pan Perth nie zgłasza się pod żadnym ze znanych numerów. W związku z tym zaczęłam się zastanawiać, czy Douglas Perth nie jest tym drugim strzelcem, który grasuje po moim hrabstwie.

– Tym, który ma znamię na nadgarstku? – pytam, marszcząc brwi. – Tym na nagraniu ze stacji?

Ale Rainie już kręci głową.

– Po co Douglas Perth miałby zabijać własnego syna? Zwłaszcza że Richie działał na jego polecenie?

– Słuszna uwaga. Nawiasem mówiąc... – Shelly spogląda na Quincy'ego – ...koroner potwierdził ślady GSR na dłoniach Richiego Pertha. A to oznacza, że to on prawdopodobnie zastrzelił Sandrę i Franka Duvallów. Pytanie, co stało się potem.

– Telly powiedział mi, że rodzice byli już martwi, gdy wrócił do domu wczoraj rano – informuje resztę Quincy. – Na swoim łóżku znalazł notatkę stwierdzającą, że on to zrobił. Była tam też komórka na kartę. Ktoś podrzucał Telly'emu twoje zdjęcia, Sharlah, grożąc odebraniem ci życia. „Czekaj na instrukcje". Nie miał pojęcia, co robić, gdy znalazł Franka i Sandrę martwych.

Kiwam głową, chociaż mam kompletny mętlik. Gładzę futro Luki, szukając pociechy, ale nic z tego.

– Jestem raczej pewien, że to Richie zabił Duvallów – kontynuuje Quincy. – Potrzebna nam broń odpowiadająca śladom balistycznym, ale myślę, że Rainie ma rację: Douglas Perth wie o tym koncie z dwudziestoma milionami, lecz nie ma do niego dostępu. Więc kazał synowi zdobyć tę informację. Richie wszedł do domu

Duvallów wczoraj z samego rana. Natychmiast zastrzelił Franka Duvalla, który nie zdążył nawet usiąść na łóżku. To była jednoznaczna wiadomość dla Sandry: zacznij mówić albo będziesz następna.

– Więc mówiła – mruczy Shelly. – Podała hasło. A wtedy on zabił też ją, strzelił, gdy próbowała uciec z łóżka.

– Nie sądzę – zaprzecza Quincy. – Myślę, że Sandra mogła stawić opór. I dlatego ludzie wciąż biegają po mieście i ostrzeliwują dom Duvallów. Ktoś z pewnością nas tam nie chciał. Może ten sam ktoś, kto zjawił się i zabił Richiego, a teraz poluje na hasło. Nie chciał, żeby policja przeszukała dom Duvallów, bo moglibyśmy pierwsi znaleźć tę informację.

– Ale dlaczego Telly? – przerywam, nie mogąc się powstrzymać. – Po co go o to wszystko obwiniać?

Quincy odpowiada łagodnym tonem:

– Bo nie mogą pozwolić na to, by policja grzebała w przeszłości Sandry. Nie chcą żadnych pytań dotyczących jej związków z niedawno zmarłym Davidem Michaelem Martinem czy jego działalnością. A Telly, biorąc pod uwagę jego przeszłość, to doskonały kozioł ofiarny. Każą mu przyjąć na siebie winę za morderstwa...

– Ale on nic nie zrobił!

– Tyle że wciąż chce cię chronić. Kocha cię, skarbie. Miałaś rację. Twój starszy brat nadal chce, żebyś była bezpieczna.

Nie zniosę tego. Spuszczam wzrok, wpatruję się w czubek ciemnego łba Luki, gwałtownie mrugając. Rainie, która siedzi bliżej, obejmuje mnie ramieniem. Chcę się odsunąć, być silniejsza, twardsza, ale nie robię tego. Przede wszystkim myślę o bracie, który wciąż stara się mnie chronić. Swoją małą siostrzyczkę, która nie odzywała się do niego przez lata.

Nie jestem smutna. Czuję wstyd.

– Ale z resztą tej historii mam problem – mówi Quincy. – Telly powiedział, że gdy znalazł Duvallów i notatkę, zabrał sprzęt biwakowy, pick-upa i tak dalej. Wiedział, że jest w tarapatach. Żeby ratować Sharlah, musiał wyglądać jak morderca, który ucieka po popełnieniu zbrodni. Więc dopóki służby go ścigały, podsuwał nam tropy, w tym zdjęcie Martina zrobione przy domu Duvallów.

– Widział się z ojcem Sandry? – pyta Rainie, wciąż mnie obejmując.

– Nie. Twierdzi, że to Sandra się z nim spotkała. Może w końcu postanowiła się pogodzić. Telly nie był pewien. Ale gdy uciekł z domu Duvallów, zadzwoniono do niego na komórkę na kartę i kazano stawić się na stacji EZ Gas. A tam spotkał kogoś, kto wręczył mu dziewiątkę. „Ty to zrobiłeś", powiedział mężczyzna, te same słowa co na kartce po zabójstwie Duvallów, a potem ten człowiek odszedł. Kiedy Telly wszedł do środka, zastał martwego Richiego i kasjerkę. Nie wiedząc, co robić, wszedł w zasięg kamery i strzelił w nią, by dalej udawać winnego. Musiał, żeby chronić Sharlah.

Rainie odsuwa się i marszczy brwi.

– Czyli Douglas Perth, prawa ręka Davida, wysyła swojego syna Richiego, żeby zdobył od Sandry hasło do konta. Richie zabija Sandrę i Franka Duvallów. Po czym ktoś inny zabija Richiego?

– Tak – potwierdza Quincy.

– Nie podoba mi się ta historia – rzucam cicho.

– Do diabła, ja jej kompletnie nie rozumiem – stwierdza Shelly, rozmasowując sobie kark. – Brzmi to tak, jakby ktoś jeszcze brał w tym udział. Może jakiś rywal Douglasa Pertha?

– Logiczne założenie – mówi Quincy.

– Czyli ten tajemniczy człowiek eliminuje konkurencję, a później znów wykorzystuje Telly'ego jako kozła ofiarnego. A zatem musi przynajmniej w jakimś stopniu znać plan Richiego – oznajmia Shelly.

– Co oznacza, że nie mówimy o konkurencji zewnętrznej, tylko o rywalu z wewnątrz. O kimś, kto zna oryginalny plan – zgadza się Quincy. – W takiej organizacji jak GMB Enterprises tego rodzaju konkurencja nie powinna zaskakiwać.

– Ale ten człowiek nadal nie ma hasła do konta – podchwytuje Rainie. – Więc wraca dziś wieczorem do domu Duvallów. Zastaje tam was i otwiera ogień.

– Dla dwudziestu milionów dolarów, czemu nie? – Quincy wzrusza ramionami. A potem znaczącym gestem dotyka rany na skroni.

Zamykam oczy. Boli mnie głowa. Chcę iść do domu i zasnąć... na zawsze. Tylko że wiem, że gdy się obudzę, nic się nie zmieni. Wręcz przeciwnie, jeśli nie znajdziemy jakiegoś sposobu, żeby pomóc Telly'emu, żeby zidentyfikować tego tajemniczego konkurenta, to może być o wiele, wiele gorzej.

– Telly opisał zabójcę ze stacji jako starszego mężczyznę – dodaje Quincy. – Ale odwrócił wzrok, gdy to mówił. Stwierdził też, że nigdy wcześniej nie był na tej stacji. Lecz wtedy też miałem wrażenie, że kłamie.

– Kogoś kryje? – pyta Shelly. – Myślisz, że Henry'ego Duvalla? Ale po co?

Quincy spogląda na nią.

– Henry przyznał, że dziadek najpierw skontaktował się z nim. Mamy tylko jego słowo, że potem już z nim nie rozmawiał. A jeśli rozmawiał? I dziadek powiedział mu o tych dwudziestu milionach?

– Myślisz, że Henry zabił swoich rodziców? – pyta Rainie.

– Nie, myślę, że to Richie zabił Duvallów. Co dało Henry'emu podwójny motyw, żeby ścigać Richiego: po pierwsze zemsta za zabitych rodziców, a po drugie zgarnięcie dwudziestu milionów dla siebie. Poza tym Henry również ma interes, żeby wystawić Telly'ego. Oni zdecydowanie się nie lubią. Skoro Henry'emu rozpadł się świat, to czemu przyszywany brat nie miałby też i za to zapłacić? Myślę, że dostrzegał w tym jakąś sprawiedliwość.

– Ale dlaczego Telly miałby o tym nie wspomnieć? – pyta Shelly. – Biorąc pod uwagę ich wzajemne stosunki, dlaczego Telly nie miałby ochoty wydać nam Henry'ego?

– Bo może chcieć go załatwić sam.

– Trzeba zabić jeszcze jedną osobę – mówię nagle.

Quincy patrzy na mnie. I powoli kiwa głową.

– Właśnie.

A potem dorośli znów się zrywają i wychodzą z salki.

Rozdział 41

Sandra i ja nie rozmawiamy o tamtym wieczorze. Wracamy do rutyny. Letnia szkoła dla mnie, prace domowe dla niej, jakiś obóz naukowy w centrum YMCA dla Franka. Troje ludzi w tym samym domu, każdy czeka, aż ktoś inny wykona kolejny ruch. Zacząłem wychodzić wcześnie rano, żeby pobiegać. Spalić „nadmiar energii", jak powiedziałaby Aly, by potem w klasie lepiej móc się skupić. Nie byłem pewien, czy rzeczywiście łatwiej mi w szkole, ale samo bieganie było fajne. Chyba tylko wtedy klarowały mi się myśli i nie czułem ciężaru na piersi. Żadnego zastanawiania się, co stanie się ze mną za rok. Żadnego echa krzyku mojej siostry. Gdy biegłem, były tylko moje pracujące ramiona i łomoczące serce. Koncentrowałem się na oddechu i przez pół kilometra, kilometr, sześć kilometrów czułem się niemal wolny.

W środę wróciłem wcześnie, pobiłem swój rekord czasowy. W domu było pusto. Frank pojechał już na obóz, a Sandra najprawdopodobniej do sklepu spożywczego – lubiła jeździć z samego rana. Wszedłem do łazienki, zrzucając z siebie przepocone ubranie. Szybki prysznic, a potem pora wyruszyć do szkoły. Byłem w swoim pokoju, wkładałem T-shirt, gdy usłyszałem, że otwiera się brama garażu. Sandra wróciła ze sklepu, pomyślałem.

Szorty, skarpetki, zasznurować tenisówki. Otworzyłem drzwi i...

Usłyszałem ich.

Sandra rozmawiała cicho z kimś, kto odpowiedział ochrypłym głosem. Od razu wiedziałem, że spotkała się ze swoim ojcem.

Brzmiał okropnie. Jeszcze słabiej i bardziej urywanie niż w dniu, kiedy spotkał się z Frankiem. Gdybym wcześniej nie wierzył, że umiera, teraz byłbym o tym przekonany.

Zakradłem się korytarzem, bo ochrypły głos starca ledwo było słychać. Przykucnąłem na samym końcu, skąd mogłem ich zobaczyć. Ojciec Sandry, nadal w beżowym płaszczu, choć było ciepło, zapadł się w fotelu. Sandra stała naprzeciwko, z rękoma ciasno skrzyżowanymi na piersi. Nie widziałem jej twarzy, ale mowa ciała zdradzała, że jest bardzo spięta.

– Parę... spraw... – świszczał mężczyzna. – Mało czasu... A ty... powinnaś wiedzieć. – Zaczął kasłać. Mokro, z flegmą. Brzmiało to tak, jakby zalewało mu płuca.

Sandra ani drgnęła. Nie zaproponowała mu wody czy czegokolwiek. Stała tam tylko i czekała.

– Doug... Pamiętasz Douga? Spryciarz. Doug... On... będzie prowadzić interes.

Sandra nic nie odpowiedziała.

– Mógłby to załatwić... Zatrudnić cię... Włączyć do zarządu.

– Nie.

– Prawdziwe interesy... Irene...

– Nie nazywaj mnie tak.

– Prawdziwa firma. A w dzisiejszych czasach...

Patrzyła na niego w zimnym milczeniu.

– Jesteś... moją rodziną...

Nadal cisza.

– Twój syn. – Mężczyzna zmienił wątek. – Bystry chłopak. – Kolejne kaszlnięcia. – On coś w życiu osiągnie. Zaproponowałem mu pracę.

– Zostaw go w spokoju.

– To nie... twój wybór. – Starzec uśmiechnął się. To był odrażający widok. Jego wielkie otwarte usta, wychudłe policzki. Wyglądał jak żywy trup, gdy się tak szeroko uśmiechał. Spuściłem wzrok.

– Zostaw go w spokoju! – nakazała ponownie Sandra.

– Bo co zrobisz... Zabijesz mnie?

Zesztywniała. Z miejsca, w którym stałem, dostrzegłem, że aż trzęsie się z gniewu.

– Czego chcesz? – zapytała zimno. – Powiedz tylko i załatwmy to.

– Twoja matka... – powiedział i Sandra po raz pierwszy drgnęła. – Pochowałem ją... Nie było nikogo na pogrzebie... Nawet jej własna córka jej nie pożegnała.

– Co z mamą?

– Będę pochowany obok... niej. Więc jeśli będziesz chciała ją odwiedzić... będziesz musiała przyjść też do mnie. Taki układ. Odwiedziny u nas obojga. Uczczenie rodziców.

– Zawsze parszywie wszystkimi manipulowałeś.

Starzec się roześmiał. A przynajmniej próbował. Skończyło się kolejnym urywanym, mokrym kaszlem. Gdy w końcu umilkł, w pokoju zapadła cisza.

– Nie nienawidzę cię... – powiedział po chwili. Wydawał się jakby zamyślony.

Sandra nie odpowiedziała.

– Ja cię nawet... podziwiam. Słyszałem... że zabiłaś człowieka. Swojego pierwszego. – Powoli pokiwał głową. – Moja córka. Dobrze cię wychowałem.

Odwrócona do mnie plecami Sandra zadrżała. Nie wiedziałem, czy dlatego, że zgadza się z jego słowami, czy dlatego, że jest nimi przerażona.

– Twoja matka... była za delikatna. Za słaba na kolejne dziecko. A ja chciałem chłopca. Musiałem zadowolić się tobą. Ale ty... Ty sobie poradziłaś. I to świetnie. Chłopak nie wahałby się mnie zdradzić. Wypchnąć. Przejąć stery. Ale ty... – Starzec pokiwał głową nad czymś, o czym tylko on wiedział. – Zagrałaś w długoterminową grę... Lepiej niż ktokolwiek... kogo znam.

Sandra się nie odzywała. Wyglądało to tak, jakby wiedziała, co on dalej powie.

– Każda gra kiedyś się kończy. – Spojrzał na córkę. Patrzył na nią załzawionymi oczami. – Gdy umrę... Inni wiedzą, Sandro. Doug wie. Nasze konto, nasz mały sekret... został upubliczniony. Nie jest już naszym sekretem, naszą małą gierką. Weź te pieniądze. Po prostu to zrób. Opróżnij konto. Nie przejmę się. Mnie się już nie da zranić. Ale zrób to, zanim komuś stanie się krzywda.

– Mnie już się stała.

– Doug będzie próbował zdobyć te pieniądze. W jego oczach...
to część firmy.
– Może je sobie wziąć.
– Nie bądź głupia! – Mężczyzna po raz pierwszy warknął
i się uniósł. – Nie wychowywałem cię na głupią.
– Nie! Wychowywałeś mnie na agresywną, chciwą i podłą.
Cóż, trudno. Nie obchodzi mnie twoje cholerne konto. Nawet już
nie pamiętam tego hasła. Chcesz, żeby Doug miał te pieniądze, to
mu je po prostu przelej. Nie będę cię powstrzymywać.
– Twój syn...
– Zostaw Henry'ego w spokoju!
– Bo wszystkie dzieci... robią, co im rodzice każą?
– Pora, żebyś sobie poszedł. – Sandra zaczęła się odwracać.
– Czekaj! Irene...
– Nie nazywaj mnie tak!
– Staram się postąpić właściwie. Czy stary człowiek nie
może... żałować?
Ale Sandra była odwrócona tyłem. Mijała minuta za mi-
nutą. Starzec wydobył z siebie długie, złowieszcze westchnienie.
A potem...
Wstał, trzęsąc się i mocno opierając o laskę. Sandra nie
miała zamiaru mu pomóc. Z opóźnieniem uświadomiłem sobie,
że będą szli przez kuchnię w kierunku drzwi wejściowych.
Wycofałem się do swojego pokoju, po czym, nie namyślając
się długo, chwyciłem komórkę, otworzyłem okno i wyskoczyłem.
Pobiegłem prosto, zakładając, że schowam się wśród rododendronów, zanim ojciec Sandry zdoła się wygrzebać.
Właśnie mijałem narożnik, podnosząc komórkę, żeby
pstryknąć parę fotek, gdy wpadłem wprost na przykuczniętego
Franka, który też chował się w krzewach z komórką gotową do
robienia zdjęć.
– Cii... – powiedział od razu, kiedy opadłem na ziemię obok
niego.
Drzwi od frontu właśnie się otwierały. Nic już nie mówiliśmy. Tylko zaczęliśmy robić zdjęcia. Gałąź zasłaniała mi widok
na frontowy ganek. Obszedłem więc Franka i uchwyciłem starca,

gdy ostrożnie zszedł po schodach i stanął przed garażem. Pstryk, pstryk, pstryk.

Nie miał kierowcy. Zaskoczyło mnie to. Na filmach mafiosi zawsze mają szoferów, ochroniarzy, obstawę. Ojciec Sandry z wysiłkiem wsiadł do czarnego cadillaca. Siedział tak długą chwilę, z trudem łapiąc oddech.

Człowiek, którego zalewała własna flegma. Słychać to było, gdy mówił. I nie kłamał. Każdy, kto tak brzmi, długo nie pożyje.

Sandra stała na ganku od frontu. Tylko stała. Aż jej ojciec odpalił w końcu silnik, włączył wsteczny bieg i wyjechał z podjazdu.

Wydawało mi się, że w ostatniej chwili uniosła dłoń. Wydawało mi się, patrząc przez aparat komórki, że dostrzegam na jej policzkach mokre ślady.

Córka, która żegna się po raz ostatni.

A potem odwróciła się, weszła do domu i zamknęła drzwi.

Frank i ja siedzieliśmy razem w krzakach.

– Słyszałeś? – nie mogłem się już powstrzymać.

– Wystarczająco.

– O jakich pieniądzach on mówił?

– To nieważne, Telly.

– Wspomniał coś o Henrym...

– Nie przejmuj się tym. Henry to mądry chłopak. Wie, kto jest jego prawdziwą rodziną.

– Ten starzec naprawdę umiera?

– Tak.

– A jej to naprawdę nie obchodzi?

– Nie. Zawsze jej nie doceniał. W przeciwieństwie do niego czekała na ten dzień. A jeśli chodzi o pieniądze i resztę... – Frank odwrócił się ku mnie i w końcu uśmiechnął. – Sandra już podjęła pewne kroki. Zrobi mu psikusa. Nawet jeśli umiera, zrobi mu psikusa.

Czekałem, aż policja odjedzie, po czym wróciłem do domu Franka i Sandry i zająłem swoją pozycję na dachu. Nie miałem dokąd pójść. Zresztą daleko bym nie zaszedł, bez jakiegokolwiek środka transportu i po pokonaniu już wielu kilometrów. Poza tym wiedziałem, że to jeszcze nie koniec.

I oczywiście nie minęła nawet godzina. Reflektory na drodze, samochód zatrzymał się trzy domy dalej. Kierowca zgasił światła. Czekałem, ułożony na brzuchu obok komina, z palcem na spuście. Na końcu podjazdu pojawiła się postać. Poruszała się sztywno. Przyglądałem się, czy nie ma broni, ale w ciemności nic nie było widać.

Czekałem, aż zbliży się do ganku od frontu.

I wtedy wypowiedziałem jedno słowo:

– Henry.

Rozdział 42

O trzeciej nad ranem tej letniej nocy w przydrożnym motelu Henry'ego panował jak dla Shelly o wiele za duży ruch. Ludzie wystawali przed swoimi pokojami, siedzieli na składanych krzesełkach i popijali piwo, które dyskretnie schowali za plecami, gdy szeryf parkowała. Auto jej zastępcy już było na miejscu. Obok Shelly siedział Quincy. Roy jechał za nimi swoim samochodem. Mnóstwo ludzi jak na jednego człowieka. Shelly czuła, że jej żyły wypełnia adrenalina. Ale czuła też spokój. To ona była szeryfem. To było jej miasto i jej ludzie. Poradzi sobie ze wszystkim.

Zaparkowała przed biurem kierownika motelu. Bez koguta i bez syreny. To był ciężki dzień. Shelly chciała przeprowadzić ostatnie działanie gładko i w kontrolowany sposób. Nie wspominając o tym, że bez względu na jej podejrzenia Henry Duvall też miał za sobą długi i trudny dzień. A Shelly wiedziała z doświadczenia, że zmęczeni, zestresowani ludzie potrafią szybko stać się bardzo nieprzewidywalni.

Henry może być uzbrojony – w zasadzie byli o tym przekonani – więc zachowanie spokoju i ciszy wydawało się wręcz niezbędne. Zapukać do drzwi. Zakuć go w kajdanki, zanim zdąży zamrugać. I zabrać na przesłuchanie, a Roy i Quincy zostaną, żeby przeszukać pokój.

Shelly podniosła kapelusz i włożyła go sobie na głowę. Ostatni element umundurowania na miejscu.

Razem z Quincym wysiedli z auta.

Pierwsza do biura kierownika motelu weszła szeryf. Jej zastępca już tam był i właśnie przepytywał kierownika nocnej zmiany. Nie, nie widział, żeby Henry wychodził z pokoju, a z listy parkingowej wynika, że jego srebrne RAV4 nadal tam stoi. Idealnie.

Shelly wyszła na zewnątrz i skinęła na Quincy'ego i Roya.

– Henry powinien być w swoim pokoju. Postarajmy się nie narobić więcej bałaganu niż trzeba. Pójdę z Quincym. Zapukamy, powiemy, że mamy pewne informacje dotyczące jego rodziców. Odpowiadał już dzisiaj na pytania, więc mam nadzieję, że nasze pojawienie się nie wzbudzi jego podejrzeń. Gdy otworzy drzwi, obezwładnię go. A ty – skierowała wzrok na Quincy'ego – rozejrzyj się za pistoletem. Niepotrzebny nam dzisiaj żaden dramat.

Roy miał ich osłaniać z drugiej strony parkingu. Przykucnął za autem naprzeciwko drzwi pokoju Henry'ego, tak by mieć dobry widok, ale żeby Henry go nie zobaczył. Zastępca szeryf podszedł do najbliższej grupki motelowych gości i po cichu kazał im wrócić do pokoi. Bez protestu zabrali się razem z piwami.

W końcu nadeszła pora na akcję. I znów to intrygujące połączenie adrenaliny i spokoju.

Quincy skinął głową. Ruszyli.

W pokoju było ciemno. Nic dziwnego o tej godzinie. Jeśli ich założenia okażą się słuszne i Henry rozpoczął ten dzień od znalezienia ciał rodziców, a potem szukał zemsty, to z pewnością mógł go zmorzyć sen.

Shelly stanęła naprzeciw drzwi. Kobieta, która nie ma się czego bać. Quincy był nieco z boku, starając się nie zasłonić widoku Royowi.

– Henry Duvall! – zawołała, głośno pukając. – Tu szeryf Atkins. Przepraszam, że przeszkadzam, ale mamy wiadomości o pańskich rodzicach. Pomyślałam, że chciałby pan je poznać.

Cisza.

Zapukała znowu. Ze zdecydowaniem.

Nic.

Zerknęła na Quincy'ego, który zmarszczył brwi. Powoli przesunął się, żeby zajrzeć przez okno. Zasłony nie były do końca zasunięte. Stanął przy szparze pośrodku i pokręcił głową.

– Za ciemno – szepnął.

Shelly zacisnęła usta.

– Henry Duvall! – zawołała ponownie. – Tu szeryf Atkins. Proszę otworzyć. Musimy porozmawiać. To pilne.

A gdy sekundy ciszy przeszły w minuty, mruknęła do Quincy'ego:

– Weź klucz.

Quincy zamachał do Dana Mitchella. Ten podbiegł truchtem z zapasowym kluczem do pokoju od kierownika motelu.

– Henry! – spróbowała ostatni raz. – Tu szeryf Atkins. Wchodzę, w porządku? Muszę z tobą porozmawiać. Chodzi o twoich rodziców.

Wsunęła klucz do zamka, wyczuwając, że Quincy lekko się spina. Ale oddech miał równy i spokojny. Skoncentrowała się na nim, gdy przekręcała klucz. Zamek się poddał. Odsunęła się na bok, żeby drzwi zapewniły jej nieco osłony, i powoli je otworzyła.

– Henry – powiedziała po raz kolejny, teraz już łagodnym głosem, przeczesując wzrokiem pomieszczenie.

Lecz zanim włączyła światło, wiedziała, że pokój jest pusty. Wyczuła to. A to nie miało sensu, skoro jego auto stało na parkingu, a bagaż leżał obok łóżka.

– Shelly – powiedział cicho Quincy.

I wtedy je zauważyła, z początku niewyraźne, bo na tle cętkowanej narzuty na łóżku. Plamy krwi. Nawet jeśli były słabo widoczne, to po jednym kroku poczuła zapach.

– Telly dotarł tu pierwszy – mruknęła.

– W takim razie gdzie ciało? – zapytał Quincy.

Przeszukali cały pokój, ale nie znaleźli odpowiedzi.

Rozdział 43

W chwili gdy wypowiedziałem jego imię, głowa Henry'ego poderwała się do góry, a jego twarz na krótko oświetlił księżyc. Miał na sobie szorty i poplamioną koszulkę, wyglądał na równie zmęczonego jak ja. Był też jakoś dziwnie przechylony na bok i przyciskał prawą rękę do żeber po lewej.

– Telly, ty głupi skurwysynie. – Henry nigdy mnie nie lubił. Wciąż lustrowałem go, czy nie ma broni, ale obie dłonie były na widoku. Więc po co wrócił do domu? Dziwiło mnie to. Chyba że...

– Ja ich nie zabiłem – powiedziałem.

– No jasne...

– Ja ich nie zabiłem!

Wykrzyczałem te słowa. A przynajmniej próbowałem. Lecz gardło zdławił mi chyba szloch. Frank i Sandra. Sandra i Frank. Moi pierwsi i jedyni prawdziwi rodzice. Udałoby się. Wiem, że by się udało. Tylko że teraz...

Henry wciąż tam stał i przeklinał mnie.

Zrobiłem nam obu przysługę. Wyprostowałem się. Zapewniłem mu wyraźny cel, gdyby miał pistolet zatknięty za pasek spodni. Czemu nie?

– Znam tajemnicę twojej matki – powiedziałem. – Byłem tu, gdy spotkała się z twoim dziadkiem. Wiem, co się dzieje.

Nie odpowiedział, ale też nie sięgnął do tyłu. Jeśli już, to tylko przycisnął prawą rękę mocniej do boku i lekko się zachwiał.

– Dołączyłeś do nich? – naciskałem. – Jesteś teraz członkiem tamtej rodziny?

– Nigdy bym...

– Zdradziłeś ją! Twój dziadek jej powiedział. Byłem w domu, gdy próbował ją ostrzec. Co ty zrobiłeś, Henry? Co, do cholery, zrobiłeś?

– Nie wiem, o czym mówisz! Nie spotkałem się z tym starcem. Ty to zrobiłeś. To ty... zrobiłeś to wszystko! – Teraz to Henry na mnie krzyczał, ale nie dałem się nabrać.

– Chciałeś tych pieniędzy dla siebie!

– Jakich pieniędzy? Co jest, Telly? Czy ty masz to, czego on chce? Rozumiesz, co się tutaj dzieje? Moja mama... Nie rozumiem. Moja mama... – Henry'emu załamał się głos. Opuścił głowę i nagle oparł się ciężko o ogrodzenie.

Wydawał się rozgniewany, ale też kompletnie zagubiony. Kątem oka dostrzegłem drobny ruch...

I dopiero wtedy do mnie dotarło. Henry nie był sam. Na końcu podjazdu stał ktoś jeszcze. Wydało mi się, że dostrzegam mocno zbudowanego mężczyznę z noktowizorem. Właśnie unosił karabin.

Ostatni rzut oka na Henry'ego, który ściskał swój bok.

Tam, gdzie go trafił, uświadomiłem sobie. Postrzelił go ten sam człowiek, najprawdopodobniej ten ze stacji EZ Gas, który wręczył mi zakrwawiony pistolet i uruchomił cały ten cyrk. I miał być moim celem, gdybym tylko zdołał go znaleźć. A teraz...

Stałem na dachu, całkowicie odsłonięty. Myśliwy, który stał się zdobyczą.

Mężczyzna spojrzał prosto na mnie i pociągnął za spust.

Nie spudłował.

Rozdział 44

O trzeciej nad ranem Rainie zorientowała się, że Sharlah przysypia. Bardzo się starała wytrwać, siedząc przy stole w salce konferencyjnej i obracając przed sobą butelkę z wodą. Luka już dawno zaległ u jej stóp, przeciągając się we śnie, jakby napawał się drzemką. Gdy Rainie trzeci raz przyłapała Sharlah na zasypianiu, podjęła decyzję.

– Chodź – powiedziała, wstając. – Shelly nie bez powodu ma w gabinecie rozkładany fotel.

– Nie trzeba – wymamrotała Sharlah.

– Zasypiasz na siedząco. Jak ci głowa mocniej opadnie, to uderzysz nią o stół i będziesz miała wstrząs mózgu. A poza tym w pracy można spać. Spójrz na niego. – Rainie wskazała Cala Noonana, który rozłożył się w kącie salki, z głową na plecaku i czapką na twarzy.

– Ale Quincy... – mruknęła Sharlah.

– W każdej chwili może wrócić. A wtedy zaczną się przesłuchania i papierkowa robota. I tak nic tu po tobie. Równie dobrze możesz się zdrzemnąć. I będziesz rano jedynym przytomnym członkiem rodziny, bo Bóg jeden wie, że ja i Quincy przytomni nie będziemy.

– Ale Telly...

– Co będzie, to będzie – powiedziała łagodnie Rainie. – Teraz i tak nic dla niego nie możesz zrobić.

Widziała, że Sharlah nie jest przekonana. Skinęła na nią jeszcze raz i dziewczynka niechętnie wstała. Luka natychmiast się obudził i towarzyszył swojej pani, gdy zabierała plecak i szła za Rainie do biura szeryf.

Jako najważniejsza w komisariacie osoba Shelly Atkins zajmowała narożny gabinet. Niezbyt duży, ale z oknami na boczny i tylny parking. I przede wszystkim wyposażony w stary, zniszczony rozkładany fotel. Choć pochodził chyba z lat dziewięćdziesiątych – szary w jasnofioletowe paski i z przetartym rogiem – zapewniał najlepsze warunki do kilkugodzinnej drzemki.

Sharlah nawet go nie rozłożyła. Zwinęła się na poprzecieranym siedzeniu i w kilka sekund zasnęła z głową na podłokietniku. Luka zwalił się przed fotelem. Jedno westchnienie i już go nie było.

Rainie nie wyszła od razu. Pogłaskała córkę po rozczochranych włosach. Zachwyciła się spokojem rysującym się na twarzy Sharlah w takiej chwili.

Tyle jeszcze miały sobie do powiedzenia. Tyle przyszłych spraw do rozwiązania. Tyle przeszłych problemów do rozważenia.

Ale kochała tę dziewczynkę, kochała ją miłością, o jakiej słyszała, ale nie była pewna, czy kiedykolwiek ją naprawdę poczuje, nawet wtedy, gdy decydowali się przyjąć dziecko pod opiekę. Sharlah trafiła do nich mocno nastroszona, milcząca i uparta. Jakby miała zamiar zrobić wszystko, żeby tylko ich zniechęcić.

Lecz zamiast tego Rainie spojrzała na nią i zobaczyła samą siebie sprzed trzydziestu lat. Czy to miłość, czy własne ego? Nie wiedziała. Ale im bardziej Sharlah starała się ich odepchnąć, tym większa była determinacja Rainie, by być blisko.

Pod tą całą maską buntu i uporu dostrzegła dziecko. Znała je. Sama była kiedyś taką dziewczynką.

Pewnego dnia Sharlah stanie się wspaniałą młodą kobietą, powtarzali sobie z Quincym. Zakładając, że wszyscy tego dożyją.

Rainie wsunęła pasmo ciemnych włosów za ucho córki. Pocałowała dwa palce i przytknęła je do policzka Sharlah. Życzyła jej słodkich snów, choć to się u żadnej z nich nie sprawdzało.

A potem wróciła do salki konferencyjnej, bo miała pracę do zrobienia i chciała, żeby dziewczynka spokojnie pospała. Znów wzięła się za zdjęcia z miejsca strzelaniny. Z domu Duvallów i ze stacji EZ Gas. Co wiedzieli na pewno, a co przeoczyli?

Zadzwonił telefon. Jeden sygnał. Jej? Kogoś innego? Chyba przysnęła. Lekko zamroczona ruszyła korytarzem, by sprawdzić, co u Sharlah.

Ale jej córki, Luki i plecaka nie było...
Biuro szeryf Atkins było puste.
Sharlah zniknęła.

Rozdział 45

Gdy dzwoni moja komórka, jestem zdezorientowana. Muszę się obudzić, spóźnię się do szkoły. Szukam po omacku plecaka. Trafiam na łeb Luki, zanim udaje mi się w końcu chwycić pasek i wciągnąć plecak na fotel.

Kolejny dzwonek. Standardowa melodyjka, a nie wybrane przeze mnie piosenki dla Rainie i Quincy'ego. Ostrzeżenie. Wyciągam telefon, odbieram i słyszę, jak obcy mężczyzna mówi:

– Jeśli chcesz jeszcze zobaczyć brata żywego, to przynieś to, co włożył do twojego plecaka. Teraz.

Zamieram. Nie jestem w stanie oddychać. Ani mówić. Siedzę bez słowa, bez ruchu, w ciemności. Luka wydaje z siebie cichy warkot.

– Jeśli zabierzesz ze sobą psa, to go zastrzelę.

– Kim pan jest? – pytam. Nie mogę się powstrzymać. Głupie pytanie. Wiadomo, że nie odpowie, ale mój mózg przestał działać. Życie mojego brata jest zagrożone, a ja zgłupiałam.

Mężczyzna się śmieje.

– Teraz – powtarza.

– Czekaj! – Muszę coś powiedzieć, coś zrobić. Myśl jak profiler. Co Quincy albo Rainie by zrobili? – Skąd mam... Dowód, że żyje! Chcę dowodu, że macie Telly'ego. Że nic mu nie jest.

Przytłumiony dźwięk. Może przekazuje komuś telefon. A później głos, który rozpoznaję.

– Nie rób tego – mówi Telly. Jest spięty. Zestresowany czy ranny – zastanawiam się.

– Oddaj to – rozkazuje mężczyzna ostro w tle. – I to już!

– Przypomnij sobie mamę – szepcze Telly. A potem go nie ma, jest tylko mężczyzna, którego już nie lubię.

– Henry Duvall? – próbuję, bo zaczynam myśleć. Choć wyobrażałam sobie, że to młody człowiek, a głos wydaje się należeć do starszego mężczyzny.

– To jego szuka policja? – Krótki śmiech. – Dobrze wiedzieć, że cała moja ciężka robota nie poszła na marne. Nie. Henry jest w tej chwili trochę zajęty. Wykrwawia się na śmierć. Ale najpierw przyprowadził mnie do domu rodziców, prosto w ramiona twojego brata. Obawiam się, że jego też trafiłem. Ta dzisiejsza młodzież. Całe dnie strzela do złych gości na ekranie. A potem waha się, gdy to naprawdę ważne. No już. Brat twierdzi, że masz to, czego chcę, więc musisz mi to oddać, zanim kolejnym ludziom stanie się krzywda.

– Nie umiem prowadzić auta – mówię. Tylko o tym myślę. Nie czy spotkać się z tą osobą, nie czy przekazać sekret Telly'ego, tylko jak to zrobić.

– Brat twierdzi, że wiesz, gdzie jest biblioteka.

– Tak.

– Można tam dojść na piechotę z biura szeryf. Bądź za dwadzieścia minut.

– Ale...

– Dwadzieścia minut.

I telefon gaśnie. Koniec rozmowy. Znów jestem sama w ciemności.

– Luka – szepczę.

Skomli, liże mnie po twarzy.

– Luka – powtarzam. Obejmuję go za szyję i mocno przytulam, bo będę potrzebować jego siły i umiejętności do tego, co nastąpi.

Telly w lesie kombinował z moim plecakiem. Nie tylko wyjął butelkę wody, ale też coś do niego włożył. Wiedziałam od razu, bo poczułam zmianę ciężaru. Nie chciałam wtedy o to pytać, bo czasem lepiej nie wiedzieć. A później Rainie ciągle była obok i nie miałam okazji, żeby zajrzeć do plecaka i potwierdzić moje przypuszczenia.

Rozsuwam główną komorę. Widzę ciężki przedmiot z metalu. Spodziewałam się go. Pistolet. Przypuszczam, że ten, z którego zastrzelono ludzi na stacji benzynowej. Brat ukrył go w moim plecaku, bo nie mógł dopuścić do tego, by znaleziono go przy nim. I teraz ten facet, który dzwonił, chce go z powrotem? Nie rozumiem. Kim ten gość w ogóle jest, skoro nie jest Henrym Duvallem? I dlaczego chce odzyskać swoją broń?

Dotykam pistoletu ołówkiem. Zahaczam o kabłąk spustu, tak jak widziałam w programach policyjnych, i bardzo ostrożnie wyciągam broń z plecaka. Zerkam na uchylone drzwi, bo wolałabym, żeby Rainie nie weszła w momencie, gdy badam swoje znalezisko. Tego się w sumie spodziewałam, ale mimo to...

Dlaczego jakiś facet trzyma mojego brata jako zakładnika z powodu tej broni? Pistolet to nie jest hasło do dwudziestu milionów dolarów.

I wtedy, zupełnie nagle, doznaję olśnienia. Ależ jestem głupia. Telly musiał pozbyć się broni, to jasne, lecz wykorzystał ją też jako przykrywkę. Ciężar pistoletu zamaskował to, że schował również coś innego. Coś, co spodziewał się, że znajdę, a może nawet przekażę moim związanym z policją rodzicom, tylko że ja byłam zbyt zajęta rozpamiętywaniem odrzucenia przez brata, żeby sprawdzić, co zostawił w moim plecaku.

Teraz zaglądam do głównej komory. Pod opróżnioną do połowy butelką wody i papierkami po batonach dostrzegam coś, co powinnam była znaleźć wiele godzin temu. Drobny, niepozorny przedmiot, a jednak stanowiący klucz do dwudziestu milionów dolarów.

Potrzebuję pięciu minut. Przekradam się do komputera Shelly i odrabiam spóźnioną pracę domową. Może jestem powolna, ale na pewno nie jestem kompletną idiotką.

Umiem czytać z ekranu monitora. I rozumiem, w jak wielkim niebezpieczeństwie znalazł się mój brat.

Tajemniczy człowiek jest sprytny: biblioteka to dobry punkt na spotkanie. Tylko sześć przecznic stąd. Zupełna pustka o tej porze. Parking otoczony krzewami i drzewami, idealne miejsce na potajemne spotkanie.

To chyba dobrze. Gdyby ktoś przeszkodził, mogłoby być źle. Mógłby sprowokować tego człowieka, a ten zastrzeliłby Telly'ego albo mnie. Albo nas oboje. Chociaż może i tak nas zabije. Nie znam jego prawdziwej tożsamości, nie mam pojęcia, do czego jest zdolny. Pójdę tam. Czy to znaczy, że jestem głupia? Czy też to, co się stanie, jest po prostu... nie do uniknięcia? Czerwona jak burak twarz mojego ojca, wyłupiaste oczy, gdy gonił mnie i Telly'ego z zakrwawionym nożem. Minęło osiem lat, a proszę, jesteśmy w tym samym miejscu. Kolejny szaleniec. Kolejna noc, kiedy działasz albo giniesz.

„Przypomnij sobie mamę" – powiedział Telly.

Pamiętam.

Przyciągam bliżej Lukę. Szepczę mu do ucha, dotykam obroży.

A potem wsuwam ten okropny pistolet za pasek szortów, zarzucam plecak na ramię i na palcach zbiegam tylną klatką schodową.

Luka ma swoje zadanie, a ja swoje. Biblioteko, nadchodzę.

Zaczynam się denerwować przecznicę od celu. Biblioteka Hrabstwa Bakersville to jednopiętrowy budynek z szerokim holem i wieżyczką z zegarem. Bardzo ładna ta wieżyczka, tylko że teraz przychodzi mi do głowy, że to idealne miejsce dla snajpera. Może ten człowiek, który dzwonił, już obserwuje mnie przez celownik. Co miałoby go powstrzymać przed pociągnięciem za spust i zabraniem mojego plecaka?

Nie wiem. Jestem zdenerwowana, przestraszona i całkowicie na widoku. Brakuje mi Luki, który zawsze przy mnie drepcze. Ale cieszę się też, że nie ma go tu ze mną, bo jeśli ten facet naprawdę przygląda mi się z wieżyczki...

Nie zniosłabym, gdyby Luce coś się stało.

A poza tym nie mógł być tutaj. Osiem lat temu Telly i ja nie mieliśmy psa.

Zwalniam, kiedy docieram do rogu ulicy naprzeciwko parkingu przy bibliotece. Nadstawiam uszu, żeby coś usłyszeć, cokolwiek.

Ulice są puste. Światło z przodu zmienia się z czerwonego na zielone, choć nie ma przechodniów. W Bakersville panuje mały ruch za dnia, a co dopiero w środku nocy.

Gdy przechodzę przez ulicę, doznaję olśnienia. Zsuwam plecak i przekręcam go tak, żeby wisiał mi z przodu. Jakbym miała na piersi tarczę. Strzel do plecaka, zaryzykuj, że zniszczysz sekret Telly'ego.

To nie jest żaden przebłysk geniuszu, wiem, bo tak naprawdę zmuszam człowieka, którego nawet nie znam, żeby strzelił mi w głowę. Jestem pewna, że Quincy i Rainie mieliby jakiś lepszy plan, ale w tym momencie to najlepsze, na co mnie stać.

Zaraz będzie parking. Powoli zbliżam się do zakrętu. Na parkingu są lampy. Przynajmniej tak to pamiętam. Lecz albo przy nich majstrował, albo wyłączają się automatycznie, bo w tej chwili panują tam całkowite ciemności. Rozglądam się wokół, oczy przyzwyczaiły mi się już do braku światła, ale nic nie widzę.

Mój wzrok znów sunie w górę. Przyglądam się dachowi i wieżyczce.

„Przypomnij sobie mamę" – powiedział Telly.

Pamiętam, pamiętam, pamiętam.

I chciałabym móc cofnąć się w czasie, przytulić Rainie i powiedzieć, że przepraszam.

A więc przed siebie.

Idę teraz pośród drzew, przesuwam się od jednego do drugiego. Jestem tu, zrobiłam, jak kazał. Kolejny ruch to jego problem, ale ja nie chcę stanowić jeszcze łatwiejszego celu.

I wtedy, gdy zbliżam się do drzwi biblioteki...

– Stój – słyszę.

Głos mężczyzny rozlega się za mną. Obracam się, dostrzegam zarys pick-upa w dalekim rogu parkingu. Może mężczyzna stoi obok niego. Trudno stwierdzić z takiej odległości.

– Połóż plecak na ziemi – mówi.

Nie ruszam się.

– Połóż go i znikaj stąd, bo w przeciwnym razie zastrzelę i ciebie, i twojego brata.

Nadal się nie poruszam. Zdecydowanie brzmi jak starszy człowiek, ale kto to jest?

– Słyszysz, co...

– Chcę go zobaczyć. Niczego nie zrobię, dopóki go nie zobaczę.

Cisza. Teraz ja zastanawiam się, czy mnie usłyszał. Po plecach spływają mi strużki potu. Drżą mi ramiona.

– Posłuchaj, dziecko...

– Widzisz tę rurę? Domyślam się, że odprowadza deszczówkę do oceanu. Nie jestem pewna, ale podejrzewam, że tak właśnie jest. – Unoszę mały metalowy przedmiot. Nie wiem, czy widzi go w ciemności, lecz nie obchodzi mnie to. – Pokaż mi mojego brata albo to tam wrzucę.

– Ty mała gówniaro...

– Pokaż mi mojego brata.

Westchnienie. Rozpoznaję ten ton. Kolejny dorosły, który jest mną rozczarowany. Gdybym nie była taka przerażona, byłabym z siebie dumna.

Dźwięk otwieranych drzwi. A potem...

– Sharlah.

Telly. Jego głos brzmi okropnie. Jest ranny, myślę. Ten człowiek zranił mojego brata.

– Wszystko w porządku?

– Okej – odpowiada, ale ja mu nie wierzę.

– Henry? – pytam, wciąż starając się zrozumieć.

– Podejdź do mnie – przerywa rozkazującym tonem mężczyzna.

– Nie.

– W takim razie zastrzelę...

– A ja wrzucę! – Teraz to ja przerywam, równie wrogim tonem. – Zastrzel mojego brata, zastrzel mnie, rusz się w prawo, rusz się w lewo, a to coś wyląduje w oceanie. Klucz do dwudziestu milionów dolarów, tak? O to w tym wszystkim chodzi. O dwadzieścia milionów dolarów. To mnóstwo pieniędzy. Szkoda by je było teraz stracić.

Mężczyzna nic nie mówi. Nie musi. Czuję jego gniew i frustrację na odległość. Poznaj zaburzenia opozycyjno-buntownicze, mam ochotę mu powiedzieć. Jeśli ty już teraz tak się czujesz, to pomyśl o moich biednych rodzicach, którzy muszą radzić sobie ze mną na co dzień.

– Nie masz pojęcia...

– To pendrive, pamięć USB – wchodzę mu w słowo. – Wiem, co to pamięć USB. Wiem, jak podłączyć ją do komputera i jak odczytać zawartość. Sandra Duvall przeniosła te pieniądze, prawda? Wyjęła dwadzieścia milionów dolarów z konta ojca i wykorzystała je do założenia fundacji. Fundacji Isabelle R. Gemetti. To jej matka? Chciała użyć tych pieniędzy, żeby pomagać takim kobietom jak jej mama? To byłaby ironia, co? Co to ironia, też wiem. I co to rura odpływowa.

Ochrypły, grzechoczący dźwięk. To chyba Telly. On się śmieje. Czy jest ze mnie dumny? Mam nadzieję, że jest, bo wciąż nie bardzo wiem, co robić dalej.

– Gdzie jest Henry? – pytam. – Co się z nim stało?

– Dom... – chrypie Telly. – Duvallów... Został ranny.

– Zamknij się – mówi mężczyzna. – To moje pieniądze. Nie obchodzi mnie, jaka to nazwa ani jaka fundacja. To moje pieniądze i zamierzam je odzyskać.

– Przyślij tu mojego brata.

– Nie.

– Nie odejdę od tej rury. Jeśli chcesz ten pendrive, to przyjdź i go sobie weź.

Mężczyzna nie porusza się, nie może się zdecydować. Namyśla się?

Cieszę się, że parking jest ciemny i pusty. Ręka strasznie mi się trzęsie. Nie wiem, co robić. Mam tylko tę rurę odpływową. Jeśli stąd odejdę, zginę, więc się nie ruszam. Ale jeśli on podejdzie tutaj, to co wtedy?

Telly odpełznie na bok, kiedy mężczyzna będzie odwrócony do niego plecami, lecz jak już odbierze pendrive'a, to zastrzeli mnie, a potem wytropi mojego brata i jego też zastrzeli?

Telly mnie nie zostawi. Tkwimy w tym razem, tak jak osiem lat temu.

„Przypomnij sobie mamę" – powiedział.

Moje plecy, całkiem zapocone. Drżące ramiona.

Mężczyzna zaczyna iść w moją stronę. Twarde, miarowe kroki. Wyłania się z ciemności. Coraz bliżej i bliżej, aż dostrzegam karabin, który trzyma. Jest zbyt ciemno, żeby zobaczyć, ale założę się, że ma znamię nad bladym nadgarstkiem.

– To ty strzelałeś na stacji – wymyka mi się. Nadal nie rozpoznaję tego człowieka. Na pewno jest stary. Ma brzuszek i jakieś szelki podtrzymujące opadające dżinsy. Ale nawet na odległość wyczuwam intensywność jego spojrzenia. Przypuszczam, że to były wspólnik ojca Sandry Duvall. Człowiek, który robił w przeszłości złe rzeczy, a biorąc pod uwagę dzisiejszą jatkę, na pewno doskonale pamięta, jak nacisnąć spust.

– Twój ojciec jest profilerem FBI – mówi mężczyzna ochrypłym głosem. Jest już tylko pięć metrów ode mnie i ciągle się zbliża. Opuszczam ramię. Nie chcę, żeby widział, co trzymam. Jeszcze nie. – W takim razie policja wie o tych pieniądzach.

– Zabiłeś Richiego Pertha. – Staram się, by mój głos brzmiał pewnie. – Po tym, jak on zastrzelił Duvallów. Chciałeś zatrzymać pieniądze dla siebie.

– Policja nie marnuje czasu.

– Ale gdy spróbowałeś je podjąć, okazało się, że konto jest puste. Bo Sandra je zabrała. Lecz nie powiedziała o tym Richiemu, prawda? Zachowała to dla siebie.

– Richie zawsze był tępy – stwierdza mężczyzna. – Taki typ, co najpierw strzela, a potem pyta. Ale ja jestem inny. – Podnosi karabin na wysokość mojej klatki piersiowej.

– Kim jesteś? – pytam z czystej ciekawości. No bo skoro ten człowiek zamierza mnie zabić...

– Jack George. Przedstawiłem się już dzisiaj ekipie poszukiwawczej. Można powiedzieć, że znam Dave'a ze starych dobrych czasów. Awansowaliśmy razem. Zanim przeszedłem na emeryturę, byłem jego pierwszym oficerem.

– Gangsterzy przechodzą na emeryturę?

– Ci zaufani jak najbardziej. David lata temu wziął pod lupę nowe życie Sandry. Mniej więcej wtedy, gdy odszedłem na emeryturę. Poprosił, żebym osiadł tutaj i miał na oku z jednej strony jego córkę, z drugiej działania w Nehalem. Bakersville to bardzo miłe miejsce. Nie wspominając o tym, że gość w moim wieku nie powinien się za bardzo nudzić.

Nie wiem, co odpowiedzieć.

– A potem u Dave'a zdiagnozowano raka – kontynuuje Jack

George. – Postanowił, że pogodzi się z córką. Sandra, jak sama siebie nazywała, opierała się. Może myślała sobie, że jest lepsza od ojca, ale moim zdaniem problem tkwił w tym, że byli do siebie zbyt podobni. Mocno stąpający po ziemi i po prostu twardzi, oboje.

– Wiedziałeś o pieniądzach? O układzie, jaki miała z ojcem?

– Jak mówiłem, łączyła mnie z Dave'em długa historia. Grasz na zwłokę – stwierdza.

Oczywiście, że tak. Jack George zatrzymuje się trzy metry ode mnie. Z tej odległości widzi, że rzeczywiście stoję przy rurze odpływowej i ściskam coś w pięści. Jęknął, po raz pierwszy wydaje się niepewny.

Widzę za nim, jak mój brat powoli zaczyna kuśtykać do przodu. Porusza się niezręcznie, wygląda to tak, jakby miał ręce związane z tyłu. A to oznacza, że jest i ranny, i skrępowany. Innymi słowy jestem zdana na siebie. I stoję oko w oko z facetem z bronią.

– Doug Perth zadzwonił do mnie z pewnym planem. – Jack George opowiada dalej. Uważnie mi się przygląda, szukając oznak słabości. – Chciał, żebym pomógł Richiemu... za część pieniędzy. Ale po tych wszystkich latach dlaczego miałbym zadowolić się częścią? Nie zbijam kokosów na tej emeryturze. Richie zadzwonił do mnie, kiedy zastrzelił Sandrę. Skomlił, że go oszukała. Udała, że przekazuje mu dane konta, więc ją zabił. Potem sprawdził konto i zorientował się, że zostało wyczyszczone. Ale ja znałem Sandrę. Zawsze była bardzo sprytna. Jeśli pieniądze zniknęły, to znaczy, że coś z nimi zrobiła. Trzeba tylko złapać trop. Więc wyeliminowałem rywala...

– Zastrzeliłeś Richiego i kasjerkę.

– I zająłem się twoim bratem. Wiedziałem, że Richie starał się zmusić go do wzięcia winy na siebie, żeby uratować ci życie. Richie podrzucał mu twoje zdjęcia z dorysowanym na twarzy celownikiem, zostawił kij bejsbolowy na jego łóżku. Niezły pomysł. Po co go psuć? Spotkałem się z Tellym na stacji i podałem mu nowe, zmienione warunki. Mógł teraz w celu ochrony siostry wziąć na siebie także śmierć Richiego. Jeszcze lepiej, miał zlokalizować zaginione pieniądze, żeby uratować własne życie. Okazało się jednak, że Sandra zdążyła Telly'ego czegoś nauczyć. Próbował rozegrać własną grę, zostawiając wskazówki dla policji i chowając pendrive'a z informacją o nowym koncie w plecaku dziewczyny, która żyje pod kuratelą dawnych funkcjonariuszy służb bezpieczeństwa. Ale rodzina to poważna sprawa, prawda? Och, czego się nie robi dla rodziny.

Stary człowiek uśmiecha się do mnie, po czym znów unosi broń. Z tej odległości nie może nie trafić.

– Twój brat nie chciał podać twojego nazwiska ani numeru telefonu. Ale mnie przez całe lata płacono za bycie wyjątkowo przekonującym. Poza tym, skoro Henry nie miał danych konta i Telly nie ma danych konta, zorientowałem się, że zostaje tylko jedna osoba, której Telly powierzyłby taki sekret. I dlatego zwróciłem się do ciebie, i stąd nasze miłe spotkanie. Czas się skończył, dziewczyno. Daj mi to, czego chcę, i może zobaczysz jeszcze swoją rodzinę.

Jack George patrzy na mnie z bardzo bliska. Biorę głęboki wdech. To właśnie to. Moment prawdy. Bo ja nie wierzę w nic, co mówi ten emerytowany gangster. Sekundę po tym, gdy przekażę mu to, czego chce, oboje z Tellym będziemy martwi. Czego i tak spodziewałam się od samego początku.

– Mam złe wieści – szepczę.

– Czyżby?

Unoszę lewą rękę, sięgając jednocześnie prawą do tyłu.

– Nie mam tego pendrive'a. – Pokazuję, co tak naprawdę ściskam w dłoni: metalowe cążki do paznokci, które noszę w plecaku.

„Przypomnij sobie mamę".

– Co?

– Dałam pamięć USB mojemu psu. To naprawdę dobry pies. I bystry. Zaniesie dowód szeryf Atkins, myślę, że już do niej dotarł. Nie dostaniesz żadnych pieniędzy.

– Ty mała głupia...

Stłumiony ryk z tyłu. Telly jest już na tyle blisko, że może działać. Tym razem nie ma kija bejsbolowego. Rozpędza się, mierząc prosto w Jacka George'a, z rękoma skrępowanymi z tyłu i opuszczoną głową, jakby był ludzkim taranem.

Nie myślę. Nie waham się.

„Przypomnij sobie mamę".

Wyciągam pistolet zza paska. Drugą rzecz, którą Telly włożył do mojego plecaka.

Nie umiem strzelać. Nie mam pojęcia, co robię.

Ale osiem lat temu też nie wiedziałam, gdy wyjmowałam z rąk oszołomionego brata kij i stanęłam nad przytomniejącą matką. Kobietą, która nas kochała. Kobietą, która śmiała się, śpiewała i tańczyła wokół nas w kuchni. Kobietą, która nigdy nas nie chroniła, nawet wtedy, gdy ojciec tak strasznie bił Telly'ego, że mój starszy brat błagał o życie.

Gdyby wciąż żyła...

Wtedy uniosłam kij.

Teraz mierzę z broni.

Krzyk Telly'ego. Odpowiada mu echem okrzyk wściekłości Jacka.

Pojedynczy strzał rozbrzmiewa pośród nocy.

Jack George przewraca się.

Luka wpada na parking, Quincy, Rainie i inni tuż za nim. Quincy trzyma swoją dwudziestkędwójkę. To on strzelił, bo moja broń wydała z siebie tylko puste kliknięcie. Co świadczy o tym, jak niewiele wiem o broni. Telly wyjął wszystkie naboje, a ja tego nie sprawdziłam.

Nie obchodzi mnie to. Obchodzi mnie tylko Telly.

Biegnę do niego, kiedy chwieje się i opada na jedno kolano.

Mój starszy brat. Mój dumny, silny brat, najważniejszy dla mnie na całym świecie.

Obejmuję go w momencie, gdy się przewraca.

Oboje upadamy.

Telly już się nie podnosi.

Epilog

Miałem kiedyś rodzinę.

Sandra i Frank bardzo się starali. Ale Sandra miała swoje własne zmory, które ją dręczyły. Opowiedziała mi o nich po wizycie swojego ojca. O jej ostatniej nocy w rodzinnym domu. Jak udało jej się uciec wraz z informacją o tajnym koncie bankowym. Przez trzydzieści lat ta wiedza służyła jej za polisę ubezpieczeniową. Ojciec Sandry nie chciał, żeby ktokolwiek dowiedział się o tych pieniądzach, więc dopóki córka dochowywała jego tajemnic, on dochowywał jej.

Jednak rok temu wraz z opublikowaniem dokumentów jakiejś firmy prawniczej informacja o istnieniu tego konta została upubliczniona. Nagle skrywaną przez lata tajemnicę starego Martina poznali jego wspólnicy. Kilku z nich, w tym Douglas Perth, wiedziało, że to Sandra wiele lat temu wykradła dane do konta.

Ojciec próbował ostrzec ją, że gdy umrze, córka utraci ochronę, jaką zapewniała jej jego obecność. Ale Sandra mu nie uwierzyła. Miała swój własny pomysł. W dniu jego śmierci przetransferowała fundusze z tajnego konta i założyła fundację imienia swojej matki, by pomagać schroniskom dla maltretowanych kobiet w całym kraju. Podobała jej się taka ironia losu. Wreszcie jakiś dobry użytek z dwudziestu milionów dolarów lewych zysków.

Nie uwzględniła jednak determinacji wspólników ojca, którzy sami chcieli położyć łapę na tych pieniądzach. Quincy mi to później wyjaśnił. Że następca Martina, Doug Perth, wysłał własnego syna, żeby wyśledził Sandrę i zdobył dostęp do konta.

Że Richie Perth zabił Franka i Sandrę w ich własnym łóżku, a potem wrobił mnie, sprawiającego kłopoty wychowanka, w tę zbrodnię.

Jednak Richie nie wiedział, że Jack George, dawny wspólnik Martina, ma swoje własne plany.

Nie znałem go wcześniej. Nie wiedziałem, kim jest, gdy wezwał mnie na stację EZ Gas, wręczył mi broń, z której zabił Richiego, i poinformował, że po raz kolejny zostanę kozłem ofiarnym. Albo moja siostra za to zapłaci.

Co mogłem zrobić? Strzeliłem do kamery monitoringu i wziąłem winę na siebie, by chronić Sharlah. A potem sam próbowałem znaleźć Jacka, choć wiedziałem tylko, że ruszył na piechotę na północ. Kiedy znalazłem się wśród tamtych domów i jakiś szaleniec zaczął do mnie strzelać, wrzeszcząc, żebym wynosił się z jego podwórka, nie miałem pojęcia, że jestem tak blisko. Naprawdę myślałem, że to jakiś staruszek zwariowany na punkcie swojego trawnika. Uciekłem, schowałem się po drugiej stronie drogi. I tam znalazła mnie ekipa poszukiwawcza, więc musiałem podjąć działania, których będę żałować do końca życia.

Nie okłamałem Quincy'ego – naprawdę słabo strzelam z karabinu. Chciałem jedynie ich wystraszyć. Bardzo starałem się nie trafić w tułów, ale zraniłem dwie osoby. Obie przeżyły, lecz w nocy będą mnie teraz dręczyć kolejne krzyki. Poza dawnymi historiami, do których zaraz wrócę.

Jack musiał dojść do wniosku, że to dla niego odpowiedni moment. Policja ścigała mnie, a on miał mnóstwo czasu, żeby dokończyć nieudaną misję Richiego i dorwać dwadzieścia baniek.

Tamtej nocy wrócił do domu Franka i Sandry. Tylko że policja już tam była. Próbował wystraszyć ich strzałami, ale ja odpowiedziałem ogniem. Potem zdecydował się na plan B: wytropić Henry'ego, który na pewno znał sekrety matki.

Tylko że Henry'ego od dawna nie było w domu. Sandra nie miała okazji nic mu powiedzieć. Na zachętę do rozmowy Henry dostał kulkę w bok. Mając świadomość, że kolejna trafi go w kolano, blefował najlepiej, jak potrafił. Oczywiście, dwadzieścia baniek, wie wszystko... Tylko musi wrócić do domu.

I tam Henry zastał mnie. A Jack postrzelił mnie w ramię. I wtedy była moja kolej na blef. Desperacki ruch.

Tamtego popołudnia w lesie, nie wiedząc, co zrobić z pistoletem, który dał mi ten stary, wsunąłem go do plecaka Sharlah. Wyjąłem naboje i na dodatek iglicę. Nie chciałem, żeby broń stanowiła zagrożenie dla mojej siostry. Ale wykorzystałem też ciężar pistoletu, żeby ukryć większy sekret, bo do plecaka włożyłem również pamięć USB z danymi nowego konta. Doszedłem do wniosku, że Sharlah kiedyś ją znajdzie i przekaże policji. Może gdy będą mieli informacje o starym koncie i zorientują się, co Sandra zrobiła trzydzieści lat temu, to doprowadzi ich do Jacka George'a i tego, co dzieje się teraz. Chociaż oczywiście nie chciałem, żeby znaleźli George'a zbyt szybko. Ukrywając tę pamięć USB, zamiast ją po prostu oddać, dałem sobie czas, żeby samemu go znaleźć. Zamierzałem zrobić to, co powiedziałem wtedy Sharlah. Po tym, co on zrobił mojej rodzinie...

Faktycznie miałem jeszcze jedną osobę do zabicia.

Czy Sandra wiedziała, że po tych wszystkich latach ktoś po nią przyjdzie? Czy spodziewała się, że to nie może być takie proste? Że nic w życiu nie jest za darmo albo że im bardziej starasz się uciec, tym przeszłości łatwiej cię dopaść?

Sandra skorzystała z komputera w domu, żeby założyć fundację i przelać pieniądze. Potem skopiowała wszystkie informacje na pendrive'a i wykasowała je z twardego dysku – nie chciała, żeby Henry coś zauważył, zanim zdąży z nim porozmawiać. A przynajmniej tak mi powiedziała. Choć myślę, że raczej tak bardzo przywykła do zachowywania sekretów, że już nie potrafiła inaczej.

Gdy z samego rana natknąłem się na ciała jej i Franka, znalazłem tego pendrive'a wciśniętego w okładkę jednej z jej książek kucharskich. Nie wiedziałem, co z nim zrobię. Ale zamierzałem dochować sekretów Sandry.

Później, kiedy w lesie spotkałem Sharlah, uświadomiłem sobie, że to najlepszy moment, żeby przekazać te informacje. Jeśli pistolet i zdjęcia nie naprowadzą jej rodziców na właściwy trop, to pamięć USB na pewno to zrobi.

Gdy leżałem ranny na ziemi przed domem rodziców, a Jack stał nade mną gotowy dokończyć robotę, wiedziałem, że została mi już tylko jedna nadzieja: że skontaktuję się z siostrą, którą tak bardzo starałem się chronić. Nadzieja, że sława jej rodziców odpowiada rzeczywistości i że zadbają o bezpieczeństwo Sharlah.

Nie przyszłoby mi do głowy, że ona przyjdzie sama. Albo że weźmie ze sobą rozładowany pistolet.

Kiedy powiedziałem jej, żeby przypomniała sobie mamę, chodziło mi o to, by pozwoliła mi wziąć winę na siebie.

Ale Sharlah zachowała swoje własne wspomnienia. Wyraźniejsze niż przypuszczałem. To ona wymierzyła śmiertelny cios tamtej nocy. Zanim wyrwałem jej kij i wściekły i zrozpaczony zamachnąłem się na nią. Na siostrę, którą przysięgałem kochać tak samo jak matkę.

Tylko że nasza matka...

Nie wiem. Są takie relacje, takie rodzaje miłości, że nie potrafię tego wyjaśnić.

Nie skrzywdziłbym naszej mamy tamtej nocy. Zadzwoniłbym po karetkę. Uratowałbym ją. I jak uznaliśmy wspólnie z Sharlah, nasza matka związałaby się potem z kolejnym zaćpanym dupkiem i prawdopodobnie znaleźlibyśmy się w punkcie wyjścia.

Ale to była nasza mama. I jak mówiłem Sandrze, ja wciąż pamiętam chwile, gdy była szczęśliwa.

Tęsknię za tamtą mamą. Rozpaczam po niej każdego dnia.

A moja siostra?

Uratowała mnie. Znowu. Miała własną rodzinę i dobrze ją wykorzystała. Wysłała swojego groźnego psa z pendrive'em i notatką do matki i przekazała Rainie Conner, gdzie się dokładnie wybiera i jakiej pomocy potrzebuje.

Rodzina to zaufanie, powiedziała mi Sharlah.

I jej kawaleria nadjechała. Rainie, Quincy i sama szeryf przybyli na pomoc.

Rodzina pomaga rodzinie, powiedziała mi Sharlah.

I dlatego poszła do pustej biblioteki w środku nocy, i dlatego stanęła naprzeciwko szaleńca. Tylko dla mnie.

Sharlah, Rainie i Quincy odwiedzali mnie w szpitalu. Quincy skontaktował się nawet z moją kuratorką Aly, która jako przypisany mi opiekun mogła decydować o mojej przyszłości.

Nie zabiłem Franka i Sandry. Nie zabiłem nikogo na stacji EZ Gas. Ale strzelałem do ekipy poszukiwawczej i zraniłem funkcjonariusza SWAT i wolontariuszkę, nawet jeśli nie chciałem. Zarzuty obejmowały próbę zabójstwa, napaść pierwszego stopnia i nie-ostrożne obchodzenie się z bronią palną. Wszystko to poważne przestępstwa. W sądzie dla dorosłych czekałoby mnie piętnaście lat. Jednak jako siedemnastolatek wylądowałbym w poprawczaku, odsiedział jakiś czas, a potem kilka lat kurateli, prac społecznych i spotkań z psychologiem.

Co ciekawe, Henry się za mną wstawił. Napisał list do Aly, twierdząc, że jego rodzice mocno we mnie wierzyli. Frank i Sandra chcieli, żebym wyszedł na prostą. A niszczyć to wszystko dlatego, że zostałem wplątany w tragiczną przeszłość Sandry...

Henry pierwszy wydobrzał, a potem przychodził do mnie do sali szpitalnej. Podzieliłem się z nim tym, co wiedziałem o jego matce, co robiła jako młoda dziewczyna. Henry ma pełne ręce roboty, bo jest jedynym spadkobiercą Sandry i zarządza fundacją wartą dwadzieścia milionów dolarów.

Zaproponował mi pracę, lecz w głębi serca nie był do tego przekonany i obaj zdawaliśmy sobie z tego sprawę. Staraliśmy się, bardziej przez wzgląd na Sandrę, ale poza rodzicami nic nas nie łączy. Nie jesteśmy rodziną. Tylko dwojgiem ludzi, którzy kochali Franka i Sandrę Duvallów.

Ich pogrzeb. Przyszło mnóstwo ludzi. Choćby uczniów Franka...

Byłby dumny. Bardzo dumny...

Aly zaproponowała, żebym pomieszkał trochę u niej. Załatwiła mi sąd dla nieletnich, rozprawa odbędzie się za parę miesięcy. Quincy pomógł. Napisał, że uratowałem mu życie. W debacie, czy jestem zerem, czy bohaterem, ostateczny wyrok będzie musiał wydać sędzia. Na razie chodzę na terapię, odrabiam pracę domową, bo – jak mawia Aly – życie to wybory i konsekwencje, a ja muszę lepiej radzić sobie z wyborami, żeby zasłużyć sobie na lepsze konsekwencje.

Chcę iść do szkoły kucharskiej. Chcę pokazać światu kurczaka z parmezanem Sandry, bo kiedy jestem w kuchni, to czuję Sandrę obok siebie, a to bardzo dobre uczucie.

Chcę pomagać dzieciakom w kłopotach. Gdybym został szefem kuchni, mógłbym zatrudniać je jako pomocników kelnera czy na zmywaku. Mógłbym uczyć, bo jak to robię, to czuję obok siebie Franka, a to bardzo dobre uczucie.

Chciałbym poznać moją siostrę. Spędzać więcej czasu z nią i jej rodziną. Bo gdy się do mnie uśmiecha, zapominam o tamtej nocy. Pamiętam płatki Cheerios i *Clifforda, wielkiego czerwonego psa*. Czuję się dumny i silny, jak na starszego brata przystało, a to bardzo dobre uczucie.

Chcę się poprawić.

Chcę być lepszy.

Miałem kiedyś rodzinę.

A przy odrobinie pracy i starań pewnego dnia...

Będę ją mieć.

Znów.

Podziękowania

Geneza kryminału *Krok za tobą* nie sięga zbyt daleko. Przede wszystkim i w pierwszej kolejności dziękuję moim Czytelnikom za sugestię, że pora już na kolejną książkę o Quincym i Rainie. Jako powieściopisarka, której jakimś sposobem udało się napisać kilka serii – thrillery o psychologach kryminalnych FBI (czyli książki o Quincym i Rainie), powieści o detektyw D.D. Warren oraz te, których bohaterką jest Tessa Leoni – postanowiłam wiosną 2015 roku przeprowadzić ankietę na Facebooku, by sprawdzić, kto powinien wystąpić w mojej powieści z 2017 roku. Przyznam, że spodziewałam się, że będzie to wybór między D.D. Warren a Tessą Leoni. Ale nie, bezapelacyjnie zwyciężyli Quincy i Rainie. Co sprawiło, że spędziłam jesień na czytaniu moich własnych powieści, bo tak dawno nie pisałam o profilerach, że mnóstwo musiałam sobie przypomnieć!

Gdy już wiedziałam, że książka będzie o tworzeniu portretów psychologicznych zbrodniarzy, potrzebna mi była zbrodnia. Najtrudniejsza sprawa, kiedy pisze się kryminały, to wymyślenie czegoś, o czym się jeszcze nic pisało. W tym przypadku postanowiłam przyjrzeć się mordercom w amoku, zwanym też mordercami spontanicznymi. To dla mnie nowy rodzaj morderstw, ale – jak się okazuje – bardzo aktualny. I los sprawił, że usiadłam na kanapie, wzięłam do ręki magazyn „SWAT" mojego męża i natrafiłam na artykuł autorstwa Pata Pattona na temat tropienia uciekinierów. Bardzo spodobał mi się jego pogląd, że pomimo wszelkich dostępnych wynalazków technicznych nic nie zastąpi dobrej roboty na tropach w starym stylu. Jako urodzona optymistka od razu napisałam do Pata maila, sugerując, by spędził trochę swojego cennego czasu na edukowaniu niemającej na ten temat żadnej wiedzy pisarki. I on się zgodził! Tak więc najszczersze podziękowania dla Pata Pattona, którego wiedza i doświadczenie dały mojemu fikcyjnemu tropicielowi, Calowi Noonanowi, wszystko, czego potrzebował. Jakiekolwiek błędy i *licentia poetica* to wyłącznie moja wina. Zabójca w amoku musi być uzbrojony. Po tylu latach i wielu lekcjach strzelania wciąż nie czuję się komfortowo w temacie broni. Natomiast mój mąż i córka doskonale strzelają do celu. Kontynuując przygotowywanie się do napisania powieści bez wstawania z kanapy, skorzystałam z ich wiedzy, by stworzyć kolekcję broni Franka Duvalla i przedstawić naukę strzelania. Mąż i córka są bardzo mądrzy i bardzo starali się mi pomóc. I znów jakiekolwiek błędy i *licentia poetica* to wyłącznie moja wina.

Jeśli chodzi o przepisy kulinarne Sandry Duvall, to wielkie podziękowania należą się mojej mamie, której pieczony kurczak jest potrawą wprost idealną. Och, a Telly, który zranił sobie kciuk, trąc parmezan – to znów moja córka. Widzicie, co się dzieje, jak człowiek przebywa z autorką thrillerów? Wszystko, dosłownie wszystko może stać się pożywką dla kolejnej powieści.

Następna rzecz to skomplikowana przeszłość Telly'ego i Sharlah. Bardzo dziękuję doktorowi Greggowi Moffattowi i Jackie Sparks z Centrum Terapii Psychologicznej Wczesnego Dzieciństwa za podzielenie się ze mną wiedzą o traumach z dzieciństwa oraz o odpowiedniej ocenie młodocianych przestępców. Spędziłam też sporo czasu na niezwykle pouczających rozmowach z kuratorami i pracownikami opieki społecznej. System nie jest perfekcyjny, ale jak mogą zaświadczyć Telly i Sharlah, zdarzają się wspaniałe rodziny i można znaleźć dom na zawsze.

Skoro mowa o rodzinie, to nie można zapomnieć o jej psich członkach. Ogromnie dziękuję Greggowi DeLuce z policji stanowej New Hampshire oraz jego utalentowanemu owczarkowi belgijskiemu malinois Tysonowi, który był pierwowzorem Luki. Mogłabym słuchać opowieści o dokonaniach DeLuki i Tysona całymi dniami. Jak wyraził to DeLuca, Tyson to pies, który trafia się raz na całe życie. Doskonale rozumiem, co miał na myśli.

A to prowadzi nas do niezrównanej Molly, suki ze schroniska, która znalazła swój dom na zawsze u Deb Cameron i Dave'a Klincha. Dzięki ich hojnej wpłacie dla Conway Area Humane Society Molly zmieniła się w wyjątkowego psa tropiącego, którego opiekunką jest oczywiście Deb. Molly, zwana też Mollianką, to najsłodszy, najgrzeczniejszy i najkomiczniejszy pies, jakiego znam. W prawdziwym życiu Molly raczej głośno chrapie, niż ściga uzbrojonych uciekinierów, ale i tak jest bohaterką. Znaleziono ją porzuconą, wycieńczoną i na dzień przed porodem. Uratowała ją grupa wolontariuszy z Tennessee. Choć była bardzo słaba, urodziła siedmioro dorodnych, zdrowych szczeniąt i z dumą je odchowała. Gdy trafiła do New Hampshire, słodki charakter mieszańca pitbulla natychmiast sprawił, że została ulubienicą schroniska. W końcu kierowniczka schroniska Deb nie potrafiła się z nią rozstać i Molly stała się ukochanym członkiem swojej nowej rodziny. Możecie zajrzeć na profil Molly na Facebooku: www.facebook.com/molly-wogwalks/photos. Myślę, że zgodzicie się, że jest wyjątkowo fotogenicznym psem!

David Michael Martin również zdobył prawo zaistnienia na kartach tej powieści dzięki wpłacie na schronisko. Uznał, że skoro przedstawia się trzema różnymi imionami naraz, to będzie doskonałym seryjnym mordercą. Zgadzam się. Jednak swoją pierwszą darowiznę uczcił ukochaną babcię, Norinne Manley, zwaną Nonie. Nonie była też matką Carol Manley, którą możecie pamiętać jako detektyw ze *Znajdź ją*. Krótko mówiąc, fikcyjna rodzina Davida obejmuje szefa grupy przestępczej, bostońską detektyw oraz tropicielkę. Może powinnam następnym razem opisać ich zjazd rodzinny. Jeszcze raz dziękuję, Dave, za Twą hojność wobec Conway Area Humane Society i mam nadzieję, że jesteś zadowolony!

I po raz kolejny zaprosiłam moich Czytelników do morderczej zabawy. Erin Hill wygrała coroczny konkurs *Kill a Friend, Maim a Buddy* na stronie LisaGardner.com i została szczęśliwym sztywniakiem. Isabelle Gerard wygrała międzynarodową edycję konkursu *Kill a Friend, Maim a Mate* i wybrała Bérénice Dudkowiak do roli psychologa kryminalnego. Bez obaw, konkurs na rok 2018 już się rozpoczął. Powodzenia, ustrzelcie swoją własną literacką nieśmiertelność!